最新图文版

SHIJIEDILI
WEIJIEZHIMI
QUANJILU

冠楠 ◉主编

中国戏剧出版社

世界地理

下卷

未解之谜全记录

□ "富有的海"——红海之谜

谁也不知道，这个被称为"地球上最不寻常的大片水域"是怎样取名为红海的。据说，一年有几段短暂时间海藻生长旺盛，把平常淡蓝的海水染成不折不扣的红棕色，因而得名。其实，大漠上太阳西下，海中倒映出泛着红光的山峦，海面波平如镜，才是更有诗情的解释。

就地质年代而言，红海尚属年轻，大约四千万年前开始形成，那时，地壳开始分裂，形成东非大裂谷。随着非洲和阿拉伯大陆板块分离，它们之间的地壳下陷，千万年来，海水逐渐淹没部分裂谷。板块运动持续不断，大致齐整的红海两岸以每年十公里的速度背向移动。这样的速度每百年仅达一公尺，没有迹象显示运动会停止，反之可能加速。迄今为止，红海与大西洋的变化几乎如出一辙。再过大约二亿年，红海很可能与大西洋大小看齐。

红海下的地壳运动，首先使红海的东西海岸线翘起分开，这意味两岸河水不再流入红海。再者，分离板块的沿线火山活动增多，导致水温上升至摄氏五十九度，这是地球表面最高的温度。

红海亦比其他海洋要咸，含盐量百分之四点一。（海洋平均含盐量百分之三点五，地中海百分之三点八。）大约在二千五百万年前，进入印度洋的通道仍未完全打开，流入尚在形成的红海的水蒸发，结果形成辽阔的盐床。新近地壳降起，搅乱了这些盐床，盐溶解在整个红海中。在热带阳光的强烈照射下，海水迅速蒸发，又增加了盐的浓度。河水不流入红海，加上每年热带沙漠降雨量仅约二十五公里，红海每年因此损失相当于一点八公尺深的水。如果不是印度洋通过曼德海峡向红海补充水，最终红海会变得完全干涸。其实，每逢隆冬，海平面降至最低点，沿岸的上层珊瑚礁会逐渐死亡。

沿着大裂谷，板块一边分裂，岩浆一边从地壳冒出，不断填补鸿沟。在一些温度特别高、盐度特别浓的深溶蚀坑，矿物质含量极高。科学家发现了十五个这样的"深潭"，其重金属浓度竟为普通海水中的三万倍。据估计，仅在上层九公尺的沉积土中，所含的铁、锰、铜和锌总值为二十亿美元，可能成为红海最巨大的财富。

目前，红海最丰富的宝藏是其蕴含的海洋生物。由于红海海水较暖，在陡峭的海岸边的狭长地带聚集着世界上最壮观的珊瑚礁。它们最初形成于六千至七千年前。迄今已辨别出一百七十七种珊瑚，其中许多通常仅在往南二千五百公里的赤道海域繁衍。在拥挤的礁区，有些地方宽仅三公尺，居然有二十多种珊瑚密密麻麻地生长。这个礁区给上千种鱼提供了栖息的家园。

五彩缤纷的鹦嘴鱼牙齿发达，能咬碎珊瑚，摄取营养丰富的海藻。海星和海蛞蝓则在珊瑚礁表面爬行。隆头鱼科的鱼特别多，有五十多种，大小各异，小巧的六条纹隆头鱼仅长二点五至四公分，巨型隆头鱼则长逾一点八公尺；隆头鱼在珊瑚崖较深的水域游弋，觅食软体动物和海胆。

和世界上其他地区的珊瑚礁鱼群一样，有些鱼演化出变性能力，因此生存机会最大。如果某一代的雄鱼奇缺，有些雌鱼到了成熟期会变大，色彩鲜艳，转化为科学家所说的超级雄鱼。到了繁殖期，超级雄鱼会吸引众多雌鱼进行产卵。它虽然会赶走其他超级雄鱼，但对于与雌鱼外貌相似的天然雄鱼却睁一眼闭一眼，这样，两种雄鱼都能繁殖，确保了鱼种的延续。

海底世界争奇斗艳，与沿岸荒凉的陆地形成鲜明的对比。这片狭长的水域将横跨西非毛里塔尼亚与中国中部戈壁滩的大沙漠一分为二。大约二亿年前，红海只不过是亚非大陆中一小片洼地，今天却成了热带深海，将来也许会演变成辽阔的海洋。

□被沙暴吞噬的国度之谜

一九七九年，新疆考古工作者发掘了大批珍贵文物，还出土了一具已有三千八百多年的古代女尸，立即在国内外引起轰动，这具女尸出土在楼兰遗址，是中国目前出土的时代最早、保存较好的女尸。

楼兰是中国西域古丝绸之路上一个强悍的小国。早在公元前许多年就存在，一度十分繁荣。可是在公元三世纪后，楼兰国却神秘地消失了，楼兰王国的兴亡和它边上的罗布泊一起，成了一个巨大的谜。

一九八八年十月二日，中国和日本组织了一支联合探险队，到达了静眠于沙漠之中的楼兰遗址，目的是解开这个在丝绸之路的十字路口消失了的神秘古国之谜。

石笋和钟乳是谁的杰作?

探险队从敦煌启程，进入沙漠，徒步行进在起伏流动的沙丘中，终于在沙漠中发现了佛塔和房舍的残迹，遭受风沙侵蚀的佛塔、房舍、墙壁和日常用具等，在星空上展现了往昔的容貌。在此，探险队对楼兰人消失之谜获得了一些初步的线索。

楼兰总共有十二个村，几万人左右，在部落首领领导下，平平安安，快快乐乐地生活着。可是就在一千多年前发生了一次瘟疫，许多楼兰人在病魔中失去了生命，一部分幸免的人就向南面的夏康利迁移到了米兰。从此后楼兰便消失了。居住在罗布泊附近的楼兰人为了寻找水源也不断变更居住地。但到后来，由于天气变暖，沙漠风暴增大，湖泊干涸了，这些楼兰人也到了米兰。

这仅是实际的考察，真正的楼兰消失原因，仍是一个待解之谜。

□为何说罗布泊并未漂移

罗布泊位于新疆塔里木盆地东部，同失踪了的楼兰古城一样，是一个充满神秘氛围的地方。近百年来有关罗布泊是否漂移的争论，又牵动着地质学界那么多人的心弦，使之成为一个引人入胜的自然之谜。

酷热、干旱、风沙、雅丹（陡崖）、盐壳，阻拦着人们向罗布泊接近，多少年来一直被称为"死亡之路"，历史上曾有许多中外学者试图冲破层层阻碍穿越大沙漠，完成对罗布泊的考察，然而成功的人并不多。就是仅有的几次成功的考察，却在罗布泊确切位置上产生了很大的分歧。

最先引起罗布泊是游移湖争论的是俄国探险家 H·M·普尔热瓦斯基，他在公元一八七六年曾到罗布泊考察，他发现罗布泊位于塔里木河口的喀拉和顺境内，比我国地图所记的位置还要往南，大约有纬度一度之差，而且，他所见到的湖泊是一片淡水湖，芦苇丛生的大沼泽地，聚集着成千上万的鸟类。而北罗布泊（即中国地理文献所记载的罗布泊）的水都已干涸，变成盐滩，十分荒凉。

普尔热瓦斯基的观点发表后，在国际地质学界引起了争论。

德国的李希霍芬持反对意见，他认为普尔热瓦斯基所考察的也许并非是中国清朝地图上的罗布泊，真正的罗布泊还在普氏考察的北部。

以后英国的斯坦因、瑞典的斯文赫丁等先后到罗布泊地区考察，认为争论的双方都没错，而是罗布泊游移到喀拉和顺去了。从此就有了罗布泊是游移湖的说法。斯文赫丁还推测了罗布泊游移的原因，是由于进入湖中的河水（塔里木河）挟带大量泥沙，沉积在湖盆，而使湖底抬高，导致湖水往较低的方向移动。过一段时期后，被泥水抬高露出的湖底又遭受风的吹蚀而降低，这时湖水又回到原来的湖盆中，罗布泊像钟摆一样，南北游移不定，而且游移周期可能为一千五百年。

一九二三年，为普尔热瓦尔斯基和斯文赫丁所发现的罗布泊突然消失，成为沙漠，鸟儿飞走，芦苇枯死，那些靠打鱼为生的渔民和居民也离开了用芦苇编成的小屋，迁往他处。原来，罗布泊又戏剧性地回到了它以前呆过的地方，即古代地图上所标的位置。

到了一九三〇和一九三一年，瑞典、中国勘察队来到中国地图所标的罗布泊，发现那里水面长约一百八十八公里，宽五十公里，深五米，大约有二千平方公里。一九五四年，罗布泊水面又扩展为三千平方公里。一九五〇年，中国科学院新疆综合考察队在罗布泊北岸考察时，还见到烟波浩淼、水鸟成群的情景。他们还曾泛舟湖上，甚至抓到了一条大鱼。

但一九六四年，罗布泊开始干涸。一九七三年，美国大地卫星对该地区拍照，证实罗布泊已完全干涸。

而我国地质学工作者认为，造成罗布泊干涸的原因，是人类经济活动水分重新分配的结果，即河流上游的农垦，引水灌溉，造成了罗布泊水源枯竭，而并非是罗布泊游移他处。

一九八〇年，我国的科学考察队又两度穿越罗布泊，对那里的地貌和古水系作了详细的考察，考察队队长夏训城在考察报告中写道：罗布泊最低处为七百七十八米，喀拉和顺最低处为七百八十八米，相差十米，水往低处流，不可能发生罗布泊倒流喀拉和顺的现象。塔里木河和孔雀河下游入湖口处，河流挟泥沙较少，短时期内不会产生大量泥沙堆积，抬高湖底地形，而使水往较低地方流去。这次考察中我们看到，干涸的湖底皆为坚硬的盐壳，用钢锤都很难敲碎，不易产生风的吹蚀作用，而使湖底重新降低。考察队还从干涸的罗布泊湖盆中，进行钻探取样，这些样品通过孢粉和年代测定表明，湖底沉积物不同层次都有香蒲、莎草等水生植物孢粉的分布，说明历史时期布泊一直是有水停积的，湖水从未离开罗布泊。根据碳十四年代测定结果，湖底沉积物一点五米深处，为三千六百年左右的沉积。说明三千六百年以来，湖泊的沉积作用一直在进行着，而不像斯文赫丁推测一千五百年左右就会形成十米以上的沉积物。通过实地考察测量和运用现代航测资料认定，罗布泊是游移湖的提法是不符合实际情况的，罗布泊水体从未发生倒流入喀拉和顺的现象。

由此看来，要真正地揭开罗布泊的奥秘，还需要很长一段时间。

□ "刻"在海滩上的巨画之谜

在日本有明海海滩上，人们发现了一个巨大的钱形图案。

从它酷似中国古代钱币的造形及图案中清晰可认的字体来看，实令人费解其意，凡目睹此图案的人无不称奇。

这个具有立体感的钱币图案，是掘沙筑成的。在海滩上行走，亲临它时人们根本不会觉得这是一个图案，而会误认为这不过是一道道沙沟。但当你登上岸边的一座山后向下俯视，就会惊奇地发现这沙沟所展示的竟是一个巨大的"钱形"图案。在这里你可以看到这个图形图案的构图和中国古代的铜钱极其相似。在这个圆圆的沙圈中心有个四方形的孔，在这方孔的四边有"永宽通宝"四个大字。这个钱形图案究竟能有多大呢？人们进行了实地测量。这一测量人们又发现了新的问题，原来人们所见的哒个图案并非是绝对的园形，而是一个周长为三百五十四米，东西长一百二十二米，南北宽九十米的椭圆形，难怪站在它东岸山顶上的人，所看到的图形是那么圆。

那么这个巨大的钱形图案是如何形成的呢？据传说：一六三三年，即宽永十年时，当地居民为了迎接龙丸藩主前来巡视，一夜之间，掘沙修造起来的，一直保存至今。另一个传说是当年在琴弹山顶有一座神殿，叫"八幡神宫"，公元七〇三年，即大宝三年，一天夜间，八幡大神乘座一只发光的船，从宇佐神宫飞临此地。从此，便有了这巨型图案。于是，人们就修了这座神宫祭祀八幡大神。

这神秘的图案及神话传说，使人联想到在秘鲁纳斯卡平原的那些巨形图案。那巨型图案也只能从高处才能看见，人们认为那是宇宙人的杰作，地面上是造不出来的。那么这个钱形图案是否也是宇宙人的纪念物呢？传说中从宇佐来的大神，是否就是从宇宙中来的外星人？它所乘坐的发光船，是否就是人们所发现的飞碟？如果是，那么宇宙人为什么会来到地球造出此钱形图案呢？它的喻意是什么？对这一连串的设想人们很难找到证据来说明。这样人们又把眼光从宇宙收回到地球，到远古的人类祖先那里去寻找答案。他们认为这个巨大的钱形图案纯粹是地球人的杰作，是集体智慧的结晶。他们推测到：在创造这一奇迹时，指挥者站在海岸边的琴弹山上，通过旗语来指挥海滩上众多的人，这样人们在统一指挥下就完成了这项巨大的工程。只有这样他们所创造出的钱形图案虽然实际上是椭圆形，但人们站在山上所看到的却呈圆形，与钱更加相似。

对于这一解释人们认为比较合理，但人们还不明白，这个钱形图案究竟是些什么人、出于什么动机和目的、在什么时间创造出来的？它为什么能够在大海的波涛下长存而没有消失？

□消失在丛林中的城堡之谜

远在一八六一年，法国生物学家亨利·墨奥特来到法国领地印度支那半岛（即中南半岛）的高棉，寻找珍奇蝴蝶的标本。

在深入高棉内地，他雇请四名当地土著充当随从，开始进入一大片阴暗深沉的丛林区，他的心中挂念的只是能捕获一只稀世罕见的蝴蝶品种，让世人惊奇。他们一行沿着中南半岛的湄公河逆流而上，约走了四百八十公里，然后利用小船由湄公河支流深入内地，到达高棉的金边湖。一路上奇景异兽使墨奥特开足了眼界，太多少见的植物、昆虫在这未开化的丛林地

吴哥窟是如何被遗弃的？

带，展现生命的光彩，然而随行的土著似乎很烦燥，甚至有些恐惧，在走了一大段路后，他们竟然停了下来，不愿再向前走。

"主人！我们只能跟随您到这里，再向前……"

"再向前怎样？你们看我专程由外国来到此地，到现在连一只蝴蝶都没捉到，如果现在就这样空手回去，岂不是前功尽弃，所有的辛苦都白费了吗？再说……"

"可是主人……"仆人争先恐后抢着说道，"……前面那座密林里藏着许多幽灵，不但会令人迷路，还会用可怕的毒气把人杀死呢！"

"幽灵？"墨奥特心中不免一阵好笑，这些迷信的土人居然还深信在这个时代里有幽灵存在！但他只能鼓励胆怯的随从："这个时代怎么还会有幽灵？就算真有，我们这么多人，还怕不把幽灵吓跑啦？要是能够把幽灵抓住，不但比捉蝴蝶来得有趣、刺激，你们更可成为其他人心目中的英雄，还怕什么？"

土著并未被说服，反而一个劲的恳求默奥特也别冒险："主人！这可不是开玩笑的，就是因为丛林里有魔鬼的咒语，所以几百年没有人住的一座大城堡仍然孤立着……"

"你说什么？有一座大城堡？"

"是的主人，那座城堡有这么大……"

墨奥特看着表情严肃的土人比划着，眼睛瞧着远处的茂密丛林，心中浮起一股好奇之心"丛林中居然隐藏着一座大城堡，如果公诸于世，岂不举世震惊！"想着想着，他连捉蝴蝶的欲望都消失了。

"这样吧，我给你们加倍的钱，你们再陪我往前走一走，探个究竟好吗?"

勉为其难的随从，怀着战战兢兢的心情，小心翼翼的再向前走，可是灰暗的树荫遮蔽云日，幽暗的丛林四处有绊人的树根，匍匐在地上的毒蛇随时都有攻击人的可能，不知名的昆虫任意叮咬着五个人的皮肤，使人心惊胆战，四名随从先前在虚名重利的引诱下，还鼓着勇气往前走，现在一个个手脚都瘫软无力，"主人！请不要再往前走，我们回去吧！我们再也不敢向前走了，这会触怒恶魔幽灵。即使你给我们再多的钱，我们也不干……"

墨奥特无奈，只得要求随从再走最后一天，如果没有发现古城，那就打道回府。

在这蛮荒的丛林搜寻了五天，什么也没发现，墨奥特只得率同仆人折回，就在此时，忽然五座古塔呈现在他们眼前，尤以中央那座最高、最宏伟，塔尖映在夕阳里，闪闪发光。

墨奥特惊叫着奔向前去，一览这座埋藏在丛林中的古城。这就是闻名的吴哥城，古名禄兀。

吴哥城占地面积东西长一千零四十米，南北长八百二十米，堪称一座雄伟庄严的城市，几百座大胆设计的宝塔林立，周围更有宽二百米的灌溉沟渠，好像一条"护城河"，守卫着吴哥城。建筑物上刻有许多仙女、大象及其他浮雕，尤以一百七十二个人的"首级像"显得壮盛雄伟。在这座古城中有寺庙、宫殿、图书馆、浴场、纪念塔及回廊，表示当年在此兴建都市的民族必定是个文化颇为发达，并有高超建筑技术的的民族，因为这里是世界最伟大的建筑之一。

墨奥特虽然想揭开古城的秘密，但却因染患热带热病过世，以后由法国方面继续探索。原来在公元十二世纪，吉蔑人在丛林中兴建吴哥城，并于十三世纪达到盛世。其兴盛的状况可由一位中国商务使节兼旅行家周达观在一二九六年抵达吉蔑首都，把这个隐藏在丛林中的帝国做了些微的介绍。

在吴哥城门口，除了狗和罪犯之外，任何人都可自由出入由兵士驻守的城门。那些王宫贵人们，居住在用瓦覆盖的圆形屋顶，且都是面向旭日初升的东方，而奴仆则在楼下忙于工作。

巴容神殿，有二十多座小塔和几百间石屋围绕着一座黄金宝塔，神殿的东边则由两头金色狮子守卫着金桥，处处都显出吉蔑帝国丰盛的财力。

国王更是尊贵，他穿着富丽堂皇的绸缎华服，头上时而戴着金冠，时而戴着以茉莉花及其他花朵编成的花冠。身上的佩戴更是举世古珍，珍珠、手镯、踝环、宝石、金戒指……当其他大使或百姓想见国王时，便于国王每日两次坐朝时，席地而坐着等待。在乐声中一辆金色车子载来国王，此时有螺声大响，巨僚官属须合掌叩头，等到国王在传国之宝——"一头狮子皮"——坐定，螺声停止，众人才敢抬头瞻望国君之威仪，并将诸事奉告……

以上之细节可由周达观所著《真腊风土记》里窥视全貌，得知吉蔑帝国不但有富庶的国力，而且是个有秩序、有法律的民族，人口达到二百万。

然而一四三一年，暹罗人以七个月的时间，攻陷吴哥城，搜刮大批战利品而去。第二年他们现再度光临吴哥城，却发现这里变成一座空旷的"无人城"，不但没有半个人影，连牲畜也不见踪影，究竟这些人到那里去了？

传说纷起，有人认为可能有一场可怕的传染病侵袭吴哥城，大部分居民都相继死亡，侥幸生存者将死者焚毁以避免流行，然后怀着哀怀的心情，远走他乡；又有认为国内发生过一场大规模内乱，国民互相残杀，所有的人都被杀戮一空，然而却没有一具尸体被发现！实在太不可思议了！

还有一说是暹罗大军攻占吴哥城之后，将所有的居民强行带到某地去做奴隶，然而难道稚子、病弱者、老迈的人也能充当奴隶？

□一万年前的岩画之谜

二十世纪六十年代初，中国考古人员在新疆的一座古老的山洞里发现了一批古代岩画，经科学测定，这是数万年前的作品。其中，有一组世界上最早的月相图，由新月、上弦月、满月、下弦月、残月等连续画面构成。

令考古人员震惊的是，满月图上居然会画出辐射线的细节。

在满月图中，在球体的月南极处的左下方，刻画有七条呈辐射状的细纹线；这表明月图作者是极鲜明、准确地表现了月球上大环形山中辐射出的巨大幅射纹。

这与我们现在使用天文望远镜，才能观察到的月球表面成辐射状的大环形山非常相似。

该怎样解释呢？

数万年前以钻木取火、结绳纪事的原始人是如何会知道月球的地貌的呢？莫非这数万年前的月相图并非原始人所刻绘？那么，这古老月相图的主人又来自何方呢？

　　如果说新疆山洞里的穴居人确实留下了他们创作的难予解释的原始作品，那么在世界上这样的史前岩画就并非罕见了，尽管从内容上看同样难予解释。

　　在法国的卢萨克堡，人们发掘一组画在水平石板上的壁画，画中人物竟穿戴长袍、靴子、腰带、外套及帽子，留着修剪过的长胡须；完全是一派二十世纪才有的装束，考古学家的论证令人目瞪口呆，这组画确实是原始时代的真品。实在无法想象，赤身裸体、毫无服饰意识的穴居人会在石壁上画得出二十世纪的人物。

　　类似的岩画在南非的布兰德堡也有发现。画面上一个白人，身穿短袖上衣和紧身马裤，戴手套，结袜带，穿便鞋；左手端着酒杯，右手拿着弓箭，看来好像是在庆贺比赛凯旋。壁画诞生于史前时期。可又怎能令人相信这会属于史前人类的创作呢？

　　是否当真有天外来客作为文明的使者降临过地球、并在原始人眼前露面呢？

　　无独有偶。法国学者安利·罗特曾在撒哈拉沙漠中的塔西里高地，发现一批已有近万年历史的岩画，上面画着数以千计的动物和人；其中一些人穿有短上衣，手持棍棒，上挂无从名状的箱子。最引人注目的一幅画，画有一尊身高超过五米的人像，他的服装酷似现代的潜水服或宇航服。在他坚实有力的双肩上放着一个密封的头盔，用某种接头与躯体相连，颈部是呈水平褶纹的密封衣领。头盔上靠近双眼的部位留有许多孔道。

　　这种岩画难道会是古代人类想象的产物么？而绘有这类颇似宇航员形象的岩画，已分别在美国的加利福尼亚、伊朗的西雅尔克、意大利的布列西亚、墨西哥的帕伦克等地相继发现。

　　其中，意大利的布列西亚史前岩画上画有两个人物，他们都穿着鼓鼓囊囊的套服，头上戴着奇怪的密封盔，盔上还伸出天线似的短角；手里拿着不知名的工具。至于墨西哥的帕伦克岩画，则是在当地一座金字塔中深藏的石棺盖上发现的；它虽非史前作品，但却被研究专家称为"典型的史前宇航图"。画中人物很像是在驾驶着正在飞驰着的火箭。

　　图中刻画出的飞行物，它前身尖，稍后是几个形状奇特的凹口，很像是舱门或通风口，再往后逐渐变宽，尾部是一股喷出的火舌。它前端处有开口，纳入空气，空气经由管道送入尾部。画中的玛雅人上身前倾，手中握着操纵杆状的东西，左脚跟踩在一块踏板上，他正全神贯注地注视着眼前的仪表。显然"火箭"处于向前飞行状态。

　　这位操纵员的头盔装置复杂，有透气口、有管子，还有天线般的东西；他的衣着恰到好处，一套紧身连衣裤，腰间束着宽皮带，手臂和腿部紧束着绑带。他的前座与运载器的后部隔开；在运载器内可以看到各种对称的方、圆、点和螺旋线。

　　在这幅在现代人们看来是极度超越了时代的古代作品中，究竟隐藏着怎样的信息呢？或者说，它将会告诉后世哪些秘密呢？玛雅人的祖先是否曾接待过神秘的"天外来客"呢？

　　在俄罗斯，考古学家们发现了一幅画有奇特飞船的史前岩画，画中飞船由一排十个紧挨着的球体组成，这些球体置于一直角柜内，两边顶有大柱子。这难道是史前"天外来客"的星际飞船么？但这种飞船的古怪构造却是无法让当今科学家所理解的。究竟是原始人见过这种飞船，还是天外使者有意留下了飞船图形？

□瞬间毁灭的印度古城之谜

考古学家始自一九二二年的发掘表明，约五千年前的印度河流域，曾有一座繁华的城市突然在瞬间被摧毁了。它的遗址被命名为"摩亨佐达罗"，这在印度语中即是"死亡谷地"的意思。但当代不少学者都以为不如称它"核死丘"更适宜些。

持续多年的发掘，使掩埋在厚厚土层下的史前文明古城废墟重见天日。在这里，考察人员找到了此地发生过多次猛烈爆炸的证据。爆炸中心一平方公里半径内所有建筑物都成了细细的粉末。距中心较远处，发现了许多人骨架。从骨架摆放的姿势可以看出，死亡的灾难是突然降临的，人们对此毫无察觉。这些骨骼中都奇怪地含有足以与广岛、长崎核袭击死难者相比的辐射线含量。不仅如此，研究者们还惊奇地发现：这座古城焚烧后的瓦砾场，看上去极像原子弹爆炸后的广岛和长崎，地面上还残留着遭受冲击波和核辐射的痕迹。

联系到古印度史诗《摩诃婆罗多》对五千年前史实的生动描述，后人对"核死丘"的遭遇也就可以领悟一二了：

"空中响起轰鸣，接着是一道闪电、南边天空一股火柱冲天而起，比太阳耀眼的火光把天割成两半……房屋、街道及一切生物，都被这突如其来的天火烧毁了……"

"这是一枚弹丸，却拥有整个宇宙的威力，一股赤热的烟雾与火焰，明亮如一千颗太阳；缓缓升起，光彩夺目……"

"可怕的灼热使动物倒毙，河水沸腾，鱼类等统统烫死；死亡者烧得如焚焦的树干，……毛发和指甲脱落了。盘旋的鸟儿在空中被灼死，食物受染中毒……"

难怪美国"原子弹之父"奥本海默认为这部印度古代叙事诗中记载的分明是史前人类遭受核袭击的情形。

考古学家在西亚伊拉克境内的幼发拉底河谷地也曾发现过类似南亚"核死丘"的遗迹。考古学家在这里一层层地挖下去，发现了约八千年的史前文明。在最底下的一层，挖出了类似熔合玻璃的东西。科学家最初并不知道这是什么东西，直到后来美国在内华达州核试爆场留下了与这种完全相同的熔合玻璃的遗物，而这种"核熔玻璃"，人们已在恒河上游、德肯原始森林里以及撒哈拉沙漠、蒙古戈壁滩等地陆续发现了好多。在这些地方都分布着一些焦地废墟。有的废墟大块大块的岩石被粘合在一起，表面凸凹不平，有的城墙被晶化，光滑似玻璃，连建筑物内的石制家具表层也被熔化了。而造成岩石熔化需要达二千摄氏度左右的高温，自然界中的火山喷发或森林大火均不能产生达到这种高温的热能，唯有原子弹爆炸才能提供如此条件。

地球上这类史前"核死丘"的发现，究竟意味着什么呢？对此，科学家们争论不休。

□四百年前的京城劫难之谜

一六二六年五月二十日（明熹宗天启六年五月初六），明朝故都北京城西南王恭厂（今宣武门）一带发生了一场破坏惨重的灾变，至今使人闻而骇然，难解事发端倪。

当天早上，天色皎洁，忽有声如吼，从东北方渐至京城西南角，灰气涌起，屋宇动荡。倾刻，大震一声，天崩塌，昏黑如夜，万室平沉。若乱丝、若五色、若灵芝状的烟气冲天而起，经久方散。东自顺城门大街，北至刑部街，长三至四里，周围十三里，上万间房屋，两万余人皆成粉碎状，瓦砾盈空而下，人头及臂、腿、耳、鼻等纷纷从空中落下。

街面上碎尸杂叠，血腥味浓；人亡惨痛，驴马鸡犬同时毙尽。在紫金城内施工的匠师二千余人，被从高大的脚手架上震落，摔成肉饼。成片的树木连根拔起，飘飞远处；石驸马大街一尊二千五百公斤重的大石狮子也飞出顺城门外。象来街的皇家象苑，象房全部倾倒，成群大象受惊而出，狂奔四方。

死难者奇况颇多。承恩寺街上八人抬一女轿正走时，赶上灾变；大轿被打坏放在街心，轿中女客及八名轿夫全部不见了。菜市口有位姓周的绍兴来客正与六个人说话，忽然头颅飞去，躯肢倒地，而近旁六个人则无恙。

令人咄咄称怪的是，死难者与受伤者以及无恙者，个个在灾变中瞬间被剥光了衣服，赤身裸体。元宏圭街的一顶过路女轿，灾变时被掀去轿顶，女客衣饰尽去，赤体在轿，却毫无伤迹。一位当官的侍从在灾变时，只觉棕帽、衣裤、鞋袜瞬间俱无，大惊其妙。有个被压伤腿的人，眼见周围的男女一丝不挂，有的以瓦片遮挡下身，有的用裹脚带缠掩下部，还有的披着床单或半条破裤，相互间啼知皆非，无可奈何。一位官僚爱妾小二姐被埋在瓦砾下，听到有人在瓦砾上叫："底下有人可答应。"她急应："救我！"等将她匆匆救出，才发现小二姐原来身无寸缕，救她的那位书手（即文书）赶紧脱下长衫把她裹严，让她骑驴回娘家了。

人们的衣服都被掠到哪里去了呢？灾变后，有人报告，衣服全都飘移到几十里外的西山了，大半挂在树梢上。户部（明朝管民政的机构）张凤奎派长班（即侍从）前往查验，果然如此。只见在西山昌平州教场上衣服成堆，首饰、银钱、器皿无所不有。

北京地质学会等二十多家团体于一九八六年发起了对这场灾变原因的学术研讨。学者们各抒己见，莫衷一是。主要有"大气静电酿祸"说、"地震引发火药爆炸致灾"说、"地球热核强爆作甩"说等。这些观点虽不乏新奇，但皆难以解释灾变中的低温无火、荡尽衣物等罕见特征。

当时的天启皇帝朱由校认为这场灾难是由自己当政不端的原因，并下"罪己诏"来责备自己。但我们今天重新审视这场浩劫，只能称这是一个旷古谜团。

□亚洲"百慕大"之谜

在中国台湾省东北部的太平洋上，有一个与百慕大"魔鬼三角"齐名的三角海区，这就是东亚"龙三角"。两片海区近似对称地分布在地球的两侧。"龙三角"大体位于日本东京湾、小笠原群岛、关岛和台湾西部的雅蒲岛之间。

日本人把这片海域视为"魔鬼海区"是从一九五五年开始的。当时，在风平浪静的晴日里，该海区发生了数起百吨以上的大型船只不留痕迹地神秘失踪事件。为此，日本政府派出一艘渔业监视船"锡比约丸"前往调查。岂料，此船在进行了十天毫无结果的海上搜寻后，也突然同陆上导航站失去联系，从而再不知去向了。迄今这类原因不明的海船失踪事件已屡见不鲜。据日本海保安厅航行安全科调查，仅一九六三至一九七一年九年间，就有一百六十一艘大小船只突然失踪！

如同百慕大"魔鬼三角"那样，船只和飞机进入"龙三角"水域时，经常会出现罗盘失灵、无线电通讯故障或中断等现象。也会碰上突然出现的巨浪、海雾、狂风、漩涡，以及突然涌出的浓雾。这里经常出现"三角浪"，即巨浪同时从三个方向向船只打过来。从海底地貌等自然条件来看，"龙三角"同"魔鬼三角"这两处海区相差无几。同时，它们也都同样隐匿着未知的神秘性，带来那众多船舰及飞机的失踪。

在"龙三角"上空失踪的众多飞机中，有一架HK—8日本侦察机。在该机在硫磺岛附近失踪前，飞行员传回的电讯内容十分惊人："天空发生了怪事……天空打开了……"说到这里，电讯突然断了。此后，这架飞机就失去联络，机上全部人员也随之消失无踪。

一九五七年四月十和日，日本轮船"吉川丸"沿"龙三角"航线由南太平关驶向归国途中，船长和水手们突然清楚地看到"两个闪着银光、没有机翼、直径十多米长、呈圆盘形的金属飞行物从天而降，一下子钻入了离轮船不远的水中，随后海面上掀起了奔腾的涌浪"。

一九八一年四月十七日，"多喜丸"航行在日本东海岸外海。忽然间，一个闪出蓝光的圆盘状物体从海中冒出来，掀起一阵大浪，差点把"多喜丸"打翻。它在空中盘旋着，速度极快，无法看清它的外表细节，直径约二百米左右。在它出现时，船上无线电失灵，船上仪表的指针也乱成一团，疯狂地快速旋转。后来，它重新飞回海中，又造成大浪，把"多喜丸"的外壳打坏了。船长臼田计算了一下时间，来自海中的发光发行物从出现至隐没共约十五分钟；然而就在它钻回水下后，船长发现船上的时钟奇异地慢了十五分钟。

更令人不安的事实是带有核武器的潜艇及飞机的失踪。美国著名学者查·伯尔兹指出："截至目前为止，可能至少有一百二十六枚核弹头在'龙三角'神秘失踪。"

伯尔兹甚至为此联想到："是不是'龙三角'海底有一股神秘力量在把这些核武器收集起来？"

倘若"龙三角"确实存在这股神秘力量的话，那么其力量会由何方而来呢？英国研究者琼·查瓦德曾进行过十六年的详尽调查，认定南太平洋在一点二万年前存在过一块辽阔的"姆大陆";"姆"意乃"太阳国度"。大陆上的人们共同创造了灿烂的文化。他们的航海业和建筑业都相当发达，并去大洋诸岛传播了文明。由于一场史无前例的大地震和火山喷发，给"姆大陆"带来了毁于一旦的灭顶之灾，文明的创造者连同他们的故土一同沉入蓝色海洋的深处。

潜水考古学的发现已为有关"姆大陆"的见解提供了必要的依据。譬如在密克罗尼西亚群岛中有一个波纳佩岛，岛上居民世代相传，附近海底有一片沉没的古陆。潜水人员果然在附近海底发现了保存得相当完整的街道、石柱、石像和住宅。他们还从当地海底捞出十分珍贵的黄金和珠宝饰物。

离南美洲三千公里远的太平洋小岛复活节岛，面积约一百二十平方公里，岛上有巨石筑成的石墙、石殿、金字塔等，最吸引人的则是那二百余尊面海屹立、形状奇特的半身石雕人像。它们似乎在等待或遥想着什么。岛上土著也口头流传着一个久远的传说，当地从前本是一块称为"希瓦"的大陆，后来由于突变而使大部分地区沉沦于洋底，只孤伶伶地留下了复活节岛。

值得注意的是，太平洋中的许多岛屿上都留有巨大的石头平台、石头城遗址、石头雕像等；一些地方留下了刚准备使用的巨石或未雕刻完的石像。这表明古人的富有成果的劳动是突然结束的，复活节岛上就清楚地留有这种迹象。这不能不使学者们猜测到："这一地区曾经存在着一个高度文明的种族，他们在以高度的建筑技巧建成大规模城市、雕像与港口后，因为某种我们迄今尚不知道的原因而集体撤离或是集体灭绝，留下壮观的建筑遗迹。"

"姆大陆"上的祖先们会不会因为某种突如其来的灾变而躲避到"龙三角"所在的大洋底部了呢？正如查·伯尔兹在提到核弹头失踪时所大胆猜想的那样——

"'龙三角'"海底是不是隐藏着某种文明？是否是保留有史前文明留下来的核防卫系统？"

□中国"魔鬼三角"之谜

中国的鄱阳湖，碧波荡漾，浩瀚万顷，水天相连，渺无际涯。美丽富饶的鄱阳湖养育了世代居息的湖边人，但是，它为何也孕育了无数次船翻人亡的悲剧呢？

请看出事记载：

六十年代初，从松门山出发的一条渔船北去老爷庙，船行不远便消失在岸上送行的老百姓的目光中，倏然沉入湖底。

一九八五年三月十五日，一艘载重二十五吨，编号"饶机41838号"船舶，凌晨六时半在晨晖中沉没于老爷庙以南三公里处的浊浪中。

一九八五年八月三日，江西进贤县航运公司的两艘各为二十吨的船只，亦在老爷庙水域神奇般地葬身湖底。同一天中，同在此处遭此厄运的还有另外十二条船只！

同年九月，一艘来自安徽省的运载竹木的机动船在老爷庙以北附近突然笛熄船沉，岸上行人目睹船手们抱着竹木狂呼救命，一个个逃到岸上后吓得魂不附体，不敢回头望浊浪翻滚的湖面。

一九八六年三月十五日，江西省丰城县小港乡编号为"丰机 29356 号"，载重量为二十吨的机动船，在老爷庙水域航行，突然，狂风骤起，恶浪狂舞，顷刻间，大船无奈地摇动着沉入湖底。

　　一九八五年，在老爷庙水域沉没的船只有二十多条。

　　一九八八年，据都昌县航监站负责人透露又有数十条船只在此水域沉没。

　　曾夺去许多无辜生命，毁灭过许多宝贵财富的鄱阳湖"魔鬼三角"，屡屡显露杀机、制造惨案的秘密，究竟何在呢？问题似乎变得越来越令人不可捉摸，令人费解。这是个亟待解开的谜团。

　　一九八四年九月，江西省组成探险队深入凶险水域——老爷庙水域考察。这支考察探险队由自然、气象、地质专家和有关科研人员组成。他们以严肃的科学研究态度对鄱阳湖"魔鬼三角"水域进行全面的考察和探测。首先，考察队在老爷庙东南、西北、西南"魔鬼三角"水域内，建立了三座气象观测站，以测试老爷庙周围地势、风力等诸多自然环境因素。经过一系列的考察，测试和对当地渔民的走访，得出了这样几点结论：

　　①老爷庙水域内所发生的沉船事故，没有任何先兆，船和船上的人几乎在毫无防备的情况下，突遇狂涛巨浪。

　　②狂风恶浪持续时间短，从浓黑的雾气弥漫、滚滚浊流吞噬船只到湖面上风平浪静，也就仅仅几分钟。

　　③狂浪扑来时，伴有风雨、怪啸和船体的碎裂声。四周黑气沉沉，难辨五指。

考察队经过多次测算、反复查阅沉船事故记录，发现老爷庙沉船事故多发生于每年春天的三四月，在这个时候，无论白天或夜晚，过往船只常面临被巨浪吞没的危险。另外，出事的当天，往往天气很好，晴空丽日，蓝天白云，或皓月当空、繁星点点。而在阴雨天却从未发生沉船事件，这似乎成了谜中之谜。考察队员们百思不得其解。

考察队从当地史料记载和流传在民间的传说故事中得知落星山和隔岸遥遥相望的星山同是二千多年前，一颗硕大的流星坠毁于此而形成的。另外，一起意外事件也引起当地人和考察队员们的注意。七十年代中期，曾有人在鄱阳湖西部地区，目睹了一块呈圆盘状的发光体在天空游动，长达八九分钟之久。当地曾将上情况报告上级有关部门，而有关部门未作出建设性的解释。所以有人猜测，是因为"飞碟"降临了老爷庙水域，像幽灵在湖底运动，从而导致沉船不断。显然这一猜测缺乏科学依据。

考察队在对老爷庙进行精确测量后，惊奇地发现，老爷庙的建筑正处在落星山的东西线的上下正中，三角形庙体的三个直角和平面锥度相等，毫厘不差。这使得人们无论站在哪个方向都始终与老爷庙面对面。老爷庙的建立距今已有一千多年了，这就让人猜测这精妙的建筑是不是外星人所为？但这也仅仅是猜测，更缺乏科学依据，因为无数古代的精妙建筑使这种猜测不攻自破。

也许考察队下面这个发现还有些价值。

考察队从当地的大量资料中查阅到一张《联合国环境报》于一九七八年九月八日登载的艾德华·皮尔的回忆文章。文章除了描述他在四十年代中期在鄱阳湖"魔鬼三角"打捞日本沉船"神户5号"所经历的险情外，特别在文章中强调说："事后，我经过多次测试才明白'魔鬼三角'处于北纬30°的危险区域，这是令世界探险家都感到可怕的数字。"

何为北纬30°"

大自然充满了一个个神秘的谜，在地球北纬30°附近，有许多神秘而巧合的自然现象引起了人们的注意。

北半球的几条著名大河，如美国的密西西比河、埃及的尼罗河、伊拉克的幼发拉底河、中国的长江等，都在北纬30°入海。地球上最高的青藏高原上的珠穆朗玛峰和最深的西太平洋马里亚纳海沟，也在北纬30°附近。

在北纬30°附近，山川怪异、奇观绝景比比皆是：举世闻名的钱塘江大潮、安徽的黄山、江西的庐山、四川的峨眉山等都是奇异幽深的神秘境界。

北纬30°不仅是飞机常出事的地方，而且有很多著名的自然之谜：埃及的金字塔之谜及狮身人面像之谜、死海形成之谜、百慕大三角区之谜、美国圣克鲁斯镇斜立之谜、中国四川自贡大批恐龙灭绝之谜，等等。

北纬30°，是那么怪异、奇绝，那么扑朔迷离……

为什么北纬如。附近会出现这些怪异现象？它们是偶然的巧合还是有某种内在联系，这是个无法猜透的谜。

考察队又对"魔鬼三角"水域底下搜寻了方圆十几公里，没发现任何异常。老爷庙水域水深一般在三十多米，最深处为四十米左右。湖底除了各种大大小小的鱼蚌外，未发现任何沉船，甚至连一块船骸都未曾发现。那么千百年来在这里沉没的千余艘大小船只，都去了哪里？考察队员陷入迷惑之中。

从二十世纪八十年代末开始，世界各国科学家纷至沓来，对鄱阳湖"魔鬼三角"进行考察。

一九八九年，"联合国科学考察委员会"派遣一支科学考察团赴鄱阳湖进行实地考察。

沉船事件不断发生，可却找不到船骸，这是为什么？

老爷庙水域究竟有无天外来客？

老爷庙水域底部是否和昌芭山死湖相通？

老爷庙为什么呈三面立体形？

两亿年前就形成的庐山真的就是造成大风的祸首吗？

为什么丽日晴空会突然风吼雨啸？

为什么阴雨连天日却没有沉船事件发生？

一个个疑团，让我们仍未看清鄱阳湖"魔鬼三角"的真正面目。

□印度巨石自行"飞翔"之谜

在印度西部的希沃布里村，有一对能随人们的喊叫声而自动离地腾空的巨石。这种现象似乎表明重力作用在一定程度上可以人为改变。

希沃布里村距孟买城约有一百八十五公里。在这个小村里有座安葬八百年前逝世的伊斯兰教托钵僧库马尔·阿利·达尔维奇的圣祠。吸引世界各地游客前往争睹的圣石，就并排摆放在圣祠前的陈旧台阶上。

这两块圣石只允许男人上前接近，大的一块重约九十公斤，小的一块略轻些。只要人们用右手的食指放在巨石下，同时异口同声且无停顿地喊着"库马尔·阿利·达尔维一奇一奇一奇"，发奇字的声音尽可能拖得长一些，这样，沉重的圣石就会像活人般地顿时从地上弹跳起来，悬升到约两米的高度；直到人们把达尔维奇的名字喊得上气不接下气时，它才会落回到台阶上。圣石升高的这个过程，可以反复数次。

　　马克·鲍尔弗是专程赶去目击圣石升空的众多见证人之一。开始他没掌握好叫喊达尔维奇名字的诀窍，因而失败了；后来他掌握了要领和人们异口同声地高喊，岩石果然活了似地跳起，升腾空中，随之噼啪落地。鲍尔弗激动地喊起来："再来一次！"岩石又一次升上天空。"真灵"，他完全信服了。

　　据记载，这巨石的升空方法是达尔维奇生前透露给人们的。八百年前，圣祠所在地原是一座健身房，那两块巨石是供摔跤手来练习使用的。儿时的达尔维奇经常光顾这里，他常常显示出自己灵敏的生命机能和超人的力气。过了许多年，在健身房拆除后，达尔维奇这位伊斯兰教徒对周围的人说出了这样的秘密："那两块巨石任你们使出全身力气也未必可以举起，除非你们重复叫我的名字。"他还告诉人们，用一根右手手指就可使那块大的巨石升空，而那块较小的岩石只需用九根手指头同样也能使它升起。至于更多的秘密。达尔维奇只字未提。

　　从那个时候起，人们就一直沿用达尔维奇教给的方法来使岩石腾飞。

　　现在，尽管科学还无法解释圣石升空的奥秘。但前去希沃布里村观看这一奇景的人却越来越多。印度国内的《亚洲》杂志等刊物都曾专题介绍过有关情况；《信不信由你》的系列电视片中也拍入了圣石升空的稀世镜头。确实，不管你信不信，任何人都可以亲身去参加一次圣石升空活动。

沉重的岩石飘然离地秘密何在？难道人们采用的特定方式能够改变重力作用么？不过，人们统一使用右手的手指、统一发出共同的声音，这究竟能够与物理力作用的变化发生什么样的联系呢？

□秦始皇墓为何不能挖掘

一九七〇年代初，一批工人在骊山之旁掘井时，发掘到一些赤陶人像碎片。这个偶然的发现，引起了考古学家的兴趣，于是开始在这一地区进行发掘。虽然考古学家早就知道，在骊山周围从事考古研究，一定会获得丰硕的成果，他们却完全没有想到，会发现规模这么宏伟的宝藏。

一九七四年，经过大规模的发掘，中国古代的雕塑艺术和军事组织，终于清楚明白地展示在世人眼前。

最早发现的是一个大坑，东西长二百一十米，南北长六十米，呈长方形。考古学家在坑内发现了十一条平行坑道，其中约有六千个与真人真马同样大小的兵、马俑。这些兵、马俑，象征地在保卫着中国第一位皇帝秦始皇（公元前约二五八年至公元前二一〇年）的陵墓。万里长城就是由秦始皇下令，将前代一段段城墙连接而成，用来防备北方侵略者的。

这个大坑里，总共超过三千二百个不戴帽的步兵俑，四个一列，站在九条坑道中，较窄的坑道，则只容得下二个一列。此外，还有弓箭手、弩手、军官（可由其头饰加以分辨出）、持矛者以及马车御者的塑像。这里发现的马是陶俑，车却全是真车。士兵手里的剑、矛和弓箭不见了，是在公元前二〇六年秦朝覆亡后给人盗走的，考古学家在现场只发掘到箭头、弩机、矛头和剑等铜制兵的碎片。那些一身制服、大都披铠甲的兵俑，平均高度约一百八十公分。这些栩栩如生的兵俑下半身坚实，但头部、臂部和手部都是中空的。这些兵俑本来都涂上很鲜明的颜色，现在只留下淡淡的色痕。然而最难得的是，那么多兵俑的面部表情，没有一个是相同的。

一九七六年，在附近又发现了好几个新坑。第二坑里面尽是马车和骑兵，而第三坑则看来像是司令部，其中有六十八个担任指挥的精壮人员，坑里有个雄赳赳的先锋官陶俑，身长一百九十三公分，他的侍卫平均身长也有一百八十八公分。这种非比寻常的身材，也许象征他们地位崇高。当时经仔细勘查还发现了第四坑，里面空无一物，显示这个坑里的陶俑还没有完成，如今仍在继续进行，但直至一九八〇年代初，尚无发掘秦始皇陵的具体计划。

根据历史记载，秦始皇对死亡存有一种病态的畏惧。据说他在房舍万间的皇宫里，从没有在同一个房间里睡过两夜，他害怕夜里有冤鬼来向他索命。也许就是由于这种恐惧，使秦始皇劳民伤财，下令建造规模宏大的陵园，来容纳他的坟墓和永远保护他的陶俑大军。

建筑陵园当然费时旷日，工程浩大，劳民伤财。据公元前一四五年至公元前九十年的史家记载，建筑陵园者共七十万人，从事引流地下河道，挖掘墓室、厅堂和过道的工作。此外，还要建筑围墙和周长约一千四百米的中央土丘，为了使这座小丘看来更像座小山，上面种满了多种树木。墓室里面放了不少寺院、宫殿的模型，渠道里灌满了以机械力驱使流动的水银，象征不断流动的黄河、长江。铜制的巨大圆盖，代表夜空，盖着皇帝陵寝。储油成池的长明灯，照耀陵寝。为了防止掠夺者潜入，陵寝内置设自动发射的强弓硬弩。

工程进行期间，秦始皇在公元前二百一十年出巡四方，寻找长生不老之药。令人啼笑皆非的是，虽然他生前总怕被人谋害，却是在出巡之际得病而终。他死时陵墓建筑工程还没有完成，陪他出巡的高官显贵怕有人争位，就把死讯尽量延迟发表。

秦是中国古时地名，位于中国西北，约今陕西和甘肃两省。嬴政于公元前二四六年三十岁时登基后，秦即成为当时强国之一。至公元前二三七年，嬴政亲理政事，随即镇压专权用事的宦官赵高，接着领军百万余众，经连场大战，征伐四方，消灭了各自称雄的六国，并吞天下，史称为蚕食诸侯。到公元前二二一年，嬴政基本上统治了整个中国，他兼采传说中三皇、五帝的尊号，宣布自己为秦朝的第一位皇帝，称为始皇帝，后世子孙世代相承，递称二世、三世，以垂久远。

秦始皇左右不乏有才之辈，李斯即为其中一人。秦始皇在李斯辅佐下，订下许多措施，对中国人的生活，产生深远的影响。比如尽收天下兵器，销毁铸为金人与钟鼎；令数千户旧日的地主阶级迁居咸阳，并分全国为三十六郡，郡下设县以利统治；统一度量衡、法律、文字、货币，甚至轮辙；堑山镇谷，在全国各地，修筑直道、驰道以及五尺道，以与全国偏远地区加强联系。

秦始皇还驱使军民将战国时燕赵秦三国的长城予以修复，并加连接，而成古代留存至今的伟大建筑万里长城，防止北方蛮族入侵。长城东起华北濒海的山海关，西迄甘肃的嘉峪关，全长六千余公里。浩大艰巨的连接工程历时二十年，于公元前二二○年至二二○年完成。主理筑城工程的是大将蒙恬，蒙恬曾率领秦军，抗拒匈奴。从事筑城工作的人至少有一百万。累死的人死在哪里就葬在哪里，深埋于长城地基和城墙之内，祈望死者灵魂能平息北方冰雪神魔的怒气。

秦始皇的专制统治，势力强大且有效率。但他死后不久，即发生激烈权争，李斯失败被捕，经严刑拷打后被斩。此时到处叛乱频仍，中国又回到四分五裂的局面。

□女儿国到底在哪里

公元十三世纪，意大利杰出的旅行家马可·波罗在其《游记》第三卷专辟一章，叙述他所听到的印度洋中男人岛和女人岛的故事。其后，数百年来，有人多方考证，有人亲身探寻，却终未能找到二岛的下落。

关于这两个岛的情况，马可·波罗作了如下的介绍：离克斯马科兰（印度西部大国）大约八百公里的南方大海洋中，有两个彼此相距四十八公里的岛屿。其中一个岛专住男人，叫男子岛。另一个岛专住女人，称女子岛。两岛男女居民同属一个民族，都是受过洗礼的基督教徒，有自己的主教（主教隶属于索科特拉岛教区），但遵守《旧约全书》的教规。男子来女子岛，只能连续住三个月，即三、四、五月，来访的男子和自己的妻子住在一个单独的屋子里，三个月期满之后回到男子岛上，渡过一年中的其余岁月，不再有女子作伴。丈夫负责播种谷物，维持自己妻子的生活，但备耕和收获农作物则是由妻子负责的。妻子把自己的儿子留养到十二岁为止，然后送给他们的父亲。女儿就留在家里，养到结婚时的年龄为止，然后把女儿配给另一岛的男子。造成这种生活方式的原因，是由于当地气候的特殊性，不允许他们长年和妻子同居，否则有生命的危险。

除马可·波罗之外，中世纪波斯和阿拉伯的作家也都有关于印度洋中女儿国的记载。而我国远在马可·波罗之前，一些古籍就已谈到西女国的事，唐玄奘在《大唐西域记》中说："拂懔国（似指东罗马帝国）西南海岛有西女国，皆是女人，略无男子。多诸珍宝，附拂懔国，故拂懔王岁遣丈夫配焉。"新旧《唐书》也讲到，西南际海岛有西女国；唐人杜环的《经行记》也说："又闻西有女国，感水而生。"

由于马可·波罗的书是脍炙人口的"世界一大奇书"，在西方流传广，影响大，因此，其中关于男岛、女岛的记述自然引起了人们的巨大的兴趣。

十五世纪末新航路开辟时，追随达·伽马之后来到印度的葡萄牙水手们仍然听到有关男岛、女岛的传闻，并曾多次想去寻觅该二岛。

一六九六年刊行的科伦内尔地图，将男岛、女岛的位置定在瓜达富伊岬（索马里东北）附近，合称其名为亚伯杜尔基里岛。英国历史学家马斯登曾采此说。一六九七年，有个法国教士从马尼拉寄往欧洲的书信说，据马尼拉群岛南部某岛屿的人讲，他们那里有一个岛，岛上只有女子居住，自成一国，不许男子掺杂进去。女子多半不结婚，只是在一年中的某个季度允许男子前来，相聚数日之后，男子将那些不再需要哺乳的男孩带走，女孩则留在母亲那里。颇节认为，这封书信足以证明马可·波罗关于男岛、女岛的记述"并非想像之言。"

后来，有人依据马可·波罗所定的方位，在克斯马科兰之南约八百公里处的海中寻找，发现此处海域实无一岛。于是，又根据马可·波罗在后一章所说，二岛之南八百公里就到达索科特拉岛，断定此二岛应在克斯马科兰和索科特拉岛两地的中间。而阿拉伯沿岸的科尔加——莫里安诸岛，正在此两地之间，因此，颇节曾力图在此区域去发现男岛、女岛，但无所获。

又有人据马可·波罗所说岛民隶属一主教，而此主教又隶属于索科特拉之大主教，断定此种传说必限定于一定的区域。因此，修士乔尔凡将二岛位置确定在南亚次大陆与东非海岸之间。尼科尔·迪·康泰说，它们距离索科特拉岛仅有五公里。而弗朗·莫洛则认为二岛位于桑给巴尔之南，并取名为曼格拉岛与内比拉岛。前一岛名出于梵语，意为"幸运者"；后一岛名源于阿拉伯语，为"美丽"之意。

人们尽管作了上述种种推测和查考，但在印度洋却一直未能找到男岛、女岛，于是便转向他处去寻找。亚当·德·布伦海以为女岛就在波罗的海中。但人们发现这是一个误会，原因是芬兰与女人地（"芬德兰"）二音相近所致。戈兹·德·梅多卡以为，男岛、女岛是在东亚海中。他说，距日本不远处发现有女人岛，岛中仅有女人，擅长射箭，为练习射击竟致烧去她们的右乳房。每年的一定月份，有若干日本船舶载货到该岛交易。船抵岛后，令二人登陆，将船中人数通知女王。女王指定船上众人上岸之日。是日，岛上女人（数目与舟中男人同）先到港口，各将一双绳鞋乱置于沙上，鞋上均附有暗记，然后退去。舟中男子随之登岸，各人拿着一双绳鞋去找鞋主。待相会期限已满，男人将其地址告诉同居的女子，此女次年如生男孩，应将他送交生父。据说，这事是传教士们听到一个曾经到过此岛的人讲的，但在日本的耶稣会士对此却毫无所闻，因此梅多卡本人也感到有些疑惑，不敢完全相信。

迄今，马可·波罗所说的男岛、女岛，尚无下落，人们对其真实性颇有争议：颇节说，马可·波罗之述非想像之言，玉尔则答，在前提上已可认定此说是虚构的；冯承钧云："此种异闻乃是纯属荒渺无稽之物语"，沙海昂则说，"女人国故事，时无分古今，地无分东西，悉皆有之。其惟一实在的女人国，盖在非洲达荷美境内，然至法国侵略之后遂绝"。也有人推测：纯粹的女人国、男人国是不存在的，但男岛、女岛之类传闻反映了人类原始时代母系氏族社会的某些情景。

□敦煌石窟之谜

敦煌位于浩瀚的戈壁沙漠边缘、中国西部荒凉的不毛之地，严寒，气温经常降到冰点以下，更有狂风怒号，黄沙吹积成一座座庞大沙丘。但数百年来，敦煌名扬中外，令人神往，因为那儿曾是遐迩闻名的丝绸之路重要起点。载运中国丝绸及奇货穿越沙漠的商队，都是从这里开始迢迢西行。虽然这条贸易古道早已废置不用，成群访客依然跑来，因为敦煌城东南鸣沙山东麓断崖上，可以看到全中国最神奇壮丽的景色之一：千佛洞的一大片蜂窝样石窟庙宇。

石窟洞壁布满千百幅神态生动、内容丰富的壁画，刻画出中国古代社会生活和思想的绚丽多彩。除这些经变、佛传、佛本生故事的壁画，洞窟里还有上千尊塑佛像，千佛洞的旧称即由此而来。此外，还有据说藏书达三十万卷的藏经阁，收藏十一世纪或更早有关农事、医药、法律、佛学、天文、历史、文学和地理的经籍，更有一批精美丝绢及彩绘图案。但经籍和艺术藏品大都遭劫夺而散失不全。经籍和艺术藏品当然不会不翼而飞，所以称"文物盗窃案"的故事有必要一谈。

十九世纪末，敦煌石窟早已一片荒芜，没有佛教徒前去朝拜。日积月累的流沙，也将洞口堵塞。当时一个名叫王圆篆的道士，看到这一片破落调零景象，颇为吃惊，就雇了一些工人，决心修缮寺院，重现佛门圣地往昔的美观。工人清理其中一窟时，弄开了画壁上一道裂缝，发现一间密室，从地到顶堆满古籍以及其他物件。因为王道士并非饱学之士，所以选了一些样本呈给地方官。地方官看到样本，令王道士将密室重新封堵，听候处置。于是王道士便成了敦煌宝藏的惟一保管人。

敦煌发现宝物的消息不胫而走，传到考古学家史坦因耳中。史坦因生于奥地利，后来入了英国籍，在印度替英国政府

做事，对于中国文化并没有什么认识。然而他有冒险家追寻
"宝藏"的本能，一听到这个消息便匆忙赶到中国去，带着一
个姓蒋的助手直奔敦煌，想办法结识王道士。但是当时王道士
好像对史坦因不大友善。

1907年五月，史坦因在一篇文章里谈到他们初次见面的
情况，有这样的描述："这个人看起来高深莫测，显得顾虑殊
多，偶尔更神态闪烁，露出奸狡之色，一点都不容易相处。"
史坦因这位渴望寻宝的考古学家看到这种情形，即刻明白如果
不耍些手段赢取王道士的信任，恐怕连一睹宝物的机会都没
有，更不用说打什么据为己有的主意了。

因此史坦因小心翼翼在王道士身上做工夫，告诉王道士说
只想拍摄些壁画的照片。过了些时候，才提到那间藏满古籍的
密室。史坦因问王道士能不能拿出几个样本欣赏一下？一看到
王道士惴惴不安，史坦因随即撇开话题，不再提这件事。

过后史坦因旧话重提，说尽甜言蜜语，用尽了阿谀奉承手
段，并说可以捐助王道士修缮寺院所需费用，以博取欢心，因
为王道士的生平之愿是修缮寺院。于是王道士终于逐渐上了史
坦因的当，首先拿出一些手抄本给史坦因阅览，最后又在其言
引诱下，允许史坦因和助手进入密室。

史坦因和助手看见所藏古籍卷帙浩繁，惊喜不已，信手抽
阅几本，更教他们叹为观止，因为这些古老卷帙毫无残缺迹
象，完整如新，既不见碎裂，连一页也没有松脱。密室在沙漠
边缘的断崖下，密封了九百多年，水雪不侵，里面极为干燥，
正是最好的藏书地方。这些卷帙堆中更有精美绝伦的绢帛，以
及绘上各种佛像的华丽横幅，颜色鲜艳，就像刚刚画上去的一

样。

史坦因心中暗喜，表面上却露出不屑一顿的神情，使王道士以为他保管的这些稀世奇珍毫无价值，只不过是一堆废物。史坦因诡诈得逞，王道士即不再防备，任由那英国人自由进出密室，为所欲为。到时机成熟，史坦因立即筹划第二步行动。他告诉王道士说有几捆藏品要暂时拿出来作学术研究，而这样做绝非渎圣，因为抄本、画卷让诚心向道的人观赏等同宣扬佛法，功德无量。史坦因当然不敢要求购买千佛洞所藏宗教典籍，只是不断以"捐一点钱"资助重修寺院的方式，讨得王道士的欢心。自此王道士逐渐不能信守看管密室的许诺，并且不知不觉间引致名誉扫地。

史坦因暗中行动，利用中国助手屡次乘夜窃取大捆的珍贵文物背到营房。最后，这个以"寻宝"有功而被英国皇家封为爵士的家伙，共弄到二十四箱稀世之珍，内容计三千多卷经籍，另外五箱装得满满的绢帛，以及二百多幅绘画。这一大批无价之宝，史坦因只花了约值今日五十美元（当年约五百庐比）的银两，就借"随缘乐且"的美名从那个憨实的道士处"买"到了！

史坦因巧取豪夺所得珍贵敦煌文物，至今仍然存放在伦敦大英博物馆。这些赃物中以绘画作品最为珍贵，因为多属唐代（公元六一八至九〇七年）的罕见精品。有些绘画画幅奇大，当时必然是庆典节日挂在壁上的。史坦因被称为"强盗"、"窃贼"，并不冤枉，因为他以诈骗手法、下流行径，掠夺了中国的珍贵文物。

史坦因因首次获准入敦煌千佛洞密室，初睹其中所藏丰盛文物，简直目瞪口呆。他看见那小小密室里的物品，虽然不是井井有条，却是前所未见的经文卷帙。王道士提着暗淡的油灯照明下，密麻麻、一包包的手抄本堆在那里，几乎有三米高。后来经过度量，知道这密室容积近十四立方米，几乎满是手抄本和画卷，密室内只留下仅能容两个站立的空间。

为什么这些令人叹为观止艺术和文学瑰宝，要藏在那个秘密的地方呢？经过研究，证实所有手抄本全是宋真宗在位（公元九九七至一〇二二年）之前的文物。历史记载敦煌于十一世纪初期几次为鞑靼（蒙古）骑兵所攻占，因此看来这些珍贵的文物，是为免遭敌人破坏而藏起来的。蒙古人既然统治了中国数十年，这些宝物自然被人遗忘了。

但遗憾的是，不少珍品又落到了英国强盗之手。

第 5 章 南美洲地理未解之谜

南美宛如地球佩饰的一串葱绿的项链……它温暖、湿润，丛林繁茂，水域众多，充满了无限的生机与活力。这里是孕育玛雅史话的圣土，这里是印第安文明的摇篮。千百年来，世界上流量最大的亚马逊河，在这里奔流不息……这里有水晶般剔透的天帘——伊瓜苏瀑布；这里有能令人无限遐思的墨西哥石球……人们一直在叩问着：黄泉大道通向何处？远古路线向哪里蜿蜒……

□流量最大的河——亚马逊河之谜

这片世界最后的未开发之地，雨林丛生，潮湿的空气中回荡着蝉声、鹦鸣和猴啼。一条世上最壮阔的大河蜿蜒穿过密林，沿岸的居民视之为交通要道、游乐场地和觅食之所。

从远在秘鲁安第斯山脉的一处高山上，冰雪融化成的涓流汇成延绵六千四百公里的亚马逊河源头。亚马逊河横贯南美洲，流经地球上最大的雨林区，沿途有数以千计的支流汇入，整个流域大如澳大利亚。主要的支流如内格罗河、马代拉河和

亚马逊河是沿岸居民的母亲河。

塔帕若斯河，本身都是大河，汇集到主流后，令河面宽如海湾，渡轮摆渡一次要花一个小时。

欧洲人在一千五百年前发现亚马逊河河口。当时平松率领的西班牙探险队自大西洋溯河而上，航行了八十公里。四十年后，另一支西班牙探险队在德奥雷尔拉纳率领下，完成了一项探险壮举，他们从遥远的安第斯山，经纳波河和亚马逊河，抵达大西洋。

到十九世纪，博物学家才开始探索亚马逊河和周围雨林的秘密。一八四八至一八九五年间，英国博物学家贝茨搜集了几千种未见过的昆虫标本，植物学家斯帕鲁斯也搜集了七千种新的植物标本。

观察亚马逊流域各种珍禽异兽的最佳地方就在河边。河边常有色彩斑斓的鱼狗、白鹭和朱鹭出没，鹦鹉和犀鸟在树顶啄食坚果和水果，猴子在树间窜来窜去。河上突然溅起一阵水花，一条美洲大蜥蜴跳入水中，这条蜥蜴可能被行动迟缓的树懒从伸到河上的树枝摇下来，这里还可能看到长达一公尺的水豚，这是世上最大的啮齿动物。

　　亚马逊河中已知有二千多种鱼，种数比欧洲多九倍，比非洲萨伊河多两倍。其中有艳丽的脂鲤，也有有毒的缸和会放电的电鳗，有些鱼只吃掉在水中的坚果，也有生性凶残的食肉鱼。最大的是巨骨舌鱼，可长至三公尺，平均体重达二百公斤。

　　红水虎鱼恶名昭彰，虽然这种鱼身长仅三十公分，却会合群捕腊，一群牙齿锋利的红水虎可在数秒钟内，将一头行动缓慢的大哺乳动物吃得精光，只剩下骨架。不过，与一般观念相反，水虎鱼吃哺乳动物的情况比较少见，它们主要吃其他鱼，也吃种子果实。

　　亚马逊河流域的最大食肉动物是黑色宽吻鳄。这种鳄鱼可长达四点六公尺，会袭击人类，但主要食物是海牛等水生哺乳动物，此外也会乘水豚和貘等到水边喝水时，袭击它们。

　　亚马逊流域森林中的动植物种类繁多，是世界上是大的自然资源宝库。在零点四公顷的原始森林中，就有约六十种树木，比温带森林多十四倍。这里的植物密度也很高，据估计每公顷土地生长近千吨植物。

　　在雨林深处，地面植物并不很多，因为树冠阻挡阳光，照不到地面，但只要有棵树倒下来，地面植物便会迅速生长。这个古老而又充满生机的生态环境，就是这样生生不息。

　　要想像亚马逊河之壮阔，几乎跟理解"无限"同样困难。亚马逊河共有一万五千条支流，分布在南美洲大片土地上，流域面积几乎大如澳洲。主流河水很深，整条河有一半可容巨轮航行。远洋巨轮由大西洋经河口溯流而上，可航至秘鲁的伊基托斯。通航河道河面宽广，不能同时看到两岸。

　　水从冰川融汇而成的湖泊流出，汹涌奔流，在东面山坡上冲刷出气势磅礴的峡谷。由于冲出大量沙泥，河水浑浊，恍如加了大量牛乳的咖啡，故称为白水河。还有一些支流流经沼泽，冲出腐植质，水色较深，称为黑水河。随着地势渐趋平缓，河水流速减慢，流至山下广阔的亚马逊盆地。

　　亚马逊流域的热带雨林大半位于巴西，面积约为印度两倍，海拔不超过二百公尺。这里雨量充沛，加上安第斯山脉冰雪消融带来大量流水，每年有大部分时间为洪水淹没。有一片名叫瓦西亚的森林，面积大如冰岛，每年有数月水深九公尺。还有一些称为伊伽普斯的地区，大部分时间淹没在水里。雨林几乎全年闷热潮湿，日间气温约摄氏三十三度，夜间气温约摄氏二十三度。在距大西洋一千六百公里的巴西马瑙斯附近，宽十六公里的黑水可内格罗河汇入白水主流。巴西人认为这里才是亚马逊河的起点，称其上游为索利蒙伊斯河。

　　下游地势平展，故受大西洋潮汐影响的河段，长达九百六十六公里，远及奥比杜斯。在入海之前形成巨大的河汊网，并与南面的托坎廷斯河和帕拉河汇合，浩浩荡荡流入大西洋。河口宽三百二十公里，其中两条河汊由马拉若岛分隔，该岛面积与瑞士相若。

亚马逊流域植物种类之多居全球之冠。许多大树高六十多公尺，遮天蔽日，故旱地森林的地面光秃秃，只有一层腐烂的枝叶。涝地森林则情况迥异，灌木和乔木有板状基根，帮助维生。树冠由高至低分层，各层充满生机。葛藤、兰花、凤梨科植物争相攀附高枝生长，其间栖息着猴子、树懒、蜂鸟、金刚鹦鹉、巨大蝴蝶和无数蝙蝠。

亚马逊部分雨林辟为保护区，例如巴西塔帕若斯河岸边的亚马逊国家公园，面积近一万平方公里。然而，目前的伐林速度若不减慢，亚马逊这片占全球林木总面积三分之二的广大森林，将在二十一世纪消失。

五百年前，有很多印第安部落散居在亚马逊河和其支流两岸。例如塔鲁玛和奥玛瓜等部落，在靠洪水灌溉的肥沃土地上，种植玉米、木薯和收割野生稻米；捕捞河中丰富的鱼鳖，人丁兴旺。然而，由于战争、奴役，以及奴隶贩子、殖民者带来的疾病，这些部落几乎消灭殆尽。

如今，亚马逊河流域幸存的印第安人都是世代居于森林深处，离河相当遥远的部落。这些部落跟他们的祖先一样，大都是过着游牧生活。他们会短时间开垦一片贫瘠的土地耕种，但主要靠渔猎为生。他们对于雨林资源具有广博知识，比如铁里约印第安人就知道三百多种野生植物的医疗效用。

目前，亚马逊河流域的印第安人只有约十万人，分为一百五十多个操不同语言的部落，很多都受到国家印第安基金会的保护，其中包括生活在巴西东北部的克拉荷印第安人。不过他们在为生存而斗争，因为亚马逊河流域正在快速变化。到本世纪末，亚马逊河一些一直生活舒适浪漫的地方，已出现严重的环境问题。

这片世界上最大的雨林正遭到残酷的破坏，自然保护主义者对此深感忧虑。砍伐林木只是蹂躏雨林最明显的一项。露天开矿要除去大片森林，开办农场、钻探石油和建设水力发电亦然。大片大片的森林为种植农作物和开办养牛场而砍伐。这就对各条大河造成极大的破坏。不过最近滥伐林木的情况已受控制。一九八九年，亚马逊河流域原始森林被毁二万一千平方公里，而一九九〇年仅为一万平方公里。

□黄金国——埃尔多拉多之谜

世界上真的有一个黄金国，类似南美洲传说中的埃尔多拉多。到目前为止，那里出产了三万五千多吨黄金，而金矿仍采之不竭。这个特殊的地方称为"金新月"，在南非约翰尼斯堡东面和西南面，形成一个宽阔的弧形地带，绵延约三百英里。自由世界的黄金年产量，四分之三出自这里。根据一九七一年订定的黄金官价计算，这里生产的黄金总值超过四百七十亿美元，还有价值数以亿元计的黄金尚未开采出来。一八八六年以前，人们连做梦也想不到，世界上会有这么大的宝藏。

约翰尼斯堡的郊野，都是起伏不平的稀树干草原。根据地质学家的解释，约在二十六亿年前，这里原是一个群山环抱的内陆海，有几条湍急的河流注入。河水冲蚀了邻近山区含金的砾石，把水中的矿物质带到湖岸，然后在那里沉积起来。河水的分选作用，使含金的砾石最先沉积，然后到较轻的泥沙。经过亿万年后，沉积物慢慢压缩成为岩石。在火山活动时期，数百英尺厚的熔岩倾泻在这些沉积岩上。随后又出现多雨的时期，高涨的河水又把更多含金的沉积物带到古盆地中，在熔岸上沉积成一个新层聚。这个过程反复进行几次后，就造成一个地层夹心饼，里面有窄窄的含金"矿脉"夹在熔岩层与沉积岩层之间，厚度由一英寸至二十英尺不等。

地球历史较晚近期间，该区曾发生强烈地震活动，使含金矿脉的岩石隆起、扭曲、断裂；一部分升高三百英尺，其他部分则下陷达五百英尺。今天在开采一个金矿时，本来进展很顺利，但矿脉竟会突然中断，原因就是如此。

直至十九世纪后期，世界黄金大半产自美国加州及澳洲新南威尔斯，两地先后在一八四九和一八五一年发现大金矿。一八八六年三月，在今天称为约翰尼斯堡的那个拓民地五英里外，一位居孀的农场主人雇用两名临时工哈里逊和沃克替她扩建房子。虽然事情经过无人详知，但他们可能在一块露头岩上掘取建屋基石时，发现一些东西引起好奇心，于是把一块岩石敲得粉碎，拿去淘洗，竟淘出黄金！这两个无名小卒发现了有史以来最大的金矿脉。

因此引起淘金热潮。哈里逊把他的所有权以五十美元卖掉，跑进腹地继续勘探。据说他被狮子吃掉了。沃克则以一千五百美元的代价卖掉所有权，但到了一九二四年，却在穷困潦倒中死去。

今天在那里工作的人，跟往日风尘仆仆、骑着驴子、手执凿子和铁锹的淘金者，大不相同，他们都是受过高深教育的地质学家、地球物理学家及采矿工程师，有一群企业家支持，拥有数以百万美元计的经费。如果他们认为某地区蕴藏量丰富，就进行岩芯钻探。这项工程费用昂贵，单单钻一个孔，就要花二十万美元。如果钻出来的岩芯样本显示开采矿脉合乎经济原则，就会挖掘矿井。

新矿场——"西深坑道"，位于约翰尼斯堡以西四十三英里。这是有史以来最大规模投资开采金矿的冒险事业之一。估计可以开采六十年，产量价值高达十七亿美元——足够一个大国的国库储备。这个庞大的企业，在一九五八年开始挖掘矿井，雇用一万五千名工人。

这项采矿工程非常浩大。完成后，矿坑深入地下一万二千五百英尺，比前人开采过的金矿都深。每天要从含水层抽出约二亿六千万加仑水，每开采一吨岩石出地面，必须把数倍的空气灌回地底。

热度一直是深矿的大障碍。在地底下，每下降一百八十英尺，温度就会增加大约华氏一度。这就证明在地球内部深处有岩石覆层的巨大压力，以及放射性同位素的发热效应。在地下一万二千五百英尺深处，岩石温度升至华氏一百三十五度。由于需要在岩石上不停洒水，以免闷塞肺部的致命尘埃到处飞扬，所以里头的湿度极难忍受。为了解决这难题，西深坑道设置空气调节系统，其冷却能量等于纽约联合国总部各大楼调节系统的五倍，可以把矿坑的最高温度保持在勉强可以忍受的华氏八十五度。

参观这个矿坑首先要乘一个有三层的"笼子"下去。笼子每次能容纳一百二十人，每分钟下降三千英尺。这样的下降好像落下无底深渊，令人耳聋心悸。笼子终于减慢速度，然后停下来。这时已深入地下六千六百英尺。在这里改乘另一个笼子，再下降至一万英尺。斜井从这里开始，深入至一万一千四百英尺。然后是另一个竖井，直达一万二千五百英尺。

目前正开凿矿井至"碳导脉"，一个通常不会厚过两英尺的矿层。碳导脉是蕴藏量最丰富的金矿层之一。大多数含金矿石，只像灰色的岩石，外面看不到黄金，但碳导脉不同，常可见到金粒斑斑。要开采这个薄薄的矿层，必须钻入三十六英尺厚的无用岩石，把岩石炸开，然后移开碎石。每得一盎斯黄金，必须把约两吨重的石头运到地面上。

怎样从大堆的石头中，把这么微量的黄金拣出来？首先把矿石碾成滑石粉一样碎，加进氰化物溶液。氰化物溶解了黄金，黄金随溶液流走。然后经过复杂的化学和过滤程序，从氰化物溶液中提取黄金。很多金矿矿层里，还蕴藏丰富的铀矿。遇到这种情况，提取黄金后，就把剩下的残渣送到提炼铀矿的工厂去。南非自从一九五二年第一家炼铀厂成立以来，已出产了价值超过十亿美元的氧化铀。

提取矿物质后，就把剩下的废物（粉石溶液）倒进一个一百英亩或更大的地区里。粉石废物层干固后，就造一度梯形护土墙，再铺上另一层废料。这样一层一层加上去，逐渐筑成一个大丘，活像金字塔。最近采矿公司已开始在废料堆上种植草木，使本来平坦的特兰斯瓦尔平原多了不少翠冈。

金矿提炼厂生产的黄金，纯度约为百分之八十九。最后的提炼过程，在兰德炼金厂进行。该厂设于求密斯顿郊区，厂内一条金光灿烂的熔金流，日以继夜地由坩埚倒进四百盎斯的铸模里，纯度达百分之九十九点六。近年年产量超过一亿美元。

处理如此贵重的产品，是不容浪费的。因此专家用电力除尘器从废气中提取黄金。旧坩埚也被碾碎，旧提炼厂的地板，甚至工人的衣物，都经过特别处理，从中提取所含的黄金。

兰德炼金厂的产品是金锭，重二十五磅，装在如鞋盒般的板条小木箱里。每箱两块。这些箱子定期运往南非储备银行，然后运到伦敦黄金市场去。最后黄金不是由各国的中央银行购去，就是由商人买去。除制造金饰和镶牙外，黄金也有工业用途。

各国政府买入从地下深处开采出来的黄金，为的只是把它们放进地下保管库中，这似乎令人啼笑皆非。传统上，国家货币的稳定都要靠黄金支持。国际货币专家至今还没发现比黄金更方便的东西，可以用作各国货币价值的共同本位。只要这个情况一日不变，人类就会继续深入地底寻找黄金。

四百多年来，冒险家踏遍南美洲的峻岭丛林，搜寻传说中的埃尔多拉多黄金国，都徒劳无功，因为从未有过这个地方。然而关于这个宝地的故事，吸引力依然不减。

人类自发现黄金以来，便一直为之着迷。原因之一是黄金罕有，世界目前的总开采量不过十万吨；而且黄金恒久不变，既不受侵蚀，也不会失去光辉。因此黄金向来受帝王喜爱，亦是财富的象征。

黄金既然与无法想像的巨大财富有关，当然会在现实与故事中占重要地位，而且还蒙上神话色彩。有关埃尔多拉多黄金国的传说可说是最具吸引力的，相传那里连炊具也是黄金打造的，吸引了一代又一代的探险家到南美洲去寻找，但全都失望而归，因为他们听到的只不过是个神话。

黄金国跟大多数神话一样，有一些事实根据，而且可追溯的年代也颇准确。哥伦布于一四九三年发现新大陆回去后，声称曾亲见那里丰富的黄金，自此便在欧洲掀起寻金热。在五十年间，西班牙征服者把墨西哥阿兹泰克人和秘鲁印卡人所收藏的大批黄金抢掠殆尽。在欧洲，凡目睹满载黄金制品、金锭（很多金器在付运前都熔为金锭）与宝石的船只卸下货物的人，都会深信新大陆蕴藏大量财富，只待他们去取。征服者发横财的故事时有所闻，例如一五三〇年，皮萨罗绑架了印加帝国的皇帝阿塔华尔柏，勒索一房间金银作赎金，终于得偿所愿。

　　一五三九年，西班牙人入侵穆伊斯卡人的领土，建立波哥大城，他们闻说在瓜塔维塔湖以北曾举行穆伊斯卡新皇接位大典，有人还说见过最后一次大典的人还在人世。

　　大典在黎明举行，以便新皇与随从可向太阳神致祭。在规定的时刻，新皇全身赤裸涂满金粉，成为名副其实的黄金人（即埃尔多拉多）。他登上木筏，臣下在他脚边摆放黄金翡翠，让他献给太阳神。四名赤裸但不戴金冠、手链和珠宝的族长，每人捧着祭品，与皇帝同乘木筏到湖心，然后升起旗帜，以示肃静，最后把祭品抛进湖里。

　　西班牙人对这么多唾手可得的财宝垂涎不已。一五四五年，有人曾在瓜塔维塔湖进行挖捞，但一无所获。西班牙人并未灰心，一五八〇年波哥大商人塞普尔韦达命八千名印第安人将湖水排干。他下令在湖岸挖了一条今天仍可看到的大沟，把湖水排入沟里，使水位骤降约十八公尺，导致决堤，淹死大批劳工。不过这名商人也算有点收获，从湖里挖到一副金胸铠，以及大如鸡蛋的绿宝石，他都献给了西班牙国王。

一个世纪后，黄金国故事经辗转相传，已变了样。地点也改了，先是在奥诺科河下游，后来又变为距瓜塔维塔湖二千四百公里的亚马逊。英国人雷利、福西特，西班牙人德奎沙达、德比拉沙札，以及德国人费德曼，都曾寻找过这个黄金城。

一七九九年后，寻金热复炽，瓜塔维塔湖成为活动焦点，但都无功而返。当时普鲁士人冯汉博德率领了一批科学家，花了十八个月时间沿着奥里诺科河搜索，这条河有一段沿哥伦比亚与委内瑞拉边界流动，深入原来引起传说的山区。有关瓜塔维塔湖的报道掀起了新一轮探险热潮。一八〇七年，冯汉博德重临此湖，并宣称湖底藏有五十万件金饰，搜索再度展开。

当年举行"黄金人"接位大典时投进湖里的大批黄金珠宝，很可能已于十六世纪时落入西班牙国库。一九一二年曾最后一次排干湖水，但只找到几件小金饰，未能弥补排水的费用。那时找寻黄金国的人，注定失败，因为世上未曾有过黄金国。

□水晶天帘—伊瓜苏瀑布之谜

在巴西与阿根廷接壤的一角，有一排气势澎湃的瀑布。这些瀑布的宽度加起来将近尼亚加拉瀑布的四倍，其高度则超过尼亚加拉瀑布三十公尺。这些瀑布，一字排开，约有二十四公里宽，自巴拉那高原的边缘，直泻八十二公尺之下的魔鬼咽喉峡。峡口岩石上飞溅起团团白雾，展现道道彩虹，瀑布的轰鸣声在二十四公里外也能听到。

美国总统罗斯福的夫人参观这一奇景后说："我们的尼亚加拉瀑布与这里相比，简直像厨房里的水龙头。"瑞士植物学家乔达特（一八六五至一九三四年）形容伊瓜苏瀑布之雄伟壮观，说道："我们站在瀑布下，仰望头上二百六十九英尺的高处，那一排排与天相接的波涛，像整个大海倾进无底深渊，实在惊心动魄。"

　　伊瓜苏瀑布是由约二百七十五道小瀑布组成，小瀑布之间是些长满树木的岩石小岛。瀑布从凝固熔岩和玄武岩之类的坚硬火山岩构成的高原流来。这些岩石不易侵蚀，经得起水流的冲刷，迫使水流在岩石间狭窄的水道通过，构成一个个岩石小岛。有些小瀑布从峡谷边缘一泻到底，但有些则拾级而下，溅起阵阵水花。所有瀑布泻到谷底汇为汹涌急流，奔向南边二十二公里半的巴拉那河。

　　在南美洲，只有亚马逊河和奥里诺科河比伊瓜苏河宽。伊瓜苏河大部分河道的宽度在四百五十至九百公尺之间，河水至此变成伊瓜苏瀑布。河水水位的升降以及瀑布的流量，取决于整个流域降雨量的季节性变化。每年十一至三月为雨季，河水猛涨，瀑布每秒钟泻入魔鬼咽喉峡的流量近一千三百六十万公升，足以灌满六个奥运标准游池。每年四至十月为旱季，流量大大减少，泻入峡谷的流量每秒只有三百三十万公升。大约每四十年会出现一次极度干旱的情况，河流完全干涸。上一次是在一九七八年，当时瀑布只剩下无水的悬崖，干旱持续了一个月，才出现细流，这是瀑布快要复苏的信号。

　　在瓜拉尼语中，伊瓜苏是"大河"的意思。操瓜拉尼语的印第安人世代都居住于这个水源充沛，热带植物繁茂的世外桃源中。根据印第安传说，伊瓜苏河附近森林中有一位神祇，伊瓜苏瀑布就是它的一次复仇行动造成的。它在情场上败于武士卡罗巴之手，卡罗巴用独木舟载着神的情人奈普尔顺流而下，神祇大发雷霆。为了阻止独木舟走得太远，它劈开了河底的土地，造成了这条瀑布。

一五四一年，西班牙探险家德维卡带着二百八十名士兵从巴西海岸前往巴拉圭的新建城市亚松森时，"发现"了伊瓜苏瀑布。其实，印第安人很早以前已在这里居住。按照当时的习惯，德维卡把这个瀑布命名为"圣母玛利亚"瀑布，但不久又改用瓜拉尼的旧名。德维卡对这一发现无动于衷，他记述这次探险经历时只提到："伊瓜苏河波涛汹涌，独木舟被水急速冲向下游，由于前面有巨大的瀑布，必须把独木舟拖上岸来，在陆地行走，以便绕过瀑布。"

然而，植物学家乔达特显然对这里留下深刻印象。他看到这里种类繁多的植物，大为雀跃，说道："在大片茂密森林中，几乎全是热带植物，有巨大的蕨类植物、竹、姿态优美的棕榈和上千种树木，树冠高大俯瞰山谷，上面生长着苔藓、粉红的海棠、金色的兰花、鲜艳的风梨和藤蔓。"

本世纪初，巴西和阿根廷各自在瀑布两侧建立了国家公园，以保护这里丰富的热带和亚热带生物。树上栖息着鹦鹉等鸟雀，雨燕则在瀑布上陡峭的悬崖间做窝，并在水面低飞捕食昆虫。这里的昆虫极多，包括几百种蝴蝶，有些蝴蝶的翅膀有手掌般大。这片密林里还有许多哺乳动物，如豹猫、美洲豹、貘、三种鹿和两种西貒（属河马科）。

从巴西一边观赏，整个瀑布尽收眼底；但从阿根廷一边，观赏者可自由穿越瀑布，或爬到瀑布底下，观赏瀑布的壮丽景色。伊瓜苏瀑布气势雄奇，塑造出一幅奔放未驯的原始美景，令人赞叹不已。

□秘鲁的纳斯卡线之谜

为什么在秘鲁一处寸草不生的偏僻土地上，竟有这些巨大的几何图形、动物图形和一眼望不到头的直线，这是一个难解的谜团。

大约二千多年前，南美洲一个鲜为人知的文化创造了地球上最令人费解的谜团。秘鲁纳斯卡沙漠就好比巨人的速写簿，在这赤色的沙漠岩石上"画"了一百多幅图案，包括植物、动物、几何图案，以及许多古怪的直线。这些图案到底代表什么，绘画的目的何在，虽然已有许多学说加以解释，但真正的答案至今还是个谜。

这些图案位于秘鲁的安第斯山脉与太平洋之间，占地五百二十平方公里。十六、七世纪只有西班牙探险家曾简略提到过纳斯卡这些线条，此外，外界可说无人知晓。到一九二〇年代，有秘鲁考古学之父之称的特罗才首次记载了这些图案，但仍无人认真研究。一九四一年，美国长岛大学的考古学家科索克博士来到纳斯卡。之后，德国数学、天文学家莱契博士花了四十多年时间，勘察和记录这些图案，试图解释其中含义。

纳斯卡沙漠上的图画都用同一方法绘制：刮去沙漠赤色砾石表层，露出下面的淡黄岩石。看来像是手工刮的，起码没有使用物品的证据。不论绘什么图形、大小或主题，每幅画都以连续不断的单线画成。

纳斯卡沙漠画的主题大致可分两大类：图像和房间都以小径迂回连接，并非有意设计成迷宫的。

北欧最古老的迷宫是个三重螺旋，刻在爱尔兰米斯郡纽格兰奇一个墓穴内的石上，为公元前二五〇〇年的作品。欧洲各地都有石刻迷宫，显示由早期的螺旋，经千百年演变后，变成较复杂的"克里特迷宫"。不过克里特迷宫的设计也颇简单，只有一个入口，然后经一条小径，迂回曲折地通过七条圆环路到达中心。

自十二世纪末起，欧洲各地的教堂开始把迷宫直线排成双行像火车轨道，或构成几何图案。在多处地方，直线都画在图像之上，显然图像是先绘成的。图像有各种植物的枝叶、鸟兽等，也有两种不同生物的古怪结合，如人身猫头鹰首和喙部变成长蛇的鸟雀。

所有线条都画得很直，看来很可能是靠着一连串杆子，以肉眼校准后画成。但令人难解的是，画线的人怎样在这样长的距离，仍可把线校得那么直，因为有些长逾八公里的直线，每公里偏差不到二公尺。许多地方，一系列的线从一点向外辐射，莱契称之为星状束。另外常见的是多条直线随意交错，构成巨大的长方形和三角形。

纳斯卡线画大概作于公元前五〇〇年至公元五〇〇年，可能是印卡王朝兴起前，由居于秘鲁的纳像和线条代表一部"世界最大的天文学书籍"。莱契博士也赞同这一观点，他认为这些图像和线条用于测定星宿在一年中不同时间的位置，以决定播种和收割的时间，例如有些鸟形图案的喙跟夏至的日出位置连成直线。

这些图案只能从高空俯瞰才能看得清楚，所以有人认为纳斯卡人会飞，至少在刻直线时能够离地盘旋。一些出土陶器上的绘画，显示有些类似纸鸢和热气球的物体。虽然上述说法并非全无可能，但未能解释当初为何要刻这些线条。

□墨西哥的怪石球之谜

在墨西哥西部的哈利斯哥省，在一处饱受侵蚀的山边，散布许多古老的大石球，看似是众神丢弃的巨型保龄球。这些石球直径由四英尺到十一英尺不等。一九六七年发现石球的消息成为一个科学侦探故事的开端。

在此之前，除住在阿美卡山崎岖山坡附近的一些墨西哥农夫外，一般人只知道有一个这样的神秘石球。那些农夫虽然知道还有许多石球，但是显然不晓得石球有何奇特之处。前人所知的那个石球，直径六英尺，置于早已废弃的"石球"银矿场进口处一个天然岩石座上。该矿场位于阿美卡山上高处，在瓜达拉哈拉以西约五十英里。石球均呈浑圆，一直认为是人造的——也许是哥伦布发现新大陆前某族印第安人用岩石凿成的宗教象征。

但到了一九六七年，这个想法被推翻了。若干年前担任过石球银矿场监督的美国采矿工程师戈登重临墨西哥，到那个杂草丛生的荒僻地区去勘探矿藏。他在离旧矿场不足一英里的地

墨西哥怪石球是火山爆发的产物吗？

方。发现另外四个大石球，感到很惊奇。这些石球像他记忆中的那一个同样匀圆，只是遭受风雨剥蚀的程度较为严重。还有第五个，已经损坏得很厉害，但仍认得出球形的轮廓。

考古学家史特灵曾在报告中，描述哥伦布发现新大陆前哥斯达黎加印第安人从花岗石凿成的圆滑石球。戈登知道此事，于是把拍下的石球照片送给这位考古学兼作家，还表示愿意带他去哈利斯哥石球所在地。

一九六七年十二月，史特灵飞抵墨西哥，立即在阿美卡山工作，掘挖半埋在土里的石球。没想到结果又掘出另外十七个石球。这座山上似乎到处都埋着大石球。如果不是其中一名土著工人抗命扔下铁锹，史特灵等一队人可能一直在那里掘下去。那名工人想知道，只要越过接邻的山岭，史特灵博士便能找到多得使任何人都心满意足的石球，而且都露在地面上，那么还在这里掘来掘去干什么？

辛苦攀登了一小时后，证实了阿美卡村民所说的话。快到山顶处，他们遇到一个石球，比他们见过的都大。那个石球直径十一英尺，位于山岭顶端。他们到达山顶后，朝下面山坡望去，于绵延直到谷底的树木间，看到几十个大石球。其中几个形状如梨，还有两个接连在一起，像个古怪的哑铃。除风雨剥蚀的创痕外，大部分几乎是圆球形，大小也几乎相同，直径约为六英尺。有些好像是从原来位置滚到下面的峡谷，落在碎石中。这些碎石是几个石球滚下峡谷碰得粉碎而成的。有一个仍在原来位置，已裂分为二，显然是毁于林火。另一个石球顶端，长出一棵像羽毛似的小树。

史特灵博士早已开始怀疑石球是由人工凿成的说法。这次新发现，更使他深信石球必是大自然的独特创作。这一带山区没有人类居住过的迹象。没有陶器碎片，也没有任何人工制品。现在发现这么多大石球，就可确实说明不管印第安人如何勤劳，根本不可能都是他们凿成的。石球必然是自然界的产物。但是，谜团仍未能解开。这些石球是怎样形成的呢？

美国的考古学家汉克博士听到发现神秘石球的消息后，最后亲自到过阿美卡山踏勘。在瓜达拉哈拉以西十英里的旧日殖民城镇阿华鲁科麦迦多，汉克雇了一辆古老计程车，配上走烂泥路的特种轮胎。司机埃尔南德斯是当地人，技术纯熟，擅于在有圆石及壶穴险路、仅依稀可辨的车道上驾驶。当地知石球所在的人只有五、六个，埃尔南德斯是其中一个。据他说，必须走的那条车辙深陷的小道，原是一条用大鹅卵石铺砌的好路，四十年前才弃置不用。

汽车颠颠簸簸，走了三刻钟，到达那条旧矿场道路的尽头，汉克一行来到提罗帕特里亚牧场。住在那里的是该区七十岁族长马丁内斯。他和蔼可亲，有九个孩子。他叫其中几个给骡马装鞍，准备上山下山的五小时行程。

托尼奥骑着一头白骡带路，兴高采烈地说，上山时好像很艰难，但等一下与下山相比，就觉得容易了。山路在多石地面上迂回曲折，只有托尼奥能够辨认。路面到处是拳头大小的松散石块，有时上面还盖着一层落叶，因此更形艰险。汉克博士是头一次骑马，一路忙着闪避上面的树枝和荆棘树丛。幸好汉克博士只须在木鞍上维持平衡，汉克博士骑的是识途老马，跟着带头的骡子在隐藏的乱石中行走，甚少失蹄。

走了半英里之后，牧场的三只小狗挤进他们的行列，几乎是在马蹄后面紧紧跟随。它们偶尔离开队伍，静悄悄深入周围树林中，循着气味追寻鹿或美洲狮。大部分时间，山路都非常曲折。在特别曲折的弯路上，攀登山路的骡马踢起石块，如骤雨般纷纷坠下山腰。马丁内斯用那条短鞭镇定地指点下面远处山谷中的有趣景物。山路越来越陡，难怪那个地区和外界就这样隔绝了。

从提罗帕特里亚牧场上山一小时后，他们才见到第一个石球，躺在峡谷里。石球直径六英尺。峡谷稍下方有另一个石球的碎块。再走十分钟，他们进入一个饱受侵蚀的山谷，谷壁几乎垂直。谷内有许多孤立的岩柱，高约二十英尺。其中一条岩柱顶端，摆着一个大石球，就好像有某种自然力把它放在上面。这块大空地的一边有一个圆石，大如一所有十个房间的房屋。

沿山道再往上走，石球渐多。最后他们到达史特灵博士的主要发现所在地。在这里看到一个直径十一英尺的石球，不稳定地摆在主脊之上——在蔚蓝色天空的背景下真是个奇观。这个石球虽然巨大，但马丁内斯声言不久就会见到更大的。他指向几码外树丛中的一个圆顶小丘。汉克走近细看，发现那是个埋在土里的圆球，从露出的圆顶弧度推断，掘出后的直径至少有二十英尺。

托尼奥告诉汉克："这是它们的头子。"是谁的头子？这问题还未能解答。

一九六八年三月，一个科学调查团来到阿美卡山，想解开石球之谜。该团是由美国地理学会、史密生博物馆及美国地质调查局联合组成，由美国地质学家史密斯率领。

这个谜团的主要部分很快就得到解答。史密斯博士研究过新墨西哥州若干直径二英尺的天然石球，断定那是由叫做黑曜石的火山玻璃构成。他马上看出，这些墨西哥大石球属于同样物质，还断定这些石球就像新墨西哥州的一样，是在极深的火山灰沉积下形成的。

史密斯博士根据该区的地质情况断定，约四千万年前，该处曾发生过火山爆发引起的山崩。

这位地质学家认为，"火山灰流的沉积物，从前必曾覆盖着阿美卡山大部分地方，但侵蚀作用除去沉积物，仅有少量残留下来。"

"这些石球是在高温下结晶而成的，"他推论说，"火山灰有百分之七十五至百分之八十五是热火山玻璃，温度约在华氏一千至一千四百度之间。火山玻璃在这种高温中，缓慢冷却，可以结晶。结晶过程是围绕着许多核心开始，逐渐以球面向外扩展，直到温度降低或与邻近石球接合时才停止。"

"我只看过一个石球仍包在原来的火山灰内，因为火山灰较软，容易被侵蚀掉。经过侵蚀后，地面就留下裸露可辨的石球。"

史密斯博士承认，结晶过程是否正如他所描述的一样，也许无法证实，即使拿火山岩及火山灰样本到化验室里作出彻底分析，也不能证明。但是阿美卡山石球来源的问题，已经大致获得解答。在地球有人类之前几千万年，石球已在这个地区远古火山的炽热环境中诞生。

□盲泉与古代路线之谜

玻利维亚高耸的安第斯山区中，有一些长达数英里的笔直小径，横贯于峻岭和平原之间。美国维蒙特、麻萨诸塞、俄亥俄和加里福尼亚等州也有类似的漫长小径，沿途用作标识的石块是哥伦布时代以前留下来的。在欧洲，同样的小径穿插于自然景物之中，将山顶、教堂和尖塔和非基督教的遗迹连接起来。

这些究竟是什么路线？是谁设计的？因何修建起来？数学家、考古学家以至探寻水源、矿藏的人殚精竭虑，仍是大惑不解。线索虽多，确实的答案却始终找不到。

藉详细的地图小心寻找，可知道那些路线确实存在，不过通常只有训练有素的人才能实地观察到。但是，英国赫里福郡酿酒商沃特金斯，一九二一年光凭直觉首先发现了这种路线。

沃特金斯从孩提时代起就很熟悉当地地形。他六十五岁那年，有一天骑马登上小山，在山顶停下时，突见四周显著的地理特征好像分别由许多笔直小径连贯起来。他翻查地图，发现其直觉观察正确。四郊到处是笔直的路线，那是人类曾居当地的最古老遗迹。他注意到路线上有一圈圈石头、石器时代的墓墩、堡垒、山顶和建筑在昔日非基督教庙宇原址上的教堂。这些遗迹似乎按星辰运行的轨迹排列，或与冬至、夏至、春分、秋分等特殊日子中太阳在地平线升降的位置连成一线。

沃特金斯也注意到上述路线所穿越的地方，名称甚多以"利"音结尾，而且往往有"盐"或"白色"的涵义。他把这些路线称为"利线"，并且断定这些小径其实是专门运盐的路线，因为盐是古代很值钱的商品。

保守的考古学家一直把沃特金斯视为怪人。他观察到"利线"按天象排列的情况，却于一九六〇年代后期为著名的数学家兼工程师汤姆所证实。

汤姆发现，英国许多古代遗址，特别是索尔兹伯里平原上的史前巨形方石柱，确实按照天象排列，巨形方石柱群本身就位于英国最长的"利线"上。

这类神秘路线的资料迭有发现。一批水源探测者和地质学家发现"利线"和古代遗址的位置都与"盲泉"重合，"盲泉"即未涌出地面的地下泉。研究员希青发现，在古代遗址和"利线"上都出现地磁异常现象。沃特金斯原先认为"利线"只是小径或贸易路线，这种观点似乎有待修正。

美国的研究人员发现，某些岩层、印第安人遗物和一些显然由人类放置的孤立石块也连成精密的直线网络，沿线也有"盲泉"。

一九七〇年代，动物学家莫里森发现玻利维亚安第斯山区有多条小径，从民居集中地直通荒野的小神龛，其方向也和天文有极大关连。这似乎证实了许多研究人员的猜想：各地的"利线"都含有宗教意义。

有人推测史前时期的工程师曾以某种方式接触过"地球能量"，也有人根据后来在欧洲搜集的证据，坚称这些只是贸易路线。盐于古代也许是神圣商品，必须循宗教所规定的路线运输。

目前还有些问题尚待解答：文化如此不同、相距如此遥远的多个民族，为什么都乐于在自己的土地上修建纵横交错的笔直小径？"盲泉"和当地的地磁异常现象到底有什么意义？古代人是否知道有这些现象？这一切与按天象排列的"利线"又有何关系？我们也许要走进时光隧道才能找到答案。

□神秘的古堡是谁建造的？

　　每年六月二十四日即南半球的冬至时分，是南美洲印第安人祭奠太阳神的盛大节日，也是辞旧迎新的新年。这一天，居住在秘鲁高原的印第安人从四面八方向潮水般涌到库斯科城外的萨克萨瓦曼古堡。正午一过，虔诚的太阳祭盛典就开始了。人们将丰盛的佳肴美酒和山珍海味奉献在太阳神像前，并且在四周的祭坛上燃起圣火。此刻，参加祭奠的人群如痴如醉，载歌载舞，尽情狂欢，同时将珍贵动物骆马投入池中作为给太阳神的礼品，庆典一直延续到日落之后方告结束。今天，安第斯北部山区印第安人祭奠太阳神的场所萨克萨瓦曼古堡是他们的先人在几百年前修建的，而且当时主要是供作战用的堡垒。

　　大约一千年以前，在秘鲁南部的高原上居住着一个操奇楚阿语的印第安人小部落，他们自称"印加"，意为"太阳的子孙"。公元十二世纪（一说公元十世纪）左右，印加部落在其首领"太阳神之子"曼科·卡帕克的率领下迁至亚马逊河源头河谷地带，在那里建立了自己的国家。传说他们还遵照太阳神的吩咐，修筑库斯科城作为首都。后来，印加军队南征北战，征服了安第斯山北部许多印第安部落，到十五世纪发展成拥有大约九十万平方公里领土的奴隶制强国，这就是举世闻名的印加帝国。首都库斯科城也建成为一座雄伟壮丽、金碧辉煌的大都市。

　　印加帝国是通过征服周围其他部落而不断扩大版图的，帝国内部矛盾较多，为了防止和镇压被征服的部落造反，印加帝国统治者组织修筑了四通八达的大道和固若金汤的城池，而且在中心城市四周建起了许多堡垒。为了拱卫首都，库斯科城外的堡垒建得更为坚固，其中又以萨克萨瓦曼古堡最为有名。

"萨克萨瓦曼"，在奇楚阿语中是"山鹰"的意思。这座无比雄伟的古堡确实像一只矫健的巨鹰兀立在库斯科城以北海拔三千七百米的高山之巅，远远望去，蔚为壮观。萨克萨瓦曼古堡占地约四平方公里，主体由里外三层围墙组成，围墙全用巨石砌成，高十八米，最外面的那道围墙全长达五百四十米。围墙象一条巨龙蜿蜒起伏在岭坡之间，而且墙身不是平直的，而是呈锯齿状，共有六十六个突出的锐角形墙垛，墙垛上的士兵可以利用这种阵地交叉投掷标枪射杀敌人。进入古堡的台阶全用整块巨石铺砌而成，全长达八百米。古堡内还建有塔楼、房屋、地下走廊与地下水道。总之，萨克萨瓦曼古堡是一座设备齐全、攻防兼具的军事要塞。

萨克萨瓦曼古堡建筑工程异常浩大，建筑技艺也十分精湛。整个古堡的建筑用了三十多万块石料，而且每块都是重量数以吨计的巨石。最大的一块长八米，宽四点二米，厚三米，重量超过二百吨！石块不仅重，而且加工相当精细。垒成石墙的石块之间未用灰浆粘合，但是缝隙细如发丝，连手指也摸不出来。萨克萨瓦曼古堡经历了几百年的风风雨雨，至今仍以它那雄姿傲然屹立在安第斯的高山上。一九五〇年库斯科发生强烈地震，许多西班牙时期的建筑遭到毁坏，而印加时期建成的萨克萨瓦曼古堡却安然无恙。由此古堡建筑之坚固可见一斑。

如果置身于这一宏伟的堡垒中，人们不禁会对印第安先人的智慧和能力赞叹不已。那么，这座古堡到底是何时建成的？它是怎么建成的？对此，人们尚未找到确切的答案。

现在学术界一般认为，萨克萨瓦曼古堡是印加帝国第九代君主帕查库提（一四三八至一四七一年在位）和第十代君主图帕克·印加·尤潘基（一四七一至一四九三年在位）时修建的，从一四八三年动工历时七十年到一五○八年才最后完成，也有的著作认为一四○○年就开了工，历时一○八年才竣工。估计常年在工地参加施工的劳动力达三十多万。上述两位国君统治时是印加帝国的鼎盛时期。在这以后，帝国内部因兄弟争王而发生长期内战，削弱了自己的力量，终于在十六世纪初被西班牙殖民者征服了。

即使在印加帝国鼎盛时代，印第安人也还是处于青铜文化时期，他们没有发明铁器，也没有发明车轮，甚至没有大牲畜。那么他们用什么办法建成了工程如此浩大、技巧如此精湛的萨克萨瓦曼古堡呢？这实在是一个难解之谜，因为就是在建筑、运输技术高度发达的今天，要从几里地之外把几十吨乃至上百吨的巨石运上陡峭的山地，再垒砌成密不透风的石墙，也是极为困难的。

有的专家经过潜心研究指出，建古堡的巨石全是靠滚木、滑板这类最原始的工具运上山坡的，而且开采、打制石坯全靠更坚硬的石块，将石坯磨平磨光则是用砂子，这样的加工石料和搬运垒砌的方法不能不令人叹为观止。它不仅需要数十万人投入，而且需要通力合作，说明印加人具有非凡的组织能力。

也有的专家不同意萨克萨瓦曼古堡是印加帝国鼎盛时期建成的这一结论。他们认为，根据古堡的建筑风格和技巧，应当是印加人来到此地之前的某个不知名的民族修建的。至于这个民族的生产技术水平是比印加人更先进还是更原始则未加说明。因此，有人走得更远，他们根本否认萨克萨瓦曼古堡是印第安人建成的，说凭印第安人的技术和力量是无法兴建这么巨大而复杂的工程，很可能是外星人在这里修建的。此说固然新鲜，然而更加缺乏说服力，把事情弄得更加扑朔迷离。

由于印加帝国没有文字，考古发现的证据也不足，因此萨克萨瓦曼古堡到底是怎样建成的至今还不能解释清楚。

□美洲的金字塔之谜

据科学考察，人类祖先在非洲生活的历史要上溯到二百至三百万年以前，这是地球上最古老的一块大陆，而人类进入美洲的历史只有一到两万年时间（也有说四到五万年的），然而在最古老的大陆和最年轻的陆地上却都矗立着许多雄伟壮丽、气势傲然的金字塔。被称为世界七大奇观之一的非洲金字塔主要集中在埃及尼罗河下游两岸河畔吉萨及其以南的广大地区，总共约有七十多座，其中以吉萨大金字塔最闻名，它包括三座金字塔，而尤以第四王朝法老库孚金字塔规模最为壮丽，气势最为磅礴。另外两座是哈夫拉（库孚之子）金字塔和盂考拉金字塔。美洲金字塔则密布在墨西哥和中美洲的危地马拉和洪都拉斯等国，其中以墨西哥的太阳金字塔、月亮金字塔、奇钦·伊察金字塔、乌斯玛尔金字塔、帕伦克金字塔和危地马拉的蒂卡尔金字塔、洪都拉斯的科潘金字塔最盛名天下。三十多年前，巴西一飞行员在巴西南部丛林中发现了三座金字塔。一九七九年美、法两国科学家在考察大西洋海底古建筑群时，竟在西半球百慕大三角海区的海底下又发现了一座金字塔。据科学测定，这座海底金字塔规模比库孚金字塔还宏伟，边长三百米，高二百米，塔尖距海面一百米，塔身有两个大洞，海水飞速穿过洞口，在海面上掀起一股汹涌澎湃的狂澜。人们不禁要回，这些星散在年轻大陆上的金字塔与古老非洲土地上的金字塔之间有何联系呢？它们之间有何不同呢？它们是在什么年代建造的呢？

与对待所有事物一样，学术界对此也存有不同的看法。一种认为美洲金字塔是当地土著居民在其世代生息的土地上创造的古老文明的杰出象征，它不是外来文化的延伸，更不是外来文化的翻版。根据科学测定和实地考察，史前美洲印第安人是在贫瘠的原始土地上开始其劳动创造、进入人类历史社会的。勤劳的印第安人经过长期的劳动实践和社会发展，凭借其双手和聪颖的大脑创造了灿烂的、独特的美洲文明，金字塔正是这文明的一个代表。抱此观点的专家学者认为，说美洲金字塔是埃及金字塔在美洲的翻版是毫无根据的，首先拿不出任何确凿的、令人信服的证据，证实美洲金字塔出现以前，埃及金字塔诞生之后两洲居民间存在来往与文化联系；其次虽两者均作为统治阶级的权力象征，为维护、巩固其统治地位而建造，但两者之间的不同点也是极为明显的。非洲金字塔是作古埃及国王——法老的陵墓用的，塔内部有中心部分，塔只是中心部分的外壳，美洲金字塔是僧侣、贵族用以进行宗教祭祀和举行盛大典礼的场所。埃及金字塔最早建于公元前二十七世纪埃及第三王朝时。相传古埃及民间流传着这样的神话，很久以前有一名叫奥西里斯的法老，他教会人民种地、开矿、酿酒等，人民十分尊敬他，但其弟塞特为篡夺王位阴谋将他杀死。奥西里斯妻子还未将其安葬，尸体又被塞特剁成十四块扔到各处，奥妻最终还是找到了尸体碎块，并在各地埋葬。后来奥西里斯儿子长大成人，为父报了仇，并将埋在各处的父亲尸体碎块挖出，制成"木乃伊"，不久在神的力量帮助下，奥西里斯复活了，当了阴间的法老，专门审判死人，保护人间法老。以后法老就以此欺骗和恐吓人民，谁要反对法老，不但生时受到惩罚，死后也要受苦。从此每个法老死后都将尸体制成木乃伊，放入石棺葬人坟墓。当时坟墓十分简单，只在地上挖一个坑，再堆成一个沙丘。后来就将墓穴深挖成地下室，地面沙丘周围砌上一道石墙，当地称为马斯塔巴即石凳。到埃及第三王朝，法老约赛嫌马斯塔巴不宏伟，于是就在上面加起了五个一层比一层小的"马斯塔巴"，并从顶端往下挖一竖坑，直通地下走廊、房间，这就是埃及第一座金字塔形的陵墓。美洲金字塔是古代印第安人的祭神活动中逐步发展起来。

古代印第安人信奉多种自然神，如太阳神、月亮神、雨神、河神、天神等。他们登上高山之巅进行祭奠活动，以示更靠近神灵，而生活在乎原、河谷地带的印第安人则在平地建起土丘，在土丘顶端筑起庙宇，以祭祀用。随着筑坛祭神活动的盛行和发展，神坛的规模也越来越大，逐渐建成为金字塔型，而且金字塔的建筑艺术也越来越精巧。整个金字塔和塔顶庙宇与神坛中的神象、石碑及其他石雕艺术品集体反映出不同时代和地区的古印第安人的政治、经济、文化，并代表了不同时期印第安文化的特点与风貌，与埃及金字塔无共同之处，同时也反映出金字塔是美洲古代印第安人社会的神权中心。正因此，前者是空心的，而美洲金字塔是实心台基。此外两者外形上也有差异，一个是四棱锥形，塔身仅一面有入口处，直通墓穴，而另一个是四棱台形，塔身分成若干截，正面有台阶……。至于有人说到两者在反映经济、社会制度乃至宗教方面存在相同之处，从而反映在建筑、艺术上存在共性，持此观点的这派认为，这种共性不能说明美洲和非洲这两个被不可逾越的时空所隔绝的文明之间曾有过接触。因为人类所普遍具有的才智在不同地点和时期，有可能创造出相似的工具、器具、房屋，相似的社会形态和宗教信仰。至于作为统治者巴卡尔陵墓保存下来的帕伦克金字塔只能是个例外。

反对此观点的一派认为，美洲金字塔和非洲金字塔属同一文化范畴，且前者是受后者影响的产物，其依据之一是，被称为"铭记的神庙"的帕伦克金字塔就是一座埋葬帕伦克统治者巴卡尔的墓穴，墓穴结构及其墓葬晶反映了美洲金字塔和非洲金字塔在文化上有其共性，也说明都有一个发达的经济结构，存在等级森严的社会群体和一个以神权为中心的政权，还表现了相似的宗教信仰。依据之二是两者金字塔都是立体四棱形、外观上有相近之处。此外均是有规则的几何形状的巨石建筑。再有根据实验可推断即使在数千年前埃及人也有可能横渡大洋到达美洲，从而将古老的大陆文化传到新大陆。伊凡·范瑟提玛在其《哥伦布以前到来的人们》一书中明确指出，埃及人曾于公元前八百至六百八十年同美洲人接触过，美洲金字塔是在埃及人到达美洲最后出现的。

你觉得哪一种看法更符合历史事实呢?

□ "众神聚所"之谜

到了墨西哥城不去特奥蒂瓦坎看金字塔,就像到了北京不登长城。在那荒草没径的城市废墟上,高高屹立着小山一般的金字塔。登上二百三十六级台阶到其绝顶,废城全貌尽收眼底。

特奥蒂瓦坎,即印第安语的"众神聚居之所",它位于墨西哥首都墨西哥城北郊四十公里处。古城遗址长六点五公里,宽三点二五公里,面积二十一平方公里,估计曾有居民二十万,相当于同期欧洲罗马城的规模,是古代西半球乃至全世界最大城市之一。目前除了已经修复的金字塔和神庙外,只能看到街道轮廓线和莽莽灌木丛掩没的无数土墩,依稀可以窥见昔日的繁华都城的盛景。

该城中轴南北干线称"黄泉大道"或"死亡大街",宽五十五米,长二点五公里。全城主要建筑群都布置在大道两旁。"黄泉大道"是一三二五年南进的阿兹特克人起的名字。据说当时大军路经这里,只见城市破败,找不到一座完整的房屋,而大道两旁却有连绵不绝的棱锥形高台,疑为坟墓,故称此名。又一说,当年大批奴隶被送上金字塔祭天,都是从这条大街走向死亡的,后人便称之为"黄泉大道"。

城内有许多的华丽宫殿、神庙。平民的住宅也很宽大,通常一座房屋有五十至六十个房间,环绕着一个内院。可惜这些

人们为何把这些尖石锥称作"永恒的修土"

房舍都已荡然无存，只剩下房基了。城址已发掘了十分之一以上，取得了大量文物，其中以彩绘陶器和石雕像最多。一尊大型水神雕像以数块巨石精心琢磨衔接而成，水神头戴冠冕，两耳佩垂饰物，两眼深沉有神，衣袍上的几何图案和装饰线条相当严整。在没有铁器的石器时代，能将粗石雕琢得如此传神、明快、凝炼，实为难得。此外，还有一种三足鼎式陶罐，釉面光洁，花纹精细，造型巧妙，完全可以列入古代艺术精品之林。

　　在"黄泉之道"东南，屹立着一九一〇年前后修复的太阳金字塔，四方锥体，分五层，逐层斜缩，总高六十四点五米。底边各长二百二十二米和二百二十五米，占地五万平方米，有六个半个足球场那么大，略小于埃及金字塔。正面有台阶通到塔顶，上面是平台，曾建有金碧辉煌的神庙，内供黄金装饰的太阳神像。如今塔顶光秃秃一片，因神庙模样难以考证，至今未能复建。其它三面陡峭平滑，难以攀登。塔身还穿插装饰着用琢磨光亮的素色、彩色或浮雕火山岩石铺镶的图案。塔为实心，以沙土充填，外以巨石封裹，与埃及金字塔的空心陵墓有所不同。

祭祀月亮神的月亮金字塔规模稍小，距太阳金字塔一公里。塔基长一百五十米、宽一百二十米，占地十八平方米，也比两个足球场大，它高四十三米，也是五层，建筑艺术比太阳塔更为精巧。两塔之间有可容约数万人的大广场，由此可见当年祭祀场面之大。

第三个建筑群在"黄泉大道"两端。在一个凹人式广场上，三面环以平台式神庙多座，犹似一个相对独立的城堡。最大的一座是六层塔，每层饰有羽蛇头和玉米轴组成的浮雕，前者代表蛇神，后者代表雨神。"羽蛇"是托尔特克人崇拜的图腾。

根据推测，太阳塔、月亮塔的建造年代大约在公元一世纪，建筑周期至少五十年。蛇神庙的建造迟于十世纪，风格与前迥然不同。

埃及金字塔虽然出名，但数量没法同拉美的金字塔相比，从公元前七世纪到公元前十五世纪欧洲人来到拉美为止，居住在中美洲墨西哥到尼加拉瓜的印第安人，每个时期都兴师动众，大建金字塔，总数可能超过十万座。每一个定居点，每一次战役胜利之后，都要建塔。最高可达七十米，四五层至十几层不等。塔顶设神庙和祭坛，纯粹是宗教建筑。有的战胜者喜欢将战败者的金字塔包起来，愈包愈大，以至内部包有三塔四塔的。可惜的是，随着岁月流逝，拉美金字塔同它们所在的城市，不是湮没于荒草中，就是被入侵的殖民者毁坏，成了当今世界一个难解的谜。

拉美的历史没有文字记载，特奥蒂瓦坎也不例外。那么繁华的都市，那么大的金字塔，静悄悄地消失于热带丛林之中，没有一点蛛丝马迹可寻。考古学家对此不能作出准确的回答，只能从出土文物的研究中加以推测。

特奥蒂瓦坎大约崛起于公元前二世纪，它与玛雅、萨波特克并列为中美三大部族，维持了大约一千年的历史。到了公元八世纪，它就神秘地消失了。对于它的消失，学者们议论纷纷，说法各异。有人说是天灾、饥馑、瘟疫，也有人认为是北方部落的入侵或是内讧自相残杀。到底为什么，始终没有统一的认识。

墨西哥曾在韦拉克鲁斯州的阿库拉河里捞出一块古代石碑，上面刻着大量象形文字，这为证明一个从未破解过的古文字系统提供了依据。据研究，该文字系统在公元二世纪时存在于这片土地上。这块韦拉克鲁斯石碑有半吨重，现暂存雅拉帕考古博物馆内进行整复。

目前，墨西哥和美国的专家正在破解这些曲蛇形、鸟及其他较抽象的符号组成的象形文字。这些字共有四百余个。石碑上还刻有一个戴动物头饰、肩披飞禽羽毛的首领肖像。那些文字讲的就是关于他的生活故事。碑文上的日期指的是公元一四二至公元一五三年。由此可知该碑文是拉美大陆已知最原始、最补充的古代篇章。人们以前只在少数石牌上见到过这一星半点这种文字。

专家通过计算机分析碑文后发现，公元一六五三年这个时期正好与一种被称为"历法周期"的末年期相吻合，该历法周期每五十二年循环一次。这个时期同时也是举行"新火仪式"的时间。

这是一种纪念一个新历史时期开始的仪式，至今仍在墨西哥及中美洲的几个边远村落中流行。

雅拉帕考古博物馆馆长温沙尔德先生认为，碑文兼有玛雅文化、欧尔麦克文化及查坡苔克文化的成份。他认为碑文的发现为研究所有古代中美洲书写系统的发展提供了一把钥匙。另一位专家认为，碑文很可能是一种以语音为依托的书写系统。一种叫作米克斯——色克的古印第安语可能与它有密切关系。碑文可能是一种独立的与玛雅文字同时发展的书写系统。当时可能有许多种书写系统并存。

□被废弃的塞兰迪亚之谜

在绿草如茵、森林密布、河川纵横的水乡泽国圭亚那，有一个吸引着众多游客的塞兰迪亚古堡。它由荷兰人建造，十八世纪末该地区被英国人占领后，古堡迅速被废弃。这是当地发生热带瘟疫所致，还是因荷兰在圭亚那殖民盛况衰微的结果，至今尚未知晓。

　　古堡座落在圭亚那流量最大的埃塞奎博河下游的一个小岛上。这个狭窄的小岛长一公里，距河西岸四百多米，那里是一片热带丛林，实际上是南美难以进入的莽莽林海。岛另一边因被湍湍急流中的无数小岛阻隔而见不到河的东岸。

　　游客要参观古堡遗址，得在被大西洋环抱的埃塞奎博河河口的帕里码头乘船，那里停泊着许多轻便小艇。旅游者搭乘这种小艇，上溯八公里，就能抵达这个小岛。岛上人烟稀少，散居着一百多户人家，大部分是渔民。古堡掩映在杂草丛生的灌木丛中，游客登上岛后，首先看到的是古老的兵器广场，附近散放着一些荷兰酒瓶，这些绿色的玻璃制品，只有在十八世纪欧洲的某些地方才能生产。炮台附近的草丛中，还有看到一些炮弹和战斗的遗迹。

　　关于这个古堡的历史一直可追溯到十七世纪初。一六八一年，当早期荷兰探险者在新大陆被西班牙人驱逐出波梅龙后，他们就在远离西班牙和葡萄牙人冒险活动的大西洋岸中部活动。一六一六年，荷兰探险者阿德里安·格洛埃诺韦赫率三条船成功地驶抵了圭亚那岸的埃塞奎博河河口。他们沿河上行三十英里，在马托鲁尼河和卡尤尼河汇合处设居民点，建立了一个基克——欧弗——阿尔的设防镇区。一六二一年，在美洲、亚洲和非洲拥有大量庄园财产并起着贸易垄断作用的荷属西印度公司合并后，有计划地垦殖活动代替了漫无边际地开拓殖民地。一六二四年，该公司派遣了一大批垦殖者到基克——欧弗——阿尔地区。

　　随着英、法、西班牙和荷兰人间连续不断地争夺殖民地战

争，这块土地多次易手，改换殖民统治者。居住在那里的居民
为免遭战乱之苦，逐渐迁移到离河口更近，并具有很好防护的
地方居住。于是，埃塞奎博荷兰殖民地的新首府建立到了这个
小岛上。一六八七年，基克——欧弗——阿尔镇区司令在岛上
建造了一个木制要塞。

为抵御入侵，埃塞奎博司令官劳伦斯·斯托姆·范格拉夫桑
德于一七四二年计划按中世纪堡垒建筑风格，用石墙和障碍物
兴建一个军事要塞，并在其周围挖一条护壕。一七四四年要塞
建成，这就是留存至今的塞兰迪亚古堡。其附近还建造了一座
教堂。在教堂里竖立着三块墓碑，其中两块碑文上写首：一七
七〇年十一月逝世的迈克尔·罗特及其一七七二年逝世的妻子。
第三块墓碑碑文已无法辨认，据岛上居民说，这是一条狗的墓
穴。这是神话故事还是事实不得而知。

一七八一年，英、荷间爆发战争，英国人占领了德梅腊
工、伯比斯和埃塞奎博地区，但几个月后，又被法国人抢占了
过去。一七八三年荷兰人重新占领后，由于当地种植园主反抗
而处境日趋困难。一七九六年四月二十日，一支拥有八艘军
舰，一千三百个士兵的英国舰队驶抵圭亚那沿岸，英、荷再度
发生战争，荷兰最终完全丧失了这块地盘。一八〇三年，塞兰
迪亚镇区就变得荒无人烟，满目荒凉，古堡最终被废弃。这是
因瘟疫、战乱还是荷兰殖民者的彻底衰败？该岛最后一批居民
境遇怎样？在古堡四周有多少士兵葬身于战斗或死于瘟疫？答
案尚留存在这座古堡的遗址之下，至今尚难解开。

奇布恰文化与新石器时代的居民阿瓦克人联系了起来，当
然这也不能排除后来中部美洲和秘鲁各文化核心对哥伦比亚文

化的影响。

　　奇布恰人起源于亚马逊地区，看来这也为西班牙编年史家记载的材料所证实。同时，这些史料并没有掺杂关于迁徙的神话传说。但是，在西班牙征服时期，奇布恰——穆伊斯卡人的编年史仅可上溯七十年，显然，如此短暂的历史就很难构成其起源点。因此，关于其来自何处的问题，实际上还没有得到系统、科学和充分的证论。在一定程度上，它还是个有待解决的难题。

□非洲黑人迁徙美洲之谜

　　在墨西哥东部大西洋沿岸特雷斯——萨波特斯附近有一片郁郁葱葱的林海，林海中耸立着一尊巨大的、面庞酷似非洲黑人的石雕头像。它最早是在第二次世界大战爆发前夕被考古学家斯特林率领的考察队发现的，差不多同一时期在其周围的拉文塔、圣洛伦索等村庄也发现了好几座高约二点五米、重达三、四十吨的头像。这些头像都长着一付非洲黑人的模样，宽平的鼻子、肥厚的嘴唇、突出的下腭、扁桃似的眼睛，从脸型到头型无一二致。头像用整块玄武岩雕刻成，安置在石头底座上，而且个个面向东方，眺望着远方的大西洋。经考古学家鉴定，头像已有三千年历史，这难道是三千年前处于墨西哥奥尔梅克文化时期的古代奥尔梅克人的杰作吗？要知道奥尔梅克文化时期的人们连轮子和牲畜都不会使用，目前维拉克鲁斯博物馆陈列的三个头像还是一九六二年墨西哥政府运用了最现代化的交通运输工具运往那儿的，然而眼前的事实又如何解释呢？

世界著名的语言学家、人类学家塞尔蒂马和其他一些专家、学者认为这些石雕头像是古代非洲黑人在当地留下的精美绝伦的艺术珍品。为证实这一点，挪威旅行家图尔·海耶达尔和法国的克里斯蒂安·马蒂先后做了横渡大西洋的实验，图尔·海耶达尔仿造三千年前非洲黑人使用的船舶制作了一艘纸莎草船，并亲自乘坐此船从摩洛哥出发，开始了传奇般的航行，目标是横渡大西洋，一九六九年他冲破大西洋上的惊涛骇浪，战胜千难万险，终于登上了加勒比海上的巴巴多斯岛。试验成功了！他用亲身经历证实三千年前非洲黑人已能用自己制造的船，顺着大西洋的洋流从非洲飘流到拉丁美洲。

十二年后，法国的克里斯蒂安·马蒂乘坐一块面积仅二平方米的有帆的水上滑板，从塞内加尔首都达喀尔出发，经过一个多月的海上颠簸，于次年一九八二年一月在南美洲法属圭亚那的库鲁市附近的海滩上登陆，也成功地横渡大西洋。

塞尔蒂马本人则从历史角度来科学推断最早到达美洲大陆的是公元前八世纪也即距离现在约二千八百年的努比亚人，亦就是今天的苏丹人。当然，努比亚已进入奴隶制社会，用武力征服了埃及，建起了新王朝，并早已与埃及有频繁往来，与历史上享有盛名的航海家腓尼基人也有了接触。腓尼基商船已能远航大西洋。努比亚人在征服埃及后常随腓尼基商船远驰，他们正是以此熟练掌握了航海技术和积累了丰富航海经验，而且以非洲最早的文化使者来到美洲大陆，开始其新生活。那些巨型头像正是这些努比亚人雕刻的，连石刻头像上的圆形头盔也与当时努比亚士兵的头灰相同，这不是努比亚人雕刻这些石像的一个佐证吗？

　　至于一些书上叙述一四九二年哥伦布首次在加勒比海的埃斯帕尼奥拉岛登陆时听人说起的黑皮肤人和西班牙航海家努涅斯·巴尔菩尔在岛上亲眼目睹的黑人，塞尔蒂马则认为是十四世纪初定居到那里的西非马里的黑人后裔。至今仍可发现墨西哥一带的印第安人和西非海岸黑人在语言、词汇上有某些相同之处。最能证实上述观点的是，相传十三世纪马里帝国逐渐强盛起来，通过武力扩张，成为当时一个强国，经济、文化、交通均很发达。阿布巴卡里二世登基帝国王位后，一改前任的武力侵略与军事扩张政策，将注意力集中到通过航海来炫耀国力。他调动了全国力量，组建起一支庞大船队，企图征服西方大海。一三〇一年他派遣第一支船队向大西洋彼岸进发。临行前他向船队立下一条法规，不达目的，不到船队粮饷告急时，任何一艘船只都不准调转方向。船队起航不久，只有一艘船的船长返航，其余船只都驶往大西洋彼岸去了。次年，阿布巴卡里二世因得不到船队消息，亲自率领黑人船队再次向大洋彼岸起航。在他走后，马里帝国再也没有得到有关国王的消息。塞尔蒂马推断，这两支船队均先后达到了美洲，而后来哥伦布和努涅斯等向西班牙王室报告的美洲新大陆的黑人，就是这些马里人。此外，经检验哥伦布从埃斯帕尼奥拉岛带回的黑人使用过的矛头，与当年马里国王阿布巴卡里二世从西非几内亚海岸出发时当地人民使用的矛头成份一致，这也从一个侧面证明了塞尔蒂马的观点。

　　但是，美国一些专家、学者不同意塞尔蒂马的意见，如耶鲁大学的迈克尔·科耶教授就是一位。他是个著名的研究墨西哥奥尔梅克文化的学者。他说，在墨西哥东部大西洋沿岸原始丛林中发现的一批巨石人头像不是非洲人，至于说它们的长相与非洲黑人极其相似，那是技术上不完备造成的，那时雕刻工具简单，加工艺术也比较粗糙。前苏联专门从事研究拉美文化的两名学者叶菲莫夫和托卡列夫也认为，这些人头石雕像是墨西哥奥尔梅克文化的杰出代表，而不是什么外来文化的反映。此外还有不少人认为，即使有为数不多的非洲人在某种特殊情况下到达美洲，也不可能对当地的美洲文明产生较大的作用和影响。

由此看来非洲黑人何时出现在美洲大陆这个问题还要争论下去，除非是谁掌握了有充分说服力的科学证据，从理论上到事实上都将对方驳倒。

□二十吨重的石头脑袋之谜

拉丁美洲墨西哥国的民间有一个古老的传说：远古时代，在茫茫密林丛莽之中，世世代代繁衍生息着一个曾经创造过高度文明的部族——拉文塔族。他们过着很富裕而又极为欢乐的生活，他们生活的环境美似仙境。被称为"人间天堂"、"乐园"，他们居住在雄伟壮丽的城市里，城市四周是高耸云端的巍峨山峦，山峦上终年云雾缭绕，城里的宫殿厅堂林立，庙宇栉比，结构复杂，建筑布局和谐，在墙壁和天花板上有大理石镶嵌的精细雕刻，有用黄金和珠宝镶嵌成的壁画，金光灿灿，蔚为壮观。据传说，许多宏大的公共建筑物都用巨大的金块砌成拱门，光彩夺目，部族首领所戴的帽子和衣袍上都装饰着黄金，甚至连马鞍、拴马桩、狗项圈等也都是用黄金制成的。关于这个神秘部族的传说还有许许多多，并在民间广泛流传，越传越神奇。相传在一千多年前，这个部族突然消失得无影无踪了，他们究竟到哪里去了呢？成为墨西哥历史的一个千古奇谜，至今谁也无法说出他们曾经生活过的具体地点和真实情况。

历代许多考古学家和人种学家、民族史学家都想方设法四处寻找拉文塔族的下落，可是都一无所获。直到一九三八年，才有人在传说拉文塔族当年居住过的原始森林里，发现十一颗全由玄武岩雕刻而成的石脑袋。这些石脑袋大小不一，最大的十六米，最小的约六米，最重的约二十吨以上。所有石像，都只有脑袋，而没有身躯和四肢。其中有一颗石脑袋上，刻有许多奇形怪状的图画式的象形文字，但至今仍无人能全部认识。有些专家根据文字中一连串的点、划来综合考证，这颗石脑袋雕刻的日期大约是公元前二九一年十一月四日，这些石脑袋都是威武的军士头像，雕工细腻，娴熟地刻画人物的脸部表情，神态逼真，表明当时在雕刻方面具有很高的艺术造诣，堪称古代美洲雕必工艺的精华。

有些学者认为，这些硕大的脑袋很可能都是传说已消失了的远古拉文塔人留下人作品。大约在距今约一万五千年至五千年前，墨西哥已经出现了较高的石器时代文化。据墨西哥有确切文献资料可考的历史是从公元前二千三百年左右开始的。到公元前二千年左右，墨西哥进入原始公社的繁荣时期，当地部落过着定居的农业生活，有了管理组织和宗教组织，种植玉米、豆类和棉花等作物，石器中出现石仵和石臼，大量制作陶器、泥俑等，并能纺纱织布。公元前一千二百五十年至公元二百年，创造了象形文字、计数法和历法，常用达数吨或几十吨的整块巨石雕凿面带微笑的石刻头像。他们遗留下许多用硬玉雕琢或用巨石雕刻的人像。据推测：这十一颗全由玄武岩雕刻而成的石脑袋，乃是墨西哥古典文化的先驱——奥尔麦克文化时期的产物。

古人为什么要雕刻这十一颗硕大的石脑袋？作何用途？有何目的与意图？这些石脑袋为什么都没有身躯、没有四肢？其脸型究竟以当时什么种族人为"模特儿"？对这些问题，至今史学界仍无法作出准确的解释。

更令人惊奇的是：雕刻这些石脑袋的石料——玄武岩，全部是从三百多公里以外的地方搬运来的。当时墨西哥以及整个美洲都还没有车轮，也没有牛、马、骆驼等畜力运输工具，只靠人力，他们是用什么方法把重达数十吨的整块巨石刻成的石脑袋搬运进原始森林里去的呢？至今仍是不解之谜。在科学技术较低下的远古时代，这是一个不可思议的奇迹。

13. 复活节岛的石像是从天上掉下来的吗

智利的复活节岛，是世界上最孤独的地方之一，它坐落在茫茫无际的南太平洋水域，离南美海岸大约有三千七百公里，离最近的有人居住的岛屿也有一千公里之遥。当人们发现这个海岛时，在它上面已经存在着两种居民，一种是显然处于原始状态的具有血肉之躯的波利尼西亚人；另一种却是代表着高度文明的巨石雕像。现在岛上的居民既没有雕刻这些巨大石像的艺术造诣，又没有海上航行数千公里的航海知识，人们不禁要问，是什么人雕刻了这些石像，他们为什么要这样做，目的何在？这一切使这个海岛笼罩上了神秘的色彩，如果没有这些石像，复活节岛就如同太平洋上的许多岛屿一样平淡无奇了。

　　复活节岛被发现的历史并不长。追溯到一七二二年，是荷兰人首先登上此岛并为此岛命名的，恰逢那天是四月五日复活节，于是这座远离世界文明的孤岛有了一个响亮的名字——复活节岛。

　　此后，西班牙人等欧洲探险家们在几十年内先后多次登上此岛。引起人们极大探险兴趣的不仅是这个荒岛上有土人居住，更重要的是岛上的上百尊巨石像。复活节岛虽然孤处一方，但世界上很多人都听说过那些遍布全岛的石像。这些被当地居民称为"莫阿伊"的石像，有着非常明显的特征：形态各异的长脸，略微向上翘起的鼻子，向前突出的薄嘴唇，略向后倾的宽额，垂落腮部的大耳朵，刻有飞鸟鸣禽的躯干以及垂立在两边的手，这些奇特的造型赋于了石雕以独特的风采，使人一眼就能认出它们。另外，有些石像头上还戴有圆柱形的红帽子，当地人称为"普卡奥"，远远看去，红帽子颇似一顶红色的王冠，更给石像增添了尊贵、高傲的色彩。

　　至于石像头上的红帽子，并非所有的雕像都有，享有这种特权的石像仅三十多尊而已，只分配给岛东南岸十五顶，北岸十顶，西岸六顶，这些佩戴红色石帽的石像宛如众多石像中的

复活节岛的巨石头像是天外来客送给地球人的礼物吗？

贵族。

使世人赞叹不已的石像已经成为这个天涯孤岛的象征。但在惊叹之余，人们不禁要问，石像代表什么呢？复活节岛的土著为什么要用简陋的工具去雕刻它们？

　　两百年来，上述问题深深吸引了世界各国的人类学家、民俗学家、民族志学家、地质学家和考古学家，他们纷纷踏上这个小岛，试图去揭开这神秘的面纱。

　　当专家们向复活节岛上的居民请教后，得出令人奇怪的结论，即复活节岛上的居民并不知道这些石像的来历，他们之中并没有人亲身参加过石像的雕凿。就是说，他们对这些石像的概念就像我们一样一无所知。

　　复活节岛上的巨石人像正是被这些访客一次次地重复不断地写入游记、见闻、回忆录和日记里，才变得神秘起来。否则它就像太平洋上其他岛屿一样，显得平淡无奇了。当摄影器材日益普及、电视走进千家万户之后，复活节岛这些巨石人像，便传播到世界各地，使家喻户晓，老幼皆知了。但谁都感到困惑：岛上的土著做这些石人像干什么？专家们感兴趣的是，这些石像是怎么加工的？历史学家感兴趣的是，石像是什么时代完成的？人类学家感兴趣的，则是这批石像应归属何种文化、又有何切实的涵义？

　　这些石雕人像一个个脸形窄长、神容呆滞，造型的一致，表明它的制作者是依照统一的蓝本加工的。而石像造型所表现出来的奇特风格，为别处所未见，从而说明它是未受外来文化影响的本岛作品。可是，有些学者指出它们的造型与远在墨西哥蒂纳科瓦的玛雅——印第安文化遗址上的石雕人像，存在着许多相似之处。莫非是古代墨西哥文化影响过它，墨西哥远离复活节岛数千公里，这几乎是不可能的。

不可能的奇迹还表现在其它方面：这批石雕人像小的重约二点五吨，重的超过五十吨，有的石像上还戴着石帽，石帽动辄也是件吨位沉重的大家伙。它们究竟是如何被制作者从采石场上凿取出来，如何加工制作，又采用什么办法，将它们运往远处安放的地方，使之牢牢地耸立起来。前几个世纪岛上居民还未掌握铁器，这一切多么令人不可思议。

于是，这里又出现一个相当严峻的问题——谁是岛上巨石人像的制作者？土人吗？显然这不太可能。

人们逐一统计了岛上的巨石人像，共有六百多尊。他们还调查了这些巨石人像的分布，他们还在拉诺拉库山脉，发现几处采石场。采石场上坚硬的岩石，像切蛋糕似地被人随意切割，几十万立方米的岩石被采凿出来。到处是乱石碎砾。加工好的巨石人像被运往远方安放，采石场上仍躺着数以百计未被加工的石料，以及加工了一半的石像。有一尊石像最奇妙，它的脸部已雕凿完成，后脑部还和山体相联。其实再需几刀，这件成品就可与山体分离，然而，它的制作者却不这样做，好像他忽然发现了什么，匆匆离去。

放眼望去，整个气势磅礴的采石场，的确让人感到一件不可思议的事情发生了，大批石匠不约而同地纷纷离去。采石场上零乱的碎石，好像是逃离时混乱的脚印。那些碎弃的石料上深深的凿痕，以及纷飞四布的石屑，又在向人述说当时充满热情与欢乐的劳动氛围。

工地上进度不一的件件作品，像凝固了的时针，指在突然同时停工的时间上，小岛到底发生了什么？

火山爆发吗？不是说这个小岛是由火山构成的吗？不错，但地质学家告诉我们，复活节岛固然是座火山岛，但是是一座死火山，在人类来到岛上居住以前，情况一向是稳定的。或许是狂风海啸等灾害造成工地停工。但是，岛上居民理应对海岛常见的这种自然灾害司空见惯，大可不必惊慌失错。再说灾害过后随时可以复工，但他们却没有这样做。

这是为什么呢？为什么雕刻这些巨石人像，已经是个谜了。而采石场为什么突然停工，又是谜中之谜。

许多学者研究了分布于小岛各处的那六百多尊石像，以及几处采石场的规模等情况后，认为这些工作量需要五千个身强力壮的劳动力才能完成。他们做过一项试验，雕刻一尊不大不小的石人像，需要十几个工人忙一年。利用滚木滑动装置似乎是岛民解决运输问题的惟一途径，同时，这种原始的搬运办法，的确可以将这些庞然大物搬运到小岛任何角落。但是，这无疑又要占用很多的劳力。这暂且不说，令人困惑之处还在于，在雅各布·罗格文初到复活节岛时，他说岛上几乎没有树木。这就不存在利用滚木装置运送巨石人像的问题了。

那么，这些石像是怎么被搬运的呢？

还有，岛上这些石人像还有不少头戴石帽的。一顶石帽，小的也有两吨，大的重约十几吨。这又给我们带来一个问题，要把这些石帽戴到巨石人像的头上，又需要有最起码的起重设备。岛上树木不生，连滚木滑动这种最原始的搬运设备都不可能存在，吊装装置就更成了虚有之物了。

再说那五千个强壮的劳动力吃什么？靠什么生活？在那个遥远的时代、小岛上仅生活着几百名土著人，他们过着风餐露宿、近乎原始的生活，根本没有能力提供养活五千个强劳力的粮食。小岛上的植被、耕地提供的食物，以及沙滩上偶尔漂浮而来的鱼虾，更难以满足如此众多人口的最基本的生活需求。

小岛现在也仅拥有二千人，许多生活用品还要靠外来补给。

也许是宗教的力量，促使岛上的土著居民创造出这种人间奇迹。但岛上的原始居民并未信仰任何宗教，他们直到十九世纪后期法国传教士到来之后，才渐渐接受并信仰罗马天主教。这些面对大海的雕像，又究竟代表着什么宗教，连世居小岛的居民都说不清楚。

望着遍岛存在的斑斑疑痕，就难怪大不列颠博物馆考察队的队长斯科斯贝·鲁特里奇女士，会用一种极为迷茫而激动的语调，在她的回忆录中写道：

……因为岛上的气氛仍能使我们感到一种过去曾存在，而今已经消失的宏大规划和无限精力。但究竟是什么？又是为了什么？"

按照通常的规律，文明的呈现是复合的整体。这意思是说，复活节岛上不应当仅仅只有这些巨石人像，而应当包括宗教信仰、神话传说，以及文字等文明产物。

据罗格文等的回忆录介绍，当他们登上复活节岛时，曾在石人像附近发现大量刻满奇异象形文字的木板。

这种象形文字的确非常奇怪，它不同于中国古代的象形文字，也不同于印度、埃及的古象形文字。它的象形图案更趋于符号特征。它的笔触的粗细、深浅，似乎都表示着某种含意，而且整个如同密码似的书写排列方式，都仿佛表现出某种波动般的节律感。

由于后来西方传教士的到来，这种为复活节岛所特有的木板文字被大批烧毁。这些传教士说木板文字是"魔鬼的咒语"。这种愚昧绝顶的行为，使今天的研究者们大感遗憾。因为迄今为止收藏于世界各博物馆中的这种木板文字，总共不超过十块。其书写的内容，各国科学家运用了包括电子计算机在内的先进手段，都未能解读。

复活节岛——这个远离大陆的火山岩堆成的孤岛，似乎不可能有大陆文明光临过它，岛上居民居然能创造出令今人还难以破译的古怪文字，这不能不让人们感到奇怪。按常规来理解，一个能创造出文字的民族，它应当具备伴随文字出现的其他文明来，可惜除了难以解释的巨石人像之外，谁也找不出与创造文字相适应的其他文明的痕迹。

岛上居民的肤色还颇复杂。说明这是个多民族混居伪小岛。可是罗格文记述这些见闻的时候，岛上总共才有数百人口。数百人口又混杂着许多种族的人，真是让人疑窦丛生。

现代研究太平洋的学者认为，复活节岛的巨石人像应属于波利尼西亚文化，其根据就是库克船长说到的岛上原始居民使用的语言，保留着南太平洋群屿的音韵。说明复活节岛居民的种族，应源自波利尼西亚群岛。反对这种观点的学者指出，复活节岛远离亚洲，而十分靠近南美洲。作为整体情况而言，波利尼西亚是人类较晚迁入室居的地区之一，据研究波利尼西亚的历史不可能早于公元九世纪，而复活节岛的考古调查表明，它最早在公元十四世纪之后才有人居住，而更多学者认为复活节岛只是在公元一千五百年或一千六百年之后，才有人迁入居住。这距一七二二年荷兰人首次到来仅一百多年时间，如此短暂的时间，岛民不可能完成如此庞大的雕石工程。

这显然太荒谬了。

的确，从人种学角度入手，似乎可以找到解开复活节岛之谜的途径。

从宗教比较方面入手的学者们发现，复活节岛上的鸟人崇拜，颇似所罗门群岛上的绘画和木雕。所罗门群岛上的绘画和木雕所表现的鸟"人"，也是鸟首人身，大而圆的眼睛、长且弯的嘴喙，同时，从生活习俗方面加以比较，又能发现复活节岛与所罗门群岛的相似之处。复活节岛举行庆典时、主持人必须把头发剃光，把头染红。所罗门群岛也有染发习俗，而且由来已久、并且相当普遍。而复活节岛只有在举行庆典时这样做，这部分学者因此指出，复活节岛的鸟人崇拜和染发习俗，是受所罗门群岛的影响。

此外，复活节岛居民和所罗门群岛上的美拉尼西亚人，都有把耳朵拉长的习俗。罗格文就曾看见复活节岛某些居民的耳朵一直垂到肩膀上。这种习俗也表现在雕刻艺术上，譬如复活节岛上的巨石人像有不少都刻有长长的耳朵，而长耳朵的石人像在所罗门群岛就更常见了。

然而，这些零星的材料并不能使人信服。因为有的学者认为复活节岛的鸟人崇拜应起源于南美大陆，拉长耳朵的习俗，在南美印加人祖先中也曾流传。

而像托尔·海雅尔达因成功地利用原始孤舟漂流远洋，他则坚持认为复活节岛的先民应来自秘鲁。

真是众说纷纭，莫衷一是。但耸立在复活节岛四处的巨石像，很容易使人想到位于安第斯山脉的蒂亚瓦纳科。因为那儿发现的巨石人像，其孤傲不逊的造型，面目清苦的面容，与复活节岛上的雕像如出一辙。但两地隔着高山和海洋，有近四百公里的路程，这种空间的阻碍如何进行文化交流呢？

公元一五三一年，西班牙殖民主义者弗朗西斯科·皮扎罗，率兵进犯印加帝国（今秘鲁境内），当他向当地印第安人询问蒂亚瓦纳科的情况时，他们告诉他谁也没有见过这座灿烂的文明古城——蒂亚瓦纳科毁灭之前的情形，因为它建设时，整个人类尚处在漫漫长夜的洪荒时代。

从这个残存的线索中，不禁让人想到一个问题，倘若复活节岛的巨石人像是受蒂亚瓦纳科的影响，那么，是谁把设计蓝图、加工办法和吊装设备带往遥远的太平洋中部，一个小小的荒岛？

很显然的是，原始的土著民族是不可能完成的。那么，传播这种文化的又是谁呢？

复活节岛留给世界的是一片哑谜。

复活节岛上仅生活着一千多居民，而在罗格文来到之前，小岛仅有数百人，岛上没有树木、无法以采集度日、狩猎也不可能，因为岛上除了零星的鸟类之外，成群的老鼠便是岛上的惟一动物。

岛上的土著居民以近海捕捞为业。在他们目所能及的视野内，除了大海、太阳、月亮以及星星之外，就别无他物了。愚昧当然和蛮荒有关系。

然而，复活节岛上的居民称自己世居的地方为"特—比托—奥—特—赫努阿"，意思是"世界的肚脐"。

多么令人惊奇的一种叫法！

假如：我们能远离地球，从高空鸟瞰地球时，我们将惊讶地发现，岛上居民对自己居住地方的叫法完全没错。复活节岛位于太平洋中部，正是世界的中部——肚脐！

难道，岛上的居民曾经从高空俯视过自己居住的地方？这显然是不可能的。那么肯定有人曾经从高处俯瞰过小岛，并把这些告诉岛上的土人。问题是这些人又是谁呢？

问题似乎已经清楚了。要离开地表，从高处俯视地球，必然要搭乘飞行器。古代人是不可能拥有飞行工具的。能拥有飞行器的只能是那些来自地外星球的智能生命。

□荒原上的石头标记是大自然塑造的吗

在秘鲁利马南部的毕斯柯湾，有一个人工建造的高八百二十英尺的红色岩壁。岩壁上雕刻着二个巨大的三叉戟或三足烛台形状的图案。三叉戟的每一股约有十三英尺宽，而且是用含有像花岗岩一样硬的雪白磷光性石块雕成的，因此，如果不是现在被沙土所覆盖，它将发出耀眼的光芒。

是什么热情驱使古印加人建造这么巨大的石头标记呢？

一些考古学家认为，毕斯柯湾岩壁上的三叉戟是指示船只航行的陆标。但大多数考古学家不同意这种说法。他们指出，绘制在这个海湾中的这幅三叉戟图案，不能使所有角度上航行的船只都能看到它；况且，在遥远的古代，是否有远洋航行这回事都值得怀疑。如果有些航行必须要用航标来指示的话，古印加人为什么不利用两座岛屿？这两座岛屿就在三叉戟的中股延伸线的同一海面上；他们提供了有利的自然条件，不管船只从哪一个方向驶向海湾，从很远的地方就可看到这些岛屿。但如果用三叉戟当航标，从北方或南方来的海员却不能看到它。而最主要的一点，绘制三叉戟的人，是使它的方向朝天的。另外一些也值得提一下，在三叉戟座落的地方，除了一片沙滩之外，没有任何东西可吸引海员。而且，就是在史前时代，那里的水中也是礁石嶙峋，根本就不适于船只停泊。因此，考古学家们认为，这座在古时候光芒耀眼的三叉戟图案，一定是作为某些会"飞"的人的航空标志而设置的。

考古学家的推测，如果三叉戟确是航空标志，那它不应是孤立存在的，在它的周围一定还有另外一些东西。果然，本世纪三十年代，在距三叉戟图案一百英里外的纳斯卡荒原上，考古学家又发现了许多神秘的图案。这些图案遍布从巴尔帕的北边至纳斯卡南边的三十七英里狭长地带。它们是一些几何图案、动物雕绘，以及排列整齐的石块，很像一座飞机场的平面图。

如果乘飞机在这个荒原的上空飞行，人们可以发现许多闪闪发光的巨大线条。它们伸展几英里，有时平行，有时交错，有时构成巨大的不等边四边形。此外，还能看到一些巨形动物的轮廓。它们都是用明亮的石块镶嵌出来的。其中有极长的鳄鱼，卷尾的猴子……还有一些地球上从未见过的异禽怪兽。

是谁制作了这些图案？为什么把它们绘得如此巨大？而且只能从一个很高的角度——例如在飞机上——才能获得整图案的全貌呢？这些问题引起了考古学家们的兴趣。

据当地的传说，在过去的某一个时期，一群不知来历的智慧动物，登陆在今天纳斯卡城近郊的一块无人居住的荒原上，并为他们的宇宙飞船在那里开辟了一座临时机场，设置了一些着陆标记。这之后，不断地有他们的飞船在这里着陆和起飞。这群宇宙来客在完成了他们的使命后，又离开地球回到自己的行星上去了。当时的印加部落，曾亲眼目睹了这些宇宙人的工作，并且留下了很深刻的印象。

考古学家们对这个神话般的传说深信不疑，他们并且推测：如果纳斯卡荒原是登陆点，毕斯柯湾上的三叉戟是登陆指标，那么，在纳斯卡的南边也应有一些指标才对。

果然，在距纳斯卡二百五十英里的玻利维亚英伦道镇的岩石上，人们发现了许多巨大的指标。在智利的安陶法格斯塔省的山区及沙漠中，也陆续找到了这样的东西。在许多地方，有直角形、箭矢状和扶梯状的图形，到处都可看到。甚至可以看到整个山坡上绘着很少雕饰的长方形图案，在同一平面上的整个区域内，峭壁上陈列着光芒射的圆周和棋舟形状的椭圆形图案。而在人迹罕到的泰拉帕卡尔沙漠的山坡上，有一幅很大的机器人图案。这幅机器人图案约有三百三十英尺高。它的形状是长方形的，很像棋盘，两腿直条条，纤细的脖子上是一个长方形的头颅，上面有十二根一样长的天线般东西竖立着。从臂部到大腿间，有像超音速战斗机那种粗短翅膀般三角鳍连接在身体的两边。这幅图案距纳斯卡荒原大约五百英里。

至此，考古学家们推测，这些图案与宇宙来客有关，是一些很值得研究的古代遗址。

□巨人玩具——石球之谜

位于中美洲南部的哥斯达黎加共和国，是一个美丽富饶的热带国家。境内大部分是山地和高原，北部和沿海为低地平原。在古代，曾经有三万多名印第安人栖息在这块土地上。

在二十世纪三十年代末，美国联合果品公司的地界标定人乔治·奇坦迁前往哥斯达黎加热带丛林中实地考察开辟香蕉园的可能性。在人迹罕至的三角洲丛林以及山谷和山坡上，他发现了约二百个好似人工雕饰的石球。这些石球大小不等，大的直径有几十米，最小的直径也在两米以上，制作技艺精湛，堪称一绝。加拉卡地区有一处石球群多达四十五枚，另外两处分别有十五枚和十七枚，排列无一定规则，有的成直线，有的略成弧线。据怪异现象专家米切尔·舒马克研究，有些石球显然是从山上滚落下来，碰巧排成直线的。

这些躺在不同地区，大小不一的石球，引起了人们极大的兴趣。科学家们对这些石球进行了详细认真的测量，发现这些石球表面上的各点的曲率几乎完全一样，简直是一些非常理想的圆球。这些石球有什么用，没有人能够加以正确的阐释。摆放在墓地东西两侧的石球可能代表太阳和月亮，或图腾标志，但这只是推测，有人戏称之为巨人玩的石球。

据考查，这些谜一样的石球，差不多都是用坚固美观的花岗岩制作而成的。令科学家和考古工作者迷惑不解的是，这些石球所在地的附近并没有可以提供制作它们的花岗岩石料，在

津巴布韦废墟何时建造？何时废弃？

其它地方也找不到任何原始制作者留下的踪迹。而对这样奇特的现象，使人们不得不提出一连串颇费猜测的难题：是什么人在什么时候制作了这些了不起的巨大石球？所必需的巨大石料如何运到这里？究竟用什么工具加以制作？

对大石球作过周密调查的考古学家们都确认，这些石球的直径误差小于百分之一，准确度接近于球体的真圆度。从大石球精确的曲率可以知道，制作这些石球的人员必须具备相当丰富的几何学知识，具有高超的雕凿加工技术，还要有坚硬无比的加工工具以及精密的测量装置。否则，便无法想象他们能够完成这些杰作。诚然，远在往古时期，生活在这里的印第安人大多数都是雕凿石头的巧匠能手。然而，有一点无疑必须肯定，打磨如此硕大的石球必须付出艰巨的劳动，从采石、切割到打磨，每一道工序都要求不断地转动石块，要知道这些石球重达几十吨，这无论如何不是一件容易的事。难道这些大到几十米的石球就是他们的祖先在缺乏任何测量仪器的情况下，运用原始简陋的操作工具一刀一刀地雕凿而成的吗？这实在是令人难以置信的事。

在哥斯达黎加的印第安人中间，长期流传着古老的神奇传说，其中就有宇宙人曾经乘坐球形太空船降临这里的故事。因此，不少人在对上述奇迹百思不得其解的情况下，便猜想这些大石球与天外来客有着直接联系。依照他们的看法，这些天外来客降临这里后，在较短的时间内制作了这些大石球。并将它们按照一定的位置和距离进行了排列，布置成模拟某种空间天象的"星球模型"。这些大石球象征着天空中不同的星球，它们彼此之间相隔的距离，表示星球间的相对位置。据说，天外来客试图利用这些石球组成的"星球模型"向地球上的人类传递某种信息。但是，今天有谁能理解这个"星球模型"的真正涵义呢？又有谁能知晓在这些大石球中，哪一个代表这些天外来客生活的故乡呢？正如乔治·舒马克最近在发表的评论中所说的那样："哥斯达黎加石球名扬四海，但人们对它了解甚少，除非能找到按原样排列不遭破坏的石球群，否则，这些圆圆的石头对我们永远是一个不解之谜。"

这些巨大的石球，令人联想起了墨西哥的、同样令人费解的那些石球来。

□太阳门是自然天成吗

世界上最高的淡水湖——的的喀喀湖东南二十一公里、海拔四千米高的层峦叠嶂的安第斯高原上，有一座前印加时期的蒂亚瓦纳科文化遗址。自一五四八年西班牙殖民主义者发现了这个被印加人称作蒂亚瓦纳科的小村落、向外界报道后，以精美的石造建筑为特征的蒂亚瓦纳科文化就此著称于世。自那以后，围绕这个遗址是什么时代建造的、由何人建造的、究竟是什么所在，整整讨论了四个多世纪。

这是一个星散在长一千米、宽四百米的台地上的大遗迹群，地处太平洋沿海通往内地的重要通道上，遗址被一条大道辟为两半，大道一边是占地二百一十平方米，高十五米的阶层式的阿加巴那金字塔，另一边是由长一百一十八米、宽一百一十二米的台面组成的卡拉萨萨亚建筑。该建筑至今仍完好无损，四周围以坚固的石墙，里面有梯级通向地下内院，西北角就坐落着美洲古代最卓越、最著名的古迹之一——太阳门。它被视作蒂亚瓦纳科文化的最杰出的象征。

蒂亚瓦纳科文化是公元五世纪到十世纪之际影响秘鲁全境的一支文化。作为该文化的代表太阳门，由重达百吨以上的整块巨型中长石雕镂而成，造型庄重，比例匀称。它高三点零四八米，宽三点九六二米，中央凿一门洞。门楣中央刻有一个人形浅浮雕，人形神像的头部放射出许多道光线，双手各持着护仗，在其两旁乎列着三排四十八个较小的、生动逼真的形象，其中上下两排是面对神像的带有翅膀的勇士，中间一排是人格化的飞禽，浮雕展现了一个深奥而复杂的神话世界。这块巨石在发现时已残碎，一九〇八年经过整修，恢复旧观。据说每年九月二十一日黎明的第一缕曙光总是准确无误地射入门中央。

在印加人创造蒂亚瓦纳科文化年代，尚未使用有轮子的运输工具和驮重牲畜，因此在这云岚缭绕、峭拔高峻的安第斯高原上建造起如此雄伟壮观的太阳门，确是不可思议。十六世纪中叶，西班牙殖民主义者见到这座庄严的古建筑时，曾认为是印加人或艾马拉人造的。但艾马拉人不同意此说，认为太阳门远为古老，是太阳神维拉科查开辟天地，建造了太阳门和蒂亚瓦纳科其他各种动人心魄的建筑群。欧美大百科全书叙述了两种传说，一个传说说是由一双看不见的手在一夜之间建造起来的；另一传说说是那些雕像原是当地居民，后来被一个外来朝圣者变成了石头。长期定居在拉巴斯的奥地利考古学家阿瑟·波斯南斯基则在本世纪上半期提出一个假想，认为该文化年代可上溯到一万三千年前，它建在一个巨大的甜水湖岸上，湖水来自融化了的冰河期的冰川，由科拉族，阿拉瓦族缔造了史前期的城市，太阳门是个石头日历，后来火山爆发或其他自然灾祸毁灭了这古老城市和文明。然而上述这些说法仅是神话传说而已。

　　为弄清蒂亚瓦纳科文化的来龙去脉，美国的考古学家温德尔·贝内特用层积发掘法证明该文化最早年代为公元三百至七百年，太阳门等建筑在公元一千年前正式建成。这里原是宗教圣地，朝圣的人群跋山涉水去那里举行朝拜仪式，可能就在朝拜同时运来了建筑材料，建造了这些宏伟建筑物。前苏联历史学家叶菲莫夫、托卡列夫也赞同这一观点。但问题是，在当时生产力极为原始，怎么把重上百吨的巨石从五公里外的采石场拖曳到指定地点，要完成这任务至少每吨要配备六十五人和数英里长的羊驼皮绳，这样得有两万六千多人的一支庞大队伍，而要安顿这支大军的食宿，非得有一个庞大的城市，但这在当时还没出现。另有不少人认为，当初是用平底驳船从科帕卡瓦纳附近采石场经过的的喀喀湖运去石料的，据地质考查，当时湖岸与卡拉萨萨亚地理位置接近，乃来湖面降低才退到现在位置，如这一说法成立，那使用的驳船要比几个世纪后的殖民主义者乘坐的船还要大好几倍，这在那时也是不可能的事。

　　玻利维亚著名的考古学家、蒂亚瓦纳科考古研究中心主任卡洛斯·庞塞·桑西内斯和阿根廷考古学家伊瓦拉·格拉索用放射性碳鉴定，蒂亚瓦纳科始建于公元前三百年，公元八世纪以前峻工，一般认为在公元五至六世纪。建造者可能是安第斯山区的科拉人。他们都认为太阳门是宗教建筑。不过前者认为蒂亚瓦纳科是当时举行宗教仪式的中心场所，太阳门是卡拉萨萨亚庭院的大门，门楣上图案反映了宗教仪式的场面。伊瓦拉·格拉索认为，太阳门很可能是阿加巴那金字塔塔顶上庙堂的一部分，因为把它看作凯旋门和庙堂的外大门，显得过于矮小，尤其是中间的门道，稍高的人非得弯腰才能通过。美国的历史学家艾·巴·托马斯也认为遗址是科拉人建造的，但不是宗教活动场所，而是一个大商业中心、文化中心，阶梯通向之处是中央市场，太阳门上的浅浮雕，其福射状的线条表示雨水，两旁的小型刻像朝着雨神走去，以象征承认雨神的权威。

至于有人将蒂亚瓦纳科说成是某一时期外星人在地球上建造的一座城市，太阳门是外空大门，那无疑是极其奇特的一种看法了。

虽然四百多年来，对蒂亚瓦纳科文化，对太阳门众说纷纭，各持已见，但相信有那么一天，太阳门的本来面目会揭示天下。

□漂逝的大陆之谜

二十世纪以来，科学家们在探索大自然奥秘的过程中得出一个惊人的推论：大约在距今一万两千年前，太平洋中曾经存在过一个高度文明的古大陆，这个古大陆的名字就叫姆大陆。

据说姆大陆的面积占据了南太平洋的大半部，南起塔希岛，北接夏威夷群岛，东至复活节岛，西止马里亚纳群岛，东西长约八千公里，南北宽约五千公里，面积相当于南北美洲面积的总和。现在的波利尼亚群岛、密克罗尼西亚群岛、美拉尼西亚群岛上的居民据说就是姆大陆遗民的后裔。

最早提出太平洋中曾有过古大陆的是英国人种学家麦克米

兰·布朗。二十世纪初叶，他在《太平洋之谜》一书中首次提出远古时期太平洋曾经有过一个高度文明发达的大陆。此后，有关这方面的著作屡见不鲜，以英国学者詹姆斯·乔治瓦特的研究成果最负影响力。他通过大胆的假设、广泛的调查、独到的推理乃至充满自信的笔勾勒出远古时期太平洋中姆大陆的概貌。一九三一年，他的名著《消逝的大陆》在纽约出版，成为轰动一时的畅销书。此后，他陆续推出了《姆大陆的子孙》、《姆大陆神圣的刻画符号》、《姆大陆的宇宙力》等一系列专著，奠定了太平洋中古大陆学说的基石。关于消逝的姆大陆，乔治瓦特是这样描述的：

在地球的远古时期，太平洋中曾经存在过一个古大陆，它是人类文明的摇篮，鼎盛时期的人口约六十四万，生活在这个大陆上的居民有黄、白、黑各种肤色的人种，他们无贵贱之分，和睦相处。古大陆的国君名叫拉·姆，他既是古大陆的最高统治者，又是最神圣的宗教领袖。姆大陆居民信奉单一的宗教。

古大陆的居民拥有高度的文化，在建筑和航海方面尤其出类拔萃，他们在世界各地都拥有殖民地。

古大陆上共有七大城市，其中希拉尼普拉是首都。境内道路纵横交错，四通八达，港口中船舶云集，商旅不绝。

古大陆没有险峻的高山，只有一望无际的绿色平原和低缓的丘陵，土壤肥沃，连年丰收，终年植物繁茂，四季花果飘香。莲花是古大陆的国花，在水滨尽情地绽放；树荫下彩蝶飞舞，蜂雀呢喃，啾鸣幽幽；原始森林中野象成群漫游，双耳不时扇动，拍打着骚扰的飞虫；到处是一派宁静祥和的气氛。

可是，有一天古大陆发生了可怕的轰鸣，霎那间，天崩地裂，山呼海啸，火山喷发，岩浆流溢，古大陆的居民与辽阔的沃土在一夜之间沉入汪洋大海之中，仅有几处高地露出洋面，侥幸生存下来的居民被隔离在一座座小岛上，古大陆的辉煌瞬间灰飞烟灭，再也没有人记得曾经有过这样一个古大陆，更没有人知道这里曾是人类文明的发源地……

　　乔治瓦特将远古时期太平洋中姆大陆的情形活灵活现地呈现在世人面前。

　　一八六三年，法国学者德·布尔布尔在马德里皇家历史学会图书馆里，发现了西班牙征服中美洲时代的神父狄埃戈·德·兰达撰写的《尤卡坦事物考证》又称《尤卡坦纪事》手稿，他根据手稿中记录的玛雅象形文字草图，阅读了现收藏在西班牙的玛雅文献《特洛阿诺抄本》，发觉其中有两处记录了一个名叫"姆"的大陆因火山灾害而消失。他认为姆大陆位于大西洋中，姆大陆一名由此而来。

　　中美洲尤卡坦半岛玛雅遗址的最早发掘者、法国学者奥格斯特·普伦金（一八二六——一九〇八）在其所写的《姆大陆女王和埃及斯芬克司》一书中，依据《特洛阿诺抄本》和玛雅遗址奇钦伊扎中的壁画等材料，做出了颇富罗曼蒂克的设想。他认为，古代近亲结婚较为普遍，当时姆大陆由女王姆当政，为了获得女王的爱，她的亲兄弟科（美洲狮）与阿克（龟）展开了生死搏斗，最后阿克杀害了科，霸占了女王姆，并从她手中攫取了对姆大陆的统治权。女王姆感到耻辱，于是逃奔埃及，为了悼念死去的兄弟科，她兴建了斯芬克司像，自己改名伊西丝（埃及女神），创建了灿烂的埃及文明。

普伦金也认为姆大陆消失在大西洋中，与德·布尔布尔的观点不谋而合，但与乔治瓦特的观点大相径庭。然而他们都一致认为，中美洲的玛雅人是姆大陆的移民。

　　乔治瓦特的研究成果还表明，姆大陆的居民和古代印第安人一样，崇拜太阳神，不仅懂得使用火，而且还创造了人类最早的文字———一种原始的刻画符合。他们用长方形表示图土，盛开的莲花表示姆大陆……这种刻画符号在世界上许多古老的石建筑上都可以见到，其中有些刻画符号实际上就是纪念姆大陆消逝的碑铭，只不过无人能够释读而已。此外姆大陆的居民还会烧陶、编织、绘画、雕刻、造船以及航海，渔业也很发达。

　　至于姆大陆消逝后遗留下来的城市遗迹，乔治瓦特认为在太平洋诸岛上比比皆是。当时属于姆大陆一部分的复活节岛幸免于这场灾难，没有沉入海底，现在岛上的众多巨人石像和刻有文字的石板很可能就是姆大陆的遗物。波纳佩岛附近的南马特尔小岛上的建筑遗址以王陵所在的"神庙岛"中心，共有九十余座人工岛，每座岛上均有高约十米的玄武岩石城墙，岛上还设有防洪堤、牢狱等，据说也是姆大陆的遗迹。塔西堤岛上有一种类似中美洲金字塔的建筑物，也是姆大陆的遗物……诸如此类，不一而足。这些互不相关的遗迹、遗址和遗物果真是消逝的姆大陆居民创造的吗？从最新考古研究成果来看，太平洋诸岛上的居民居住历史至多不超过三千年。如何解释一万两千年前消逝的姆大陆与太平洋诸岛之间的时间差异呢？

　　值得一提的是，乔治瓦特依据的最重要文献材料之一《拉萨记录》是在中国西藏拉萨某寺院中发现的，它是记载四千年前的文献；他依据的其它几件原始文献——玛雅古文献《特洛阿诺抄本》、《德累斯顿抄本》、《波斯抄本》、《科特西亚抄本》等也是记载占星术的文献。这些文献中都记载了姆大陆消亡的情况。

《拉萨记录》中提到姆大陆的沉没是发生在编写该书之前八〇六二年的事件，《拉萨记录》是距今四千年前的作品，据此可以推知，姆大陆的沉没是在距今一万两千年前，恰与亚特兰蒂斯大陆（大西洲）沉没的时间相当。乔治瓦特认为这两个古大陆是由于共同的原因沉入汪洋大海之中的。

乔治瓦特还根据多年的研究成果描绘了姆大陆居民的移民路线。他认为，人类文明发源于姆大陆，继而传播到美洲大陆，然后又从美洲大陆传播到大西洋的大西洋洲，最后才从那里传播到埃及、欧洲和非洲，因此，姆大陆是人类文明的摇篮。

近年来，日本学者也兴致勃勃地加入研究姆大陆的行列。

根据现代地质学常识，大洋的地壳是由较重的玄武岩构成，大陆的地壳由较轻的花岗岩构成，海底地壳与陆地地壳存在着本质的差异。

一九六八年，日本东海大学海洋研究所的"白凤丸"号科学考察船在西北太平洋深海海底打捞出一块花岗岩石头，当时它被认为可能是来自阿留申群岛的洋流携带而来的。无独有偶，一九七三年十月二十三日，日本东海大学海洋考察船"望星丸"号在九州岛附近的海域打捞出一个含有花岗岩的大锰块，显然再用洋流来解释锰块的来源未免牵强附会。科学家们将这两起发现联系起来推测，它们会不会是沉入海底的姆大陆残留物呢？日本科学家们正通过对太平洋底全面、广泛的科学考察，力图发掘出新的材料，以期对姆大陆的存在与否作出一个可信的解答。最后需要提出的是，在地质学上，一般认为地球上最后一次造山运动——阿尔卑斯造山运动发生在距今六千万年前，而乔治瓦特却认为地球上山脉的形成是在距今一万两千年前，两者之间的差异如此之大，该如何解释呢？地球表面几度浮沉、桑田沧海固然是事实，但是浩瀚的太平洋中，果真存在过这样一个高度文明的姆大陆吗？也许这仅仅是对世界充满好奇心的人类一个天真善良的愿望而已。

展现在我们面前的是一幅与众不同的世界地图。在这幅地图上，澳大利亚北移，与日本列岛、东南亚相连在一起；非洲大陆的一部分分离出来；印度洋中岛屿密布；南加里弗尼亚脱离美洲大陆，成为孤岛；地中海中"长统靴"状的意大利半岛消逝得无影无踪……

这是美国宇航局于一九七六年发射的"激光地球力学卫星"运载的文字材料对八百四十万年以后的地球状况做出的"答案"。无独有偶，当人类对古老的往昔进行考察时，竟意外地"发现"地球上曾经存在过雷姆里亚大陆。

关于雷姆里亚大陆的大胆假设由来已久，而且近乎神奇。早在十九世纪后半叶，地质学家们就开始探讨非洲南部与印度半岛之间是否存在过"地桥"——雷姆里亚大陆的问题。特殊哺乳类动物生息的马达加斯加岛、巨大陆龟生活的阿尔达布拉群岛、塞舌尔群岛、马尔代夫群岛、拉克代夫群岛等等，从非洲南部一直延续到印度半岛南端之间。据此，地质学家们推测，这些岛屿莫非是古大陆的残余？

奥地利史前地理学家梅尔希奥尔·纽马伊亚，在其一八九七年出版的著作《古代大陆》中，描绘了侏罗纪（爬行类时代中叶）的世界地图，在这张地图上，"巴西·埃塞俄比亚大陆"的角落延伸到"印度·马达加斯加半岛"。这表明印度与马达加斯加曾是一个相互联结的整体。

　　奥地利地质学家爱德华·杜斯认为，古生代（鱼和无脊椎动物的时代）南半球存在过一个广袤的"贡达瓦纳大陆"，而北半球则存在过"北阿特兰提斯大陆"和"安格拉大陆"，他的论点发表在一八八〇年出版的《地球表面》一书中。

　　德国生物学家恩勒斯特·海因里希·赫凯尔发现，一种栗鼠与某动物杂交的动物"雷姆尔"，原来生活在马达加斯加，但在远隔大洋的非洲、印度、马来半岛也能见到。据此，他断定，马达加斯加与印度之间的"地桥"直到新生代（哺乳类动物的时代）依然存在，而且，他还认为沉没的大陆很可能就是人类文明的发祥地。

　　英国动物学家菲力浦·斯科雷特在赫凯尔研究成果的基础上，提议将这个消逝的"地桥"命名为"雷姆里亚"。

　　德国地球物理学家、气象学家阿尔弗雷德·威格纳于一九一二年提出了著名的大陆漂移说。他认为大陆和海洋分别由质地不同的花岗岩和玄武岩构成，因此在很长一段地质年代里，大陆一直在海洋上漂移，不断发生分离、结合，从而形成今天地球表面陆地与海洋的分布状况。

　　威格纳认为，在古生代，大陆是一个整体，名叫"潘加阿大陆"；中生代（恐龙时代）发生漂移；新生代第四纪冰川来临时，发生分裂。假如威格纳的论点成立的话，那么分离的陆地之间分布着不同的生物也就不难理解了，"地桥"——雷姆里亚大陆根本就不可能存在了。

然而，文献资料和神话故事对消逝大陆的描绘，却令人深信不疑。

公元前一世纪的希腊历史学家提奥多罗斯，记载了一个名叫伊安比罗斯的商人，漂泊到南方大洋中一块陆地上的奇特而又曲折的经历。

这个商人途经阿拉伯，前往"香料之国"。不料，途中被海盗抓去，带到埃塞俄比亚，他与另外一个囚徒偷偷地准备了六个月的干粮，驾着轻舟逃离虎口，向南行进，在海上漂流四个月后，被海风吹到一座岛上。

这座岛周长约九百公里，气候四季如秋。居民的体形奇特，但并不丑陋，他们性格敦厚，知识丰富，精通占星术，使用独特的拼音字母，在圆柱上写有文字，人均寿命达一百五十岁，无贫富差别，男女平等。岛上生长着一种苇草，果实可以吃，还有温泉、冷泉，赋予人类健康和长寿，岛的周围海中有七座小岛，亦有居民居住。

这个商人在岛上生活了七年，最后辗转印度、波斯（今伊朗）返回希腊。

这则故事自然会使人联想到柏拉图笔下的"乐园"——阿特兰提斯，同时，也使人联想到英国作家丹尼尔·笛福在《鲁滨逊漂流记》中描写的鲁滨逊的奇特经历，可以食用的苇草可能指的就是稻米。

提奥多罗斯还记载了东方理想国——潘海伊亚。这是一个与阿拉伯进行香料和药品交易的国度，有七座城市，最大的是帕拉那。城中有一座富丽堂皇的大神庙，景致优美，树木、草地、花园、水流融为一体，相映成趣，可爱的小岛啁啾鸣叫，大象、狮子、豹等动物一应俱全。居民尚武，普遍使用两轮马拉的战车。

居民分为三个阶层，即祭司与手工业者、农夫、士兵与牧民，祭司权势炎人，生活奢华。每年岛民选出三人共同治理国家，实行"三头政治"。居民个人拥有的财产通常是房屋和庭院。一般居民普遍穿羊毛衣服，男女均配戴黄金饰品，贵重金属矿产丰富，但不准携带出境。

阿拉伯地理学家们认为岛的周长将近五千公里。据四千年前的埃及王国时期纸草文献记载，漂泊到岛上的船员们，在世外桃源般的岛上开始生活后，这座岛屿的统治者——大蛇便出来劝告道："这座岛屿不久即将沉没。"

希腊人从远古时代起，一直称呼传说中消逝的大陆居民为"普利塞利里特人"，据说这个大陆气候宜人，土地肥沃，人丁兴旺，后来因为触犯神灵而沉入大洋底部。

斯特拉波、普利里乌斯等古希腊罗马学者均写过东方大洋中的大岛"塔普罗巴赖"的事情。

古代泰米尔族历史学家们对自己祖先的发祥地进行考察坚信，在遥远的古代，祖先们生活在位于赤道附近一块名叫"纳瓦拉姆"大岛的南部，大陆的首都"南马德拉"后来沉入印度洋海底。

泰米尔族使用的语言是泰米尔语，迄今在印度次大陆南端马德拉斯邦、斯里兰卡等地仍在使用。这种语言是南亚德拉维亚语系中远古时期最为发达的一种书面语。这一系列的文献记载和神话传说都说明印度洋中曾经存在过一个鲜为人知的"雷姆里亚大陆"。

前苏联语言学博士、地理学会员亚历山大·孔德拉特夫在其著作《三个大陆的秘密》中，从语言学角度探讨了南亚德拉维达语系与雷姆里亚大陆的关系。通过将印度文明中代表性的遗址摩亨佐·达罗、哈拉帕出土的印章和护符中的象形文字输入电脑，与其它地区的语言进行比较后发现，它们吸收了苏美尔人的语言，与德拉维达语最为接近。因此，他认为印度文明与苏美尔文明起源于同一个文明，而这个更为古老的文明已伴随着雷姆里亚大陆的消逝而烟消云散。

尽管雷姆里亚这一名称在十九世纪即已出现，但是对印度洋的正式调查则始于二十世纪六十年代。

一九六八年，美国斯库里普斯海洋研究所对印度洋中央海岭进行了科学调查，发现大西洋底有四条南北走向的大海岭，其中两条大海岭今天仍在不断增大。活跃的海岭与不活跃的海岭为何能同在一个大洋底部呢？至今仍无法解开其中的奥秘。

马达加斯加岛、塞舌尔群岛，以及澳大利亚西部的布罗肯海岭作为古大陆的一部分，是怎样从周围的大陆中分离开来的呢？这还是一个令人难以解释的悬案。

科学调查结果表明，对印度洋底部地形最为复杂的西北部马斯卡林海域进行钻孔地质调查，发现这一带海底下沉了一千几百米。这是在数千万年的地质年代里发生的。

根据板块结构理论，喜马拉雅山与印度洋是由于共同的成因形成的，由于印度板块向正北方向移动约五千公里，与亚洲板块相撞，形成巨大的喜马拉雅山。那么，在这个具有划时代意义的变革中，雷姆里亚大陆沉浮如何呢？据考察，这个变动发生的年代至少可以追溯到四千五百万年前。

最新调查结果表明，印度洋海底地壳活动频繁，有些部分持续下沉，有些部分在不断增长。这些缓慢不断的变化是否可以做为雷姆里亚大陆曾经存在的一个有力证据呢？

□是雨林吞噬了玛雅吗

世界上最早发明"零"的民族是玛雅人。在这个公元前一千年前，由简朴的农渔社会发展出辉煌的文化，又在不知名的摧残下，沦于衰亡的民族，究竟得自什么力量，能在石器时代创建出傲世的文化？又遭遇何种苦难，消失在中美洲的热带雨林区？

玛雅人居住的领域包括中美洲的心脏地带，横跨危地马拉、贝利兹、墨西哥、洪都拉斯和萨尔瓦多部分地区，分别以三个互相隔离的区域为中心——齐阿巴斯和危地马拉高原的南部高地、太平洋潮湿的沿海平原与萨尔瓦多西部、墨西哥湾伸展到贝利兹一带及洪都拉斯的热带森林区。主要人口则集中在今天危地马拉的佩登省和北犹加敦矮岩密布的低洼地区。

一八九三年，一位英国画家在洪都拉斯的丛林中发现了一座城堡的废墟。

当然这座城堡里没有沉睡的美丽公主，只有灌木丛生的断墙残垣。坍塌的神庙上的一块块巨大的基石，无不刻满精美的雕饰。石板铺成的马路，标志着它曾经是个车水马龙、川流不息的闹市。路边修砌着排水管，又标志着它曾经是个相当文明

玛雅为何在石柱上雕像?

的都市。石砌的民宅与贵族的宫殿尽管大多都已倒塌，但依稀仍可窥见当年喧杂而欢乐的景象。

所有这些石料，无不苍苔漫漶，或被荒草和荆棘深深掩盖，或被蟒蛇一般行走的野藤紧紧缠裹。从马路和房基上破土而出的树木，无情掀翻了石板，而浓荫逼人的树冠，则急不可待地向废墟上延伸，仿佛急于掩盖某种神秘的奇迹。

如此荒蛮的自然景象与异常雄伟的人工遗址，形成巨大的反差，而令人们久久激动，不能自禁。

丛林中发现的这个城市披露之后，举世震惊。本世纪以来一批又一批考古人员来到洪都拉斯，随后他们又把寻幽探胜的足迹，扩大到危地马拉、墨西哥、秘鲁以及整个南美大陆。

无数的奇闻轶事随着考察队的到来，纷纷传出——玛雅人的金字塔可与埃及人的金字塔媲美。危地马拉的提卡尔城内的那座金字塔高达二百三十英尺，墨西哥的巨石人像方阵令人困惑不解，特奥蒂瓦坎的金字塔其雄伟和精美，堪称奇绝……

据统计，各国考察人员在南美洲的丛林和荒原上，共发现废弃的古代城市遗址达一百七十多处。它为人们展示了一幅玛雅人约在公元前一千年，到公元八世纪时，他们北达墨西哥南部的尤卡坦半岛，南达危地玛拉、洪都拉斯，直抵秘鲁的安第斯山脉广阔的活动版图。它告诉人们玛雅人于三千年前，就在这块土地上过着安定的生活。

没有巨大的精神和物质力量的保证，即使受到来自其他星球智能生命的启发，美洲人也无法创造出这种奇迹。考古学家证实，在创造这一系列奇迹时，玛雅人已进入富足的农耕社会，并独立创造了属于自己的文字。

进一步的研究并没有使人解开美洲人如何和为何建造金字塔的谜，反而让他们更感到迷惑不解——玛雅人拥有不可思议的天文知识？他们的数学水平比欧洲足足先进了十个世纪？一个以农耕为惟一生活来源的社会，居然能有先进的天文与数学的知识，这的确要让人怀疑的。

　　还有，当我们面对着玛雅遗址异常灿烂的古代文明，谁都会情不自禁地问：这一切是怎么来的？史学界的材料表明，在这些灿烂文明诞生以前，玛雅人仍巢居树穴，以渔猎为生，其生活水准近乎原始。有人甚至对玛雅人是否为美洲土著表示怀疑。因为，没有证据表明，南美丛林中这奇迹般的文明，存在着一种渐变，或称过渡阶段的迹象。没有一个由低而高的发展过程，难道玛雅人的这一切是从天而降的吗？

　　的确，这一切是从天而降的。地面考古没有发现文明前期过渡形态的痕迹，分析在此之前的神话传说，也无线索可言。玛雅文明仿佛是一夜之间发生了又在一夜之间轰轰烈烈地向南美大陆扩展。

　　奇怪吗？是有点儿奇怪。除了"神灵"之外，谁还有这等魔力。

　　玛雅人告诉我们，他们的一切文明都是一位天神给予的，他们描述这位天神身穿白袍，来自东方一个未知国家的神。他教会玛雅人各种科学知识和技能，还制定了十分严密的律法。据说，在他的指导下，玛雅人种植的玉米、穗轴长得像人那么粗大，他教人种植的棉花，能长出不同的颜色。奎茨尔科特尔在教会玛雅人这一切之后，便乘上一艘能把他带向太空的船，远走高飞了。而且，这位天神告诉怀念的玛雅人，说他还会再回来的。

　　如果我们相信这个神话的话，那么玛雅文化现象也就有了确实的答案了。

　　帕伦克位于墨西哥高原一个荒凉的山谷里。十几个世纪以来，当地人从未关心过那幢废弃并坍塌了的神殿。二十世纪五十年代，考古学家前来清理这个玛雅废墟时，他们从浮尘和苔藓中，发掘了这块沉重的、刻满花纹图案的石板。

　　石板上刻绘的图画，既神奇又夸张，一个人像驾驶摩托车似的、双手握着某种舵向似的把子。围绕在四周的是各种装饰性的花边图案。当时考古界的解释是，这是一件充分展示玛雅人想象力的画图。二十世纪六十年代以来，美苏两大国竞相发射各种航天火箭，载人的和不载人的宇航器械，频繁地在太空穿梭。当宇航员行走于月球和太空的照片不断传回地面后，人们才大吃一惊。帕伦克那幅图画，哪里是描绘古代神话，分别是一幅宇航员操纵火箭翱游太空的图案。

　　当然，一切已经变了形，走了样，我们无法弄清楚当年那些玛雅工匠们，是凭着怎样一幅照片，临摹的只有今天才可能出现的图象———位宇航员控制着舵向，两眼盯注着仪表。这的确是玛雅人仿制的作品，因为那位宇航员的模样多少有些像玛雅人，或许，玛雅人认为他们自己有朝一日也能翱游太空。尽管玛雅工匠在雕刻时使排气管道弯曲变形为一种装饰性的花边框架，各种仪表，环状物和螺状物，都顺形就势艺术化地被处理成各种图案，但一切仍可清晰地寻见，这个运载工具呈前尖后宽的形状，进气口呈沟状凹槽，操纵杆与脚踏板，以及天线、软管，仍被生动地描绘出来。据说当这件作品的照片，被送往美国航天中心时，那些参予航天器材研制的专家无不惊奇地叫了起来：

"了不起！这是古代的宇航器！"

对不起，要知道古代是没有，也不可能有宇航器的。那么，远在古代的玛雅人怎么了解航天的奥秘的？又如何描绘出宇航员蛰居窄小的驾驶舱，紧张操纵飞船的情形？

可信的解释大概只有一种——

在遥远的古代，南美这片热带丛林里可能有过一批来自外星球的智能生命，他们在玛雅人顶礼膜拜的欢迎中走出了自己的飞船。他们教给了玛雅人历法和天文知识，并向他们展示了自己的运载工具，向他们传授了农耕的各种知识，然后飘然而去。临行前也许有过重访美洲的允诺。

玛雅人既然在许久以前就创造了灿烂的人类文明，那么现代的人类文明为何又失去了雅人的行踪呢？玛雅人这种"从天而降"的文明现象，为何像一场刚刚演出序幕就已结束的历史剧呢？玛雅人为何突然背弃文明，叹回归原始呢？确实是个谜。

公元八三〇年，科班城浩大的工程突然宣告停工。公元八三五年，帕伦克的金字塔神庙也停止了施工。公元八八九年，提卡尔正在建设的寺庙群工程中断了。公元九〇九年，玛雅人最后一个城堡，也停下了已修建过半的石柱。这情形令我们联想到复活节岛采石场上突然停工的情景。

这时候，散居在四面八方的玛雅人，好像不约而同地接到某种指令，他们抛弃了世代为之奋斗追求，辛勤建筑起来的营垒和神庙，离开了肥沃的耕地，向荒芜的深山迁移。

现在我们所能看到的玛雅人的那些具有高度文明的历史文化遗址，就是在公元八世纪至九世纪间，玛雅人自己抛弃的故居。如今的游客徜徉在这精美的石雕和雄伟的构架面前，无不赞叹、惋惜，而专家学者们却陷入深深的困惑之中。

玛雅人抛弃自己用双手建造起来的繁荣城市，却要转向荒凉的深山老林，这种背弃文明，回归蒙昧的做法，是出于自愿，还是另有其它原因？

史学界对此有着各种解释与猜测。譬如说：外族侵犯、气候骤变、地震破坏、瘟疫流行，都可能造成大规模的集体迁移。然而，这些假设和猜测都是不具备说服力的。首先，在当时的情况下，南美大陆还不存在一个可以与玛雅对抗的强大民族，因此，外族侵犯之说就站不住脚。气象专家几经努力，仍然拿不出公元八世纪至九世纪间，南美大陆有过灾难性气候骤变的证据，同样，玛雅人那些雄伟的石构建筑，有些已倒塌，但仍有不少历经千年风雨仍然保存完整，因此地震灾难之说可以排除。

至于瘟疫流行问题，看来很有可能。然而，在玛雅人盘踞的上万平方公里的版图内，要大规模地流行一场瘟疫，这种可能性是很小的。再说玛雅人的整体迁移，先后共历时百年之久，一场突发性的大瘟疫，绝无耗时如此长久的可能性。

有的人从部分祭司雕像被击毁，统治者宝座被推倒的现象上，做出阶级斗争的推测。阶级斗争的确在玛雅社会中存在并出现过，但这种情况是局部的，只在个别地方和城市发生的，而玛雅人的集体北迁却是全局性的。

有人试图从生态角度解开玛雅人大迁移的谜。譬如认为玛雅人采取了某种不恰当的耕种办法，破坏了森林，土地丧失了地力等等，造成生存的困境被迫大迁移。可是不少学者在考察中发现，玛雅人在农业生产上却表现出颇为先进的迹象，他们很早就采取轮耕制，出现了早期的集体化生产，这样既保证了土地肥力不致丧失，又提高了生产效率。因而，试图从这个角度解开谜题的尝试也是行不通的。

还有一些专家的思路更新奇，他们认为要寻找玛雅人搬向深山的原因，可以先反过来看看他们怎样选择自己定居的故土。我们已知的这些玛雅人最古老的城市，都不是建设在河流旁。埃及和印度的古代文明，首先发祥于尼罗河与恒河流域，中国古代文明的摇篮则在黄河和长江流域。河流不仅给这些早期的都市带来灌溉和饮水方面的便利，同时又是人员与商品交往最初的通道。从各民族的早期历史来看，他们的文明都离不开河流。

玛雅人却偏偏把他们那些异常繁荣的城市，建筑于热带丛林之中，这是颇有意味的。

以提扎尔为例子。从这个玛雅人的城市到洪都拉斯海湾的直线距离为一百零九英里，距坎佩坎海湾仅一百六十一英里，到太平洋的直线距离也才二百三十六英里。玛雅人对海洋是十分了解的，在他们的城堡废墟和文化遗址上，大量的珊瑚、贻贝和贝类动物制品，可以证明这一点。那么，他们最初的城市为什么不修建在河流边，或者海滩旁，而要选择在与世隔绝的丛林莽障之中？其后的大迁移，不向河流沿岸和海边转移，偏偏要移至更为荒凉的深山之中？这的确令人费解。

提扎尔就是一个位于深山中的城市。为解决这个人口众多城市的饮水与灌溉农作物的需要，他们被迫在城周修建了十三个水库。这些水库的总容量达二十一万四千五百立方米，在古代修建这样的工程，其艰苦是可以想象的。但让人难以想象的是，这些聪明绝顶的玛雅人为何必须在这种条件艰苦的地方安邦筑城，而不去寻找一处较为方便，更符合生活逻辑的地方？

这虽然包括那些后来匆匆停下进行过半的工程，仓促地收拾行装，扶老携幼，举族迁移的玛雅人。他们历经长途跋涉之苦，最终只得绝望地在北方建立一个新王国。他们再次按照历法预先规定的日期，重新开始修建他们的城市、神殿和金字塔，而绝不重返故土。

这真是一个大哑谜。全世界科学家都拿不出有说服力的解释。

神奇的玛雅文明是以一夜之间，南美大陆广修金字塔为开端的。这就好比一场戏，没有过门和序曲，一拉开幕玛雅人就登场上演了一出壮观的历史剧。他们未给历史留下任何解释的大迁移，就好像匆匆落下了帷幕，这场波澜壮阔的历史剧到此戛然而止。只有热带林奔的野藤和苔藓，悄悄掩盖起玛雅人的足迹，只有那残塌的废墟向游人眨着考问般的眼睛……

第6章　北美洲地理未解之谜

　　当人类面对着二十亿岁的大峡谷时，怎么能说这块土地荒蛮而原始；当人类面对着精美绝伦的"彩虹"石桥时，怎么能不为这里的悠久文明而震撼；当人类面对着深邃幽蓝的"魔洞"时，又怎么能不为大自然的鬼斧神工击节赞叹……这片土地上，抬眼皆是匪夷所思的神秘岩峰，俯首皆是暗含着玄机奥秘的凸凹地貌……在这里，人们把问询的目光定格在通向远古的时空隧道——大峡谷的深处……

□ "太阳之家"——哈莱阿卡拉之谜

　　世界上最大的火山口之一就在夏威夷的毛伊岛上。太阳在火山口边缘升起的情景令人既敬且畏，也给世世代代的艺术家和作家不少创作灵感。

　　哈莱阿卡拉火山口位于同名天山的顶峰。美国作家杰克·伦敦说过："哈莱阿卡拉之美丽与奇幻，是没有其他地方可以比拟的。"其实自库克船长于一七七八年发现夏威夷群岛以来，已有不少外来者对这座休眠火山表示赞叹，杰克伦敦只是其中之一。

哈莱阿卡拉山高达三千公尺，雄踞于毛伊岛上。毛伊岛在夏威夷群岛中，面积居第二位，在夏威夷本岛西北四十公里。哈莱阿卡拉在玻利尼西亚语中意为太阳之家。毛伊岛是以当地神话中一个叫毛伊的神氏之名命名的，而哈莱阿卡拉火山则与这个神氏之间有段传说：有一次，太阳急着要跑过天空回家休息，以致令岛上减少了几小时阳光，惹怒了毛伊的母亲希纳。因为希纳用拽平了的树皮做布，拿到太阳下曝晒，晒的时间不足，布便晒不好。毛伊想了个计策，拿着用椰子纤维做的绳子等待太阳从哈莱阿卡拉的顶上升起来。太阳升起时，毛伊用绳套住第一道阳光，抓住了太阳。毛伊要太阳答应在走过天空时，步伐要舒徐点。这样便解决了希纳的难题，并使岛上的人整天都有阳光。

哈莱阿卡拉火山最近一次爆发在一七九〇年。这个火山口是目前世上最大的休眠火山口，圆周长三十二公里；跟很多其他火山不同，哈莱阿卡拉火山并不是完全对称的。东部山坡侵蚀得很厉害，布满深谷壑沟，那是自火山口流出的熔岩流入河谷所造成。西部山坡小溪纵横。登山者沿着一条弯弯曲曲的山路旁过草地和桉树林，就可到达山顶。要是天色晴朗，从这条山路可俯瞰山下广阔的蔗园，向东南方可远眺太平洋，还可看到夏威夷的山峦。

火山口的直径达十一公里，底部面积超过四十九平方公里，但里面有不同的地貌，包括森林、沙漠、草坪和一个湖泊。北部和东部地区用来放牧，但西部和南部则很干旱，表层有深褐色或浅米色的沙砾，或有灰、赤褐、红砖和紫等色的厚厚火山灰层，还有间以黑色熔岩的火山渣。略带红色的火山渣共有十六堆之多，有些高达三百五十公尺，活像小火山，分布在这部分的火山口底。

火山口底部的地貌有这种差别是因为火山口的形状不规则所致。火山口边缘的东部较低，有两道裂口，容许带雨的信风吹进，在火山口底部的这部分降雨。这些在火山口边缘向下旋转的云也产生一种奇特的视觉效果，站在火山口边缘上的人，其影子会在火山口北部之上的云团反映出来。

哈莱阿卡拉火山口陡峭的内壁不长植物，而多种草和灌木则在火山口底部的火山灰和火山渣中生长。其中一种叫银剑的，生长二十年后，粗壮的茎可高达二点七公尺，在茎顶生出一团紫花后便会枯死。多年前，这种植物几近绝种，原因是野山羊喜欢嚼食，人类也喜欢采集，幸而现在已受到保护。土生动物有山羊、猪、海燕和夏威夷鹅。

从前土著把祭品放在火山口内，以期博得神氏的欢心，夏威夷酋长死后也可能是葬在这里的。对于今天的游客来说，火山口色彩斑斓而又质朴，以及火山口内旋转的云，最能让人留下深刻的印象。

□ "妖魔"的秘穴——蓝洞之谜

安德罗斯岛周围加勒比海平静的海面开始慢慢转动，形成旋涡，并且在旋涡中心露出深蓝色的洞，大口大口抽吸海水。巴哈马许多世纪以来都流传着一个传说，说这种奇异现象是名叫鲁斯卡的妖魔在作怪。

从空中俯瞰，巴哈马群岛中的安德罗斯岛是个被小湾、水道、小岛和珊瑚浅滩割裂的小岛。尽管岛上潟湖湖水碧绿宜人，但周围一块块的蓝斑却更引人注目。这些就是蓝洞，是通往水下洞窟之"门"，但其名声则不怎么好。水下各洞窟彼此都有通道连接，各通道左穿右插，又可通至小洞室、水底峡谷和像教堂般高的穹穴，像迷宫一样。

每次涨潮时，安德罗斯岛四周堡礁内的海水上涨，洞中海水开始慢慢旋转，把海水往内吸，抽吸速度渐渐提高，形成旋涡，将水面一切漂浮物体，不论是植物碎片或小渔船，全都吸进去，直至没了踪影。退潮时，整个过程倒转过来，蓝洞中汹涌吐出蘑菇状大水柱。当地人认为这种剧烈变化全是怪兽鲁斯卡作怪。据说鲁斯卡是半鲨半爪鱼的怪物，住在蓝洞中，用长长的触足将食物拖进深穴，饱食之后，就把残渣吐出来。无怪乎现在巴哈马的渔民对这些蓝洞仍是敬而远之，因为他们有些人的祖先就是在这片貌似平静的海面上，被汹涌的大旋涡夺去性命的。

安德罗斯岛是巴哈马群中最大的岛屿，长一百六十公里，最宽处达六十五公里，位于大巴哈马浅滩的海底高原上。该岛三面是温暖浅海，沿着东岸则是条名为"海舌"的深海沟。这道深沟多处峭壁上原来长满颜色鲜艳的珊瑚浅滩，会突然转为深蓝色，那就是位于海岛边缘石灰滩中的神秘蓝洞洞口。这些深洞好似岛上茂林深处的黑色圆湖。

至今，还没有人统计过多少蓝洞，只有几个有人进去探察洞，这些洞窟的成因直到最近有人说明。第一个进行研究这一地区的现代探险家是加拿大人本杰明，他在一九六〇年代从空中勘察，绘制了洞穴的位置图，然后带着潜水呼吸器和水下摄影机潜下水去，试图解开洞窟的秘密，令地质学家得到必要的资料来解开蓝洞之谜。

巴哈马群岛是一串石灰平台或浅滩的组成部分，这片石灰平台形成于约一亿三千万年前。在最近二百万年间，一连串的冰期把水冻结在地球的冰冠和冰川中，导致海面下降。到了较温暖时期，冰雪融化，海面相应上升。在最近一次冰期的高峰时，即二万年前左右，海面比现面低一百二十公尺。

数百万年间被淡水和海水侵蚀而成的水底石灰岩洞排干了水，没有了水的支撑，洞顶开始坍塌。

很多洞窟的顶部成了穹形，但有些则塌破洞顶，成为敞开的竖井。当海平面再次上升时，海水灌入竖井，形成蓝洞。现在涨潮时，安德罗斯岛周围的海面会高于岛上的地下水位，海水压力上升把水压入蓝洞，形成了独特的汹涌旋洞，使地下水位也上升小许。退潮时，海水压力下降，地下水便把海水往下压，使海水从蓝洞中冒涌而出。鲁斯卡的神话就是因双向水流现象而产生的。

令人惊异的是大量动物已适应了这种看似十分险恶的环境，有些探险家把一些洞穴比作水下动物园。角鲨停在沙床上动也不动；螯虾栖息在岩缝中；天蓝色和淡紫色的海绵像鬼魅般在靛蓝色的深水中飘浮；在某些深度的水中还有极小的贝类和蠕虫。不过最奇特的是避光鱼，这种盲洞穴鱼全身近乎无色，以前只知道这种鱼生活在内陆的水域中。

一九九一年有更惊人的发现，在岛上一处名叫神圣蓝洞的地方找到了人的颅骨和骨头，也许是鲁卡晏人（哥伦布时代居于加勒比地区，操阿拉瓦克语的部落）的骨骸，他们可能用蓝洞来埋葬死人。

潜水进入蓝洞有被困之虞，所以许多潜水者都望而却步。有人胆敢在涨潮时潜入，就会像瓶塞吸入下水道般一去不回，应验了鲁斯卡的传说。

□石头森林之谜

亚利桑那沙漠，散布着数以千计亮如宝石的"圆木"。那不是木材，而是石头，有的倒在半山腰，有的伏在山脊，外形跟真正的大树没有两样，因为本来就是真正的树木，只是后来变成了石头。

一八五一年，美国军官薛格列夫斯骑马轻过亚利桑那州佩

美国最著名的魔塔山

恩蒂德沙漠，在滚滚沙尘中偶然发现一片森林的残迹，那种景象是他前所未见的：散布四周的林木，外形跟一般树木没有差别，质地却是坚硬的石英结晶体。这个发现引起两个问题：沙漠干旱酷热，根本不容树木生长，这些坚硬如铁的残干断枝从何而来？即使树木曾经生存，树皮、树液和植物纤维又是怎样变为冰冷的石头的呢？

当地的纳瓦霍印第安人相信，这一根根闪闪发亮的圆木，是传说中巨人叶亚苏的遗骨。派恩特印第安人则认为是雷神的箭杆。那其实是全球最大的石化森林，是大自然的产物。约二亿年前，亚利桑那沙漠是一片广阔的泛滥平原，火山环立，中央低洼又多沼泽。南部丘陵和火山坡低处，生长巨型针叶树，没有现今的郊狼、野猫和美洲獾，却有恐惧栖息其间。

那些树木，大多高三十公尺左右，树干直径超过一点八公尺，少数体积比这还大一倍。石化森林中的圆木，有些就是这样大的，不过大都只剩残干断枝，想必在石化过程开始前裂开，或在露出地表的过程中断裂。

圆木呈现不同色彩，主要由于结晶过程不同。大多为纯石英，那是矽原子单独结晶所形成的。若掺杂其他矿物，则形成亚宝石，种类繁多，诸如紫晶、玛瑙、碧玉、缟玛瑙、光玉髓等。不管结晶体成分为何，在结晶过程中，原来树木细胞的形状都得以保留，因而形成石质树木，深埋地下，最深的埋在地下三百公尺处。

要不是六千五百万年前地壳变动，这些圆木可能永远埋藏地里。造成珞矶山脉的地壳活动，也使亚利桑那这部分土地抬升，引起两重后果：地面积水退掉，针叶林的晶体遗迹升高；掩盖石化树木的沉积物、页岩和砂岩，因风雨侵蚀而逐渐消息，石化森林慢慢显露出来。

这片石化森林主要分为五区，以圆木的主要色彩或成分命名：蓝方山、石英林、彩虹林、黑森林、碧玉林。碧玉林内，树干大都不透光。石化森林内有不少奇观，其一为"玛瑙桥"，浑厚的木材转化为天然石桥。玛瑙也是人工胜景"玛瑙星"的主要材料。林内工人胜景不多，"玛瑙屋"是一座用晶化干材建成的小屋，历史悠久。

在这个地区，除了被埋后得以重见天日的石化圆木外，还形成许多二亿年前动植物的化石。植物中以针叶树最普通，此外为苏铁科植物，外形像棕榈，叶子则像蕨类。恐龙化石包括貌如长吻鳄的植龙及形如犰狳的雕龙等。

这个地区年平均雨量仅二十三公分，大多为短暂急剧的雷雨。一场骤雨，可以把表土冲掉二千五厘米之多。随着表土流失，显露出来的圆木和化石逐渐增多。巨型爬虫动物雄踞地球时代的遗迹，一一呈现眼前。

□石膏沙漠之谜

新墨西哥沙漠，皑皑的沙丘在阳光下闪耀生辉，恍如清新纯净的雪原。白沙名胜区的景致与众不同：一望无际的，尽是清凉的白沙，不断随风迁移改变，不断流失，又不断获得补充。

美国新墨西哥州图拉罗萨盆地的沙漠上，白色沙子在火辣辣的艳阳下闪耀微光，犹如新雪。一般沙漠里，沙子的主要成分是石英。这里的沙粒却不是石英颗粒，而是质地较软的石膏晶体微粒，即硫酸钙。由于表面水分的蒸发率高，沙粒又反射而非吸收阳光，沙丘十分清凉，跟普通沙漠迥异。白沙名胜区东起萨克拉门托山脉，西迄圣安德烈斯山脉，面积七百平方公里，为世界最大的地面石膏矿藏，其颗粒即制造熟石膏的矿物。

石膏是一种很普通的矿物，由于极易溶解于水，地面上罕见。美国西南部极其干旱，这片不同凡响的石膏沙漠，起源于约一亿年前。当时，这大片土地原为浅海。其后海水干涸，留下了一些咸水湖，最后也在骄阳下蒸发殆尽。湖水本来富含矿物，水分蒸发掉，湖床上就剩下盐和一层厚厚的石膏。

约六千五百万年前，萨克拉门托山脉和圣安德烈斯山脉开始形成，中间夹着图拉罗萨盆地。地壳大规模活动，陆块皱褶隆起，推高石膏层。

季候雨和融水从山区流下，溶解山坡上的石膏颗粒，成为浓度很高的溶液，冲到图拉罗萨盆地最低点，即卢塞洛湖。

湖水蒸发，留下一层层薄薄的石膏透明晶体，称为透明石膏。风化作用使晶体渐渐变为细沙，随西南盛行风飘落盆地上，堆成高耸陡峭的沙丘，不少高达十五公尺。盛行风不仅堆起沙丘，还把沙子吹送远处，迁移距离每年可达九公尺。这个过程从未停息，使区内地貌不断变化，日新月异，仿佛自有其生命。

沙子不住迁移，本身又是咸性颗粒，加上雨量稀少，一般植物难以生存。这里生长的植物，如丝兰、美洲杨树等，都有很发达的根部，能深入沙层，稳住干茎。比方说，美洲杨树的根可长达三十公尺。

基于同样原因，能在区内长居的动物不多，其中包括浅色的无耳蜥蜴、昼伏夜出的阿帕奇囊鼠。这两种动物都具有保护色，身躯跟眩目白沙浑然一体，难以发现。阿帕奇囊鼠为珍稀动物，仅见于此区。

白沙名胜区边缘，温度稍低，水分稍丰，动植物也就多起来。约五百种野生动植物在此繁衍，包括多种颜色鲜艳的显花植物，诸如金黄色的臭瓜、粉红的百金花、紫色的叶子花等等。郊狼、臭鼬、更格芦鼠、穴居沙龟、美洲獾、蛇、豪猪栖息其中，夜里偶尔会来到沙丘间，在白色沙子上留下痕迹。

这个地区之美，在于瞬息万变而又终古不灭。一方面，地貌时刻随风变幻，日夕不同；另一方面，大自然不断补充流失的石膏颗粒，犹如寒冬瑞雪降在北极冻原，使之天长日久，万世永存。

□七千万年前的"摩天城市"之谜

美国亚利桑那州海拔高处，一个荒无的平原上，许多巨型红色砂岩高耸入云，好像宏伟建筑的遗迹。

月光下的布莱斯山谷奇谲、虚幻，没人知道它的年龄。

雄伟的巨石、干爽清新的空气、荒漠斜阳下长长的巨石影子，赋予莫纽门特谷地独特的美态。莫纽门特谷地属美国西南荒漠地带，地跨犹他、亚利桑那两州。谷地上巨石林立，都是风化剥蚀的产物，样子大多像残破的建筑，如倒塌了的城堡、古庙、摩天大楼、石柱和石塔。

许多巨石正由于形状特殊，赢得引人遐思的名字。"城堡石"是座雄伟的平顶石丘，高三百公尺，顶部形如开了枪眼的城垛。"拳击手套"是一对靠得很近的巨石，每座由一根狭窄石柱和一座小方山（孤立的平顶小山）构成；石柱形如拇指套，小方山活像手套主体。不远处，"伏窝母鸡"酷肖母鸡蹲伏窝中；庄严肃穆的梅里克小方山和密契尔小方山恍如巨型天然墓碑。根据当地传说，梅里克和密契尔是两名探矿人，十九世纪八十年代到此找寻银矿，遭印第安人杀害，两座小方山以他们姓氏命名，作为纪念。"修道院女院长"高二百四十五公尺，为"三姐妹石"中最高的一座，形如披上修女头巾的女士，十指交叉在祷告，栩栩如生。

莫纽门特谷地并非自古以来即屹立着小方山和平顶石丘。约二亿五千万年前，当地的红砂层原为浅海。海床沉积大量厚重淤泥，把红砂压实，变为多孔砂岩。淤泥则渐渐转化为页岩。其后海水退却，约七千万年前，地壳剧烈运动，陆块向上翘曲，形成广阔圆丘，冷凝下来。原有的海床变为一望无际的砂岩高原，表面覆盖页岩和砾岩（颗粒较粗的沉积岩，主要由卵石和砾石构成）。裸露的岩层长期受强风和流水侵蚀，出现峡谷和冲沟，地面割裂为多个宽广的高原；高原再经风化，面积缩小，变为方山，最后剥蚀为小方山和岩柱。

莫纽门特谷地像美国西南部大部分地区一样，景色壮丽，但是不宜人类和野生动物居住。仅纳瓦霍印第安人仍在放牧绵羊和山羊，此外渺无人烟。干旱的沙丘和荒芜的密灌丛地，只有兔子和需要很少水分的冷血动物可以生存，诸如颈领蜥蜴、角蜥、大草原响尾蛇等。由于年雨量很少超过二十公分，植物稀少，只生长几种耐旱的植物，例如刺柏、蒿、北美矮松和仙人掌等，这些植物几个月不下雨仍能生存。偶降暴雨，野花种子迅速发芽生长，把荒野点缀得斑斓多彩，可是花朵一两天就枯萎。多少年来，莫纽门特谷地似乎没什么变化，但是侵蚀过程并未停止，每天均有岩石剥落崩塌。长此以往，高耸的残余岩石体，终有一天会夷平，剩下平坦单调的砂岩高原。

□永不消逝的"彩虹"之谜

　　一座瑰丽的红色砂岩石拱，弯弯架在美国犹他州南部山区岩石间，像是彩虹幻化而成的，是世界一大奇观，也是派尤特印第安神话和纳瓦霍印第安神话的中心。

　　美国犹他州南部，派尤特印第安人和纳瓦霍印第安人流传许多神话，其中一个便提及一道"石彩虹"。那是一座美丽的石拱，形状和颜色都酷似天上的彩虹，只有少数土著知道在哪里。一九〇九年，三名白人听说纳瓦霍山附近有此奇观，受好奇心驱使，骑马走过石质荒原和迂迴的峡谷，一心要看看这个非凡的天然胜景。他们雇了两名印第安向导，走过美国境内最苍凉的荒野，终于找到雄伟的彩虹桥。

　　他们甫见彩虹桥，都给慑住了。这座天然石桥，不但形如彩虹，颜色也十分相似。万里无云的蓝天下，粉红色砂岩透着淡淡的暗紫色，午后则点染赤褐和金棕。

　　这是天然石拱中最大最完整的一座，形态优美，长九十四公尺，跨越宽八十五公尺的峡谷，那几乎等于四个网球场的总长度。桥底至桥顶高八十八公尺。桥身厚十三公尺，宽十公尺，足以容纳双线行车。单是硕大雄伟的特质，就使罗斯福总统赞叹不止，称之为世界最壮观的天然奇景。

　　彩虹桥本是突出悬崖的石嘴，桥伸石桥河之上。石桥河平

这座永不消逝的彩虹桥已在这里屹立了亿万年。

日流量不大，雨季则河水暴涨，带来大量泥沙，刮擦石嘴基部。年深日久，把石嘴基部掏空，形成桥孔，留下优美石桥高架半空。强风侵蚀，把石桥"打磨"得表面光滑，线条流畅。

"石彩虹"是纳瓦霍印第安人的圣地。到那里的惟一通路，隐蔽在狭窄的峡谷中，艰险难寻。首批白人来到这里后，才恍然大悟，明白为什么知道"石彩虹"所在的印第安人那么少。

一九一〇年，美国政府把彩虹桥列为国家名胜，予以保护。一九六四年格伦峡谷堤坝落成，格伦峡谷堤坝拦截河水，蓄成鲍威尔湖，使科罗拉多河水面升高，二十公里难以穿越的陆地险径变为易于通航的水路，游人可以乘船抵达彩虹桥附近。

犹他州有许许多多同类的砂岩石拱，单在石拱国家公园里，就有二百多座。石拱国家公园位于彩虹桥以北三百公里，那里的"景观拱"也是一座保持世界记录的天然石拱：全长八十九公尺，为世界最长的天然大桥。"景观拱"很脆弱，其中一段仅厚一点八公尺，距峡谷底平均约三十公尺。

公园内另一座宏伟石拱名为"铁弱拱"，当地人却按其形状谑称为"女人的灯笼裤"。"铁弱拱"比一座七层大厦还要高，傲然独立在荒凉石谷的边缘，从桥孔中看到下面拉萨尔山脉的全貌。

□五万年前的陨石坑之谜

约三万到五万年前，北美洲还没有居住，一块大陨石掉在代阿布洛峡谷附近，现今美国亚利桑那州弗拉格斯塔夫市和温斯洛市之间，撞出一个碟形洼地，直径一千二百五十公尺，深一百七十四公尺。

洼地边缘高四十五公尺，从四周平坦的沙漠看过去，只像一道环形矮脊，故此，到一八七一年才有欧洲人发现洼地，向公众介绍。起初，大家以为那是个火山口，像附近的森塞特火山口一样，该火山口已有人勘探过。一八九〇年，在洼地岩屑中发现碎铁。当时并未明了那项发现的重要性，有些科学家却开始怀疑那不是火山口，认为可能是外太空物体撞击地球所留下的痕迹。

费城一位采矿工程师巴宁格博士，一九〇二年到此勘查后，深信坑里埋有富含铁质的巨大陨石，于是把土地买下来，一九〇六年着手钻探。他起初以为，坑口大致呈圆形，陨石就一定留在坑中心。后来发现，子弹射进烂泥中，即使角度很低，也总会打出圆窟窿。

巴宁格知道了这个道理，加上发现坑口东南面的岩层比其他方位的岩层高出三十公尺，由此断定陨石自北面掉落，以低角度撞击地面，留在坑口东南缘底下。钻探工作在东南缘展开，三百零五公尺深处，碎铁和镍铁碎片多起来，四百二十公尺深处，再也钻不下去，铁头似乎给很硬的物质卡住。

一九二九年，经费用罄，钻探工作被迫停止，但是，科学家已公认大坑是陨石撞击造成的。

科学家曾就陨石的大小和重要作出不同估计。三十年代，认为那块陨石重一千四百万吨，直径一百二十二公尺。后来推算其重量为二百万吨，直径七十九公尺。最新估计约重七万吨，直径二十五至三十公尺。即使陨石的大小和重量不过如此，撞击地面所产生的力也是非常巨大的。

能撞出这样一个大坑，冲击物想必以六万九千公里左右的时速穿越大气层。冲落地面所产生的爆炸，威力相当于五十万吨强力炸药，比毁灭日本广岛的原子弹约大四十倍，把一亿吨岩石炸得粉碎，飞溅半空，并堆起沙石，形成现今的坑口边缘。

陨石的金属熔化激溅，落在四周二百六十平方公里的范围内，有些距撞击处十一公里之遥。许多金属块仅卵石大小，最大的却重六百三十公斤。坑口边缘的碎石和飞溅四周的物质都含有砂岩和石灰岩，来自早已干涸的古代湖泊：远古时代，该处湖水淹没，湖底富含化石。这种混合物称为角砾岩，坑口底部现为厚厚的、呈透镜状的角砾岩层所覆盖。

三十年代曾花费巨额金钱，钻穿角砾岩层，希望找到铁矿，开采图利。二百六十公尺深处，仍有镍铁，其下则只有原来的岩石体。利用现代先进技术探测地震活动、磁场、引力等，显示残余的陨石该埋的南缘之下，顶多仅存原来质量十分之一，绝大部分物质于撞击时气化，冷凝为镍铁碎片。

一九六〇年，发现两种罕见的矽：柯石英和超石英。这两种物质，可以在极大压力和极高的温度下制造出来。（地球深处压力巨大，也产生超石英，但是未到地面，已变为普通石英。）在坑内找到这两种物质，足以证明坑口由巨大撞击力造成。对撞击说若存在任何怀疑，至此也一扫而空。巴宁格的信念获得证实，陨石坑现在以他的姓氏命名。陨石以每秒约十五公里的平均速度（时速五万二千公里）撞击地面，就会形成撞击坑。情况跟水滴落入池塘一样，只是规模大得多：水滴到达池塘表面，把接触点的池水推开，四周泛起涟漪，激起水珠。不同的是，池塘表面会迅速回复平静光滑，因陨石撞击而熔化的岩石则冷凝下来，形成新的地貌。

据悉地球上有一百二十多个撞击坑，在月球上更有无数这类陨石坑。阿波罗号登月太空人都要在陨石坑受训，以认识陨石撞击的后果和特征。

□通向远古的时空隧道——大峡谷之谜

要领会大峡谷何等壮阔，十分艰难。地球表面这道大裂缝，壮丽处实非笔墨所能形容，也非人类所能想像。大峡谷位于美国亚利桑那沙漠中部，约长五百一十五公里，最深处为格拉尼特峡，深一点六公里，最宽处达二十九公里。位于托罗韦帕高地北缘下八百公尺处。

峡谷峭壁由层层岩石构成，岩纹清晰可见。谷底为浅黑的片岩（一种容易裂开有变质岩）和富含化石的花岗岩。荒凉的孤山矗立地上，极像失修的庙宇；冲沟、裂隙交错其间，恍如复杂的迷宫。难怪十九世纪有些科学家以为，大峡谷必定是大地震造成的。

约六十万年前，广阔的凯巴布高原为两大河系的分水岭。东面流淌古科罗拉多河，西面流着瓦拉佩河。随着时间推移，

大峡谷可是通向远古的时光隧道？

瓦拉佩河向上游侵蚀，冲蚀凯巴布高原。天长日久，终于与古科罗拉多河相连，形成现在水力万钧的科罗拉多河。格伦峡谷堤坝建成以前，科罗拉多河以平均三十三公里的时速奔泻，每天冲蚀出数以百万吨计的岩石和泥土。

高原表面原是古代海床，其下许多层砂岩、页岩和石灰岩，是六亿年前至二亿五千万年前古生代中沉积芦来的。底部是年代更加久远的片岩，属二十亿年前的前寒武纪。

新生的科罗拉多河在高原上奔流，沿途冲蚀切割岩石表面。同时，地壳活动把岩石推起，形成巨大圆丘。凯巴布高原缓缓上升，五百万年间升高了一千二百一十六公尺。河水挟带的石块和砂粒摩擦峡谷，把峡谷侵蚀得越来越深。河水往下切割，其他侵蚀力量则打击岩石表面，使之分裂。温度骤升骤降，使石隙增大；冬天的风暴和春天融雪，把砂砾和岩屑冲下石沟。随着地面阻力越来越小，流水的冲击力越来越大，猛烈切割谷底；同时，岩层继续隆起，河道两边的峭壁越来越高。

如此雄伟的峡谷看似永不改变，其实天天在变化增大。一九六四年美国在大峡谷国家公园上游建设格伦峡谷堤坝，大大减弱科罗拉多河的冲蚀力。但冬天的暴风雨猛烈打击绝壁，仍使岩屑剥落，植物在石隙生长，挤裂石头，也使碎石掉进谷底。

一般人来到大峡谷，只觉满目苍凉，了无生气。其实，里头不乏动植物。谷底又干又热，是多种沙漠动物栖息之所，诸中斑臭鼬、黄蝎子、鞭尾蜥，等等。桶形仙人掌和牧豆树欣欣向荣。穗状耳的凯巴布松鼠只见于北里姆，艾伯特松鼠则生活在较温暖的南里姆。峭壁较谷底凉快，是亚利桑那灰狐和峭壁花鼠的家园。美洲狮在岩石间游荡，数目日少。土著同样一天少于一天，现今仅余少数哈瓦苏派印第安人。游客乘直升机飞到哈瓦苏峡谷上空，就可俯瞰他们的居地，那是美国境内一处极荒僻的印第安人居留地。至少四千年前，大峡谷内还有猎人。公元一〇〇〇年前后，普韦布洛印第安人在峭壁上建立家园，约一百五十年后，哈瓦苏派印第安人的祖先取而代之。

最早来到这里的欧洲人，大抵是德科伦纳多及其队伍。德科伦纳多是一名西班牙骑士，一五四〇年率领三百人，到此寻找黄金。他们在峡谷边缘，听到西边传来水声，于是德科伦纳多派遣一名头目循声探查，结果找了三天，仍找不到通往河边的路径。找得到的话，准会大吃一惊：他们从高处往下望，估计河道仅宽一点八公尺。

三百多年后，艾甫斯上尉于一八五八年来到这里。他带领探险队在亚利桑那西北部考察，从加里福尼亚湾启锚，沿科罗拉多河上溯，在炎热天气下航行两个月。最后，水流过于湍急汹涌，他决定登岸。在南里姆，骑骡沿岩架前进，艾甫斯上尉忆述岩架"距陡峭深渊的边缘不到八公分，渊深三百公尺；另一边，一堵陡直岩壁差不多触及我膝，高不可攀。"他称那里为科罗拉多大峡谷。"

尽管大峡谷雄伟壮丽，叫人惊叹不已，艾甫斯上尉对此却似乎无动于衷。他写道："这个无利可图的地方，我们是首批到此的白人，大抵也是最后一批。与世隔绝的科罗拉多壮丽异常，但看来大自然有意叫其大部分河段永不受艾甫斯上尉实在大错特错。大峡谷气象万千，被公认为北美洲一大奇景。许多人像罗斯福总统一样，认为那是"每个美国人都应该一看的胜景。"

□地震为何喜欢加州

圣安底斯断层把加州西南部一条狭长地带与北美洲其余部分隔开，其真正边缘是以浅蓝色表示的大陆架。加州这条裂片，嵌入太平洋板块内，已知每年向西北漂移几寸。如这种移动继续下去，五百万年后，包括洛杉矶、圣地亚哥及下加里福尼亚半岛等，就会向西北漂移三百里，封住旧金山港。二千万年后，这片狭长陆块会凸入太平洋中，成为西雅图外面一个半岛。在五千万年内，它可能成为一个海岛。但是科学家无法断言，在未来那么长的时间内，它尾甫仍会继续向西北方移动。

地质学家认为，每当两个板块相遇，或一个板块陷入海沟内时，便触发地震。实际上，凭藉探测此种地震活动，可以精确绘制出板块边界图。南美洲的西海岸是最好实例。那里有一个巨大的海底板块正在陷入一个大陆板块下的深沟中。海底板块插入大陆板块下方时，其作用使安第斯山脉隆起，并触发时常摇撼智利与秘鲁的"深震"。

北美洲西海岸的情况，相信有些不同。那里确有两个板块相互毗连。一为太平洋板块，构成整个太平洋北部，包括加州的一条海岸裂片。另一板块包括整个北美洲及大西洋西半部。

两者的分界线就是圣安底斯断层。但是有一种推动力（真相尚未充分了解）使这两个板块缓缓相擦而过，每年速度二英寸余。太平洋板块向西北方移动，遥远的西北边缘正陷入阿拉斯加外的阿留申海沟中，把阿留申群岛推出海面。北美洲板块则向东南方移动。

圣安底斯断层及其相关的断裂，是地壳中这两大移动板块间脆弱而崎岖的边界。已知有这样庞大力量随时会发作，住在圣安底斯断层附近地区是否很不安全呢？许多专家说，只要房屋建在坚硬地面上，住处距离断层远近实际并无多大关系。房屋建在松软不坚的土壤上，不管距离断层线五十英尺或是十英里，大概都无法抵受强烈地震。

人们故意在断层线上建屋，说来有许多理由。其中一个是，断层时常造成土地下陷，填满沉积物之后，丘陵地便成为极好的平坦低地。这是建造房屋的理想地点。

但是为什么要冒险呢？一对电工技师夫妇正在距断层线仅数百码的莱特坞镇上建造房屋。"我们知道断层线经过这里。"那位妇人坦白地说，"但我们不在乎。这里的生活环境不拥挤，空气清新，没有烟雾。这些理由已够充分了。"

她丈夫表示同意。他每天要乘车到五十英里外去上班，为的只是享受山地的清新空气。"你听那些科学家高谈阔论，"他说，"可是说到实质问题，他们实在不懂。莱特坞镇什么时候发生过地震？"

一八五七年，加州发生过有史以来最剧烈的地震，震央就在莱特坞镇附近。在那次地震中，沿断层线的岩石在一分钟内向旁侧移动了三十尺。但自此以后，这部分断层一直没有移动过。

"嗯！我相信如果这里真有过地震，地壳的张力已经减轻，因而地震不会再发生，"电工技师的太太说，"就像人们说的，闪电决不会袭击两次…只是我不敢确定那句话对不对。"

不管闪电是否可能袭击同一地点两次，科学家坚称，地震仍会继续沿着活断层线发生。惟一的问题是不知下次大地震究竟在什么时候发生。

地质学家至今还无法预测地震。他们能够而且确实测量过沿断层岩石内逐渐增强的张力，希望藉这种研究和其他探测工作，找出预测地震的方法。地质学家利用短时间的历史记录（加州在过去二百年才有人定居，而人口增长主查过去五十年开始的），已经研究出加州大地震的约略周期。沿断层系的强烈地震，约一百年发生一次。

从莱特坞镇驾车北上，可以见到几十个终年开放的游乐公园。这些公园有个共同的特点：里面都有供人钓鱼和划船的小湖。实际上，这些都不是湖泊，而是沿圣安底斯断层北行路线上的下陷池塘。在这个公园区西北面，断层经过地形平坦的空旷地区。这片平原两边的山脉，呈暗褐色，终年笼罩在一层薄霾里。有人在半干旱的土地上放牧牛只。

这里是加州地质学家最爱去的地区，因为它清楚显示沿断层向旁侧滑动的情况。自从一八五七年以来，这片平原的断层一直处于休眠状态，但这个地区留着旧日岩石移动的明显痕迹。

从空中观察，最为清楚。在飞机上，可以看到横过断层线的河床，足有一百五十多条。只有历史最短的小河才笔直横过断层线。其他河道则都被截断了，有的断口两端相距达一千尺远。这种情形是地震时断层线两边的岩石突然陷入新位置所造成。以前是笔直的小河，被截断成为两条不相连接的水道，各在断层的一边。

　　再向北走，断层呈现另一种状态。由于某种不详的原因——或许是这一带的岩石特别坚硬——沿断层线的岩石甚少滑动。张力经过几十年逐渐增强后就发生一次较强烈的地震，从而减低张力。地质学家说这部分圣安底斯断层是锁住了。有人认为，断层上有这些锁住的岩石，将来就会发生大地震。

　　接近旧金山湾时，断层又呈不同状态。在这个地区，断层线两边的岩石每年滑动一、二英寸。断层的岩石在一个地区锁住，在另一地区则缓缓滑动，没人知道原因。但地质学家已注意到，滑动地带比静止地带较常发生地震，而强度则较低。

　　沿着这条不稳的断层地带，我们见到滑动的新证据。围墙、道路和桥梁，需要频频修理，因为表面地形随岩石缓慢移动而移了位。有时建筑物地基也因这种位移而变了形。艾梅顿酒厂出产的红酒全都在加州酿造（一次产量五万加仑），地点就在圣胡安包蒂斯塔南面。厂内一座房屋建在圣安底斯断层线上，地质学家在这里测量断层滑动，至今已有十五年之久。他们报告地面平均每年移动半寸。屋柱已移了位，屋顶在接缝处裂开，一半厂房随着北美洲板块向东南移动，一半随着太平洋板块向西北移动。在艾梅顿尝酒室售酒的科勒姆勃太太承认从未听过断层滑动这件事。"我不想太注意地震，"她说，"我认为倒不如什么都不知道。孩子们对这件事问得很多，我告诉他们那是地里的气体作怪。"

在圣胡安包蒂斯塔北面，圣安底斯断层略向西转，进入太平洋沿岸崎岖的圣克路斯山脉。在这一带地区，断层岩石再度锁住。此后直到北面尽头都锁住不能滑动。这一段锁住的断层，上次断裂于一九〇六年突然发生，酿成该年的旧金山猛烈地震，是加州历史上最惨的灾难。

断层在旧金山湾西面的洋底消失之前，经过一个满布新建筑物的地区。在过去十年间，仅一家公司就在戴里市周围断层地带上小部分地方建造了三万幢房屋。说来也奇怪，在戴里市断层线上面居住的人，很少知道有断层线这件事。

人类怎样才能免受地震之祸呢？科学家正倾全力于三大研究工作——预测、控制及减轻地震。加州门洛园地震研究局的地震预测专家伊顿博士说，最有希望的研究工作是清楚地了解地震的成因，以及更好地认出地球岩石内的警告信号。

美国地质调查所的瓦莱斯博士说："地震预测目前是一项可信及受人重视的研究工作。我们希望在几年或几十年后，能成为实际技术。现在言之尚早。"

科学家为了控制地震、减轻地震强度，现在研究如何在受压力的岩石中触发安全的小地震，从而解除能引起大地震的累积张力。这项研究虽然引人注意，但目前的重点却是，在修筑水坝及其他工程时，如何避免因疏忽而无意中触发地震。

目前正在进行不少工作，尽量减轻地震的破坏力。"我们必须详细查出地震时发生什么事，"加州大学地震学家博尔特博士说，"我们要为工程师提供更多资料，例如地震波长短及其频率、各种土壤的抗震情形，以及地震延续多久等。"

博尔特博士相信，这些研究工作能为结构工程师、土壤工程师，及城市设计人员提供资料，避免地震带来的灾害。

人类在与地震进行长期搏斗中，目前已取得一些成就，不过大自然仍占上风。

一九七一年二月，沿加州圣安底斯继层的一条支线上，突然发生剧烈地震，六十四人死亡，数百人受伤，财物损失超过十亿美元。可是今天大家几乎不知道曾有这么一件事。这条沿地壳六百里长的断口，亘古以来一直发生过不少剧烈地震，但加州人照样安居，就好像决不会再发生地震似的。

危险的迹象并不是没有。那次地震后，地震学家爱尔先生前往加州，看到圣胡安包蒂斯塔附近一座酿酒厂断裂成两半，原因就是该厂刚好骑在许多年前显现的断层线之上。在戴里市许多十年前建造的房屋渐渐沉入海中。沿断层的其他地区内，爱尔看到很多围墙、道路、桥梁及各种建筑物，由于地下有无法觉察的摩擦和移动，经常需要修缮。

爱尔沿着断层线旅行四百五十里，从旅途很多次交谈中断定，在那里买地建屋的人都晓得自己是在玩"地震赌博"。他们不愿去想地震的危险，也无法想，至少谁也没想得那么远。"无知是福，"一位妇人笑着告诉爱尔。可是，爱尔追问怎样应付所冒的危险时，她和许多其他人都以无可奈何的宿命论面对危险，或采取一种有点满不在乎的态度，"嗯！人只活一次；

何况，科学家也会出错。"

就这件事来说，科学家确信自己是对的。加州人住的地方事实上是世界最活跃的地震带之一。这个地区必会再发生剧变。过去十年来，科学家虽然已经展开预报地震，甚至控制地震的工作，但目前还不能解除这项威胁。

十九世纪中叶以来，加州被测得二十多次剧烈地震。在今天人口高度集中的情况下，甚至轻微至中等强度的地震（印第安人仅说那是地球下面的巨人睡觉时翻身），也会造成灾难。

圣安底斯断层起自加里福尼亚湾，向北穿越加州大部分地区，在旧金山北面折转出海。这是岩石不断移动、不断拉紧以及岩石断裂地带上的"主断层"。该断层深入地壳二十至三十里，在不同深度下，宽度自数尺至一里不等。断层在地面上，通常有一种狭窄的痕迹，或是岩层里有充满泥土的一条洼地，或是一条有隆起边缘的裂缝。两边的岩石就沿着这种边缘互相摩擦。

地震发生时，断层线两面的岩石作水平平行滑动，但彼此方向相反。地质学家估计，自从约三千万年前开始移动后，沿断层线的总滑动距离至少有三百五十里，而过去横跨断层，原是毗连的若干个别岩系，则已移动了四百五十里。

岩石彼此锁在断层间，张力越紧越强，地震能缓和这种张力。地质学家说，一个主断层隔开地壳上两个相对移动的板块。最近的研究发现，在过去几千年间，板块沿圣安底斯断层移动的速度，每年平均为两寸许。由于这种经常性移动，断层线上几乎每天总有个地方跟着滑动，因此差不多每个加州居民都或先或后经历过一次小地震。一九七〇年，地震学家测得加州发生过一百三十次轻微地震，强度足以使全州各地都有感觉。

有些权威学者认为，在某一地区内小地震（逐渐滑动）频生，能减低该区发生大地震的机会。他们说，岩石在断层线上某处锁住不能动，大地震的危险就与日俱增。但科学家不完全同意这项说法。有些研究显示，小地震时常是大地震的先兆。

不过，所有专家都同意，沿圣安底斯断层的板块不停移动，今后会在断层某处引起大地震。美国地质调查所的瓦莱斯博士说："二千多万年来，圣安底斯断层系一直在移动，还引起多次大地震。不能因为我们住在这里，就相信地震不会再发生。"

爱尔先生沿圣安底斯断层线北上，是从洛杉矶西面一个地方出发。该处地势崎岖，多山多石。但那条断层线极易辨认出来。沿断层线有地面的裂口、又长又直的马头丘、狭山脊、粉碎的岩石及下陷的池塘（在低洼处，由断层地带下层岩石下陷造成）。

爱尔沿途访问过的人士中，仅两人听到过解释沿圣安底斯断层发生地震的海底扩张、大陆漂移、板块构造等新学说。

这些近年来获得科学界广泛接受的概念，已经使地质学这门科学脱胎换骨。从前，科学家对沿断层移动的原因，没有适当解释。

根据这些新学说，地球在洋底山岭不断扩大新地壳。同时，旧地壳又在深海沟内不断遭受毁坏。地壳裂分为板块。这些板块构成海底及各大陆的基础。新的地壳物质（从洋底山岭裂罅涌出的熔岩）聚在板块的一边时，板块便从洋底山岭两侧向外缓缓移动，横越洋底，速度每年几英寸。最后，地壳板块最老的边缘再陷入地球深海沟内的地幔，再熔成地幔的熔岩。

地质学家估计，自公元二〇〇年以来，加州共经历十二场大地震，但是到一九〇六年地震造成惨重损失，举世才注意到圣安德烈亚斯断层。那次地震的震央位于旧金山市内，毁坏范围从北到南共长六百四十公里。断层沿线，土地顷刻间移开六公尺，篱笆歪倒，树木连根拔起，道路和水管破裂；由于自来水供应中断，地震触发的火灾蔓延全市。

随着科学家对地质的了解日益增多，科技日新月异，现今可利用先进仪器监测地球表面下的水压和岩层活动。科学家相信，大地震发生以前，地震活动会一连几年稍稍增加，据此可在巨灾发生几小时甚而几天以前，作出预报。同时，建筑师和结构工程师进行设计时，也考虑到地震因素，设计出能承受一定震荡力的楼房和桥梁。结果，一九八九年旧金山地震，损坏的建筑大都是旧式房舍，而不是现代化的摩天大楼。

上述地震中，共六十三人丧生，大多是双层桥面的港湾大桥塌下所致。科学家预测，未来五十年间，加州将面临一次严重得多的大地震。据估计，加州南部洛杉矶地区，一旦发生李克特七级的地震，将造成重大损失，总值数以亿美元计，并导致一万七千至二万人死亡，另有一千一百五十万人受烟雾和火灾影响。断层积聚的摩擦能量是日积月累的，大地震来得越迟，强度势必越大。

圣安德烈亚斯断层是太平洋板块和美洲板块相会处。太平洋板块向东北滑移，美洲板块则向西南漂动，距离每年约增加十几厘米。板块间的摩擦力，阻碍板块移动，但是应力会累积起来，积聚到一定程度，迸发出来，于是两个板块就会遽然移动，引起地震。

　　洛杉矶北面帕姆代尔十四号高速公路旁边，岩层变形，显出断层地带所受的强大应力。圣安德烈亚斯断层沿线，岩层大多横向移位；这里的沉积岩皱褶，则是纵向活动造成的。

　　街道上的裂隙，明确显示该区位于断层之上。

　　洛杉矶北面圣加布里埃尔山区，断层压力日益增加，挤压山脉，街道断裂翘起。西面山坡塌陷，每年掉落的七吨岩屑。岩屑堆缓缓伸展向洛杉矶市，正好提醒大家，在加州这一隅，"文明必须得到地质的允许，方能存在。"

□比斯蒂荒地的"幽灵"之谜

　　给刻凿得怪异绝伦的岩石群，矗立在月球表面般荒凉的土地上，这里一度是恐龙出没的沼泽雨林地。

　　美国南部新墨西哥高原的上空万里无云，月亮和银河的奇异光芒笼罩之片土地。偶尔传来狼嚎，令本来已诡异有加的比斯蒂荒地更添几分神秘可怖。

　　在比斯蒂流动的沙丘和干涸的河床中矗立着一座天然的艺术画廊，其中有许多奇妙的岩石雕像：无臂石怪那细长的脖子支撑着不成比例的脑袋；无数巨型蘑菇仿佛从爱丽斯的梦幻仙境中逃出来；古怪的石柱和岩塔似乎是萨尔瓦多达利主题乐园内的杰作。这些形状的岩石被称为不祥之物，非洲语解作灵。在这些岩石之间散布着距今约有八千万年历史的柏树干、棕榈树叶和恐龙的化石。

环顾这片位于浩潮的内海沿岸地貌，几乎看不到生命迹象，寂静荒凉，很难想像这里会是一片湿润又生机勃发的沼泽。恐龙走过长满巨大茂密的树木和蕨类植物的潮湿雨林，发出隆隆巨响，其中包括鸭嘴龙、五角巨龙，以及凶猛的食肉动物暴龙。最早期的哺乳动物也栖息于此，它们长得像负鼠，有老鼠一般大小。

动植物的残骸被埋在沼泽的泥沙里，经过数百万年的紧压，变成了砂岩和页岩。腐烂了的植被渐渐变成煤和泥炭。随后经过地球板块移动和气候变化，使这些岩石升高，形成于燥而高耸的平原。风蚀和非经常性倾盆大雨的冲刷，把这些岩石给刻凿成了今天布满比斯蒂荒地的"不祥之物"，同时使逾二百种动植物的化石暴露出来。比斯蒂荒地为科学家提供了地球历史急剧变化的快拍画面。露出地面的化石包括恐龙和其他哺乳动物的残骸，记录了一亿四千万年的恐龙王朝的结束，同时标志着地球由多毛的热血哺乳动物统治的开端。

到了较晚近的时期，人类才涉足这块神秘之地。约从公元前六千年开始，采猎者及后来的阿纳萨基人才到访该区的泉水，并用石器捕猎动物，以供食用。

到了更晚近的时候，纳瓦霍人在此建立家园。后来被美国

其他土著赶出了原居地，只好退居到比斯蒂地区。到了一八五
〇年，已有不少人家在泉水附近定居下来。他们住在草屋（以
木作结构，以泥来覆盖）里，在附近有草的高原上放羊。今天
的纳瓦霍人把这里看得非常神圣。他们收集彩色的沙子，绘成
沙画，于宗教仪式中使用，并用粉白的泥土在参与仪式的人体
上绘画。

阳光洒在这块令人惊奇的土地上时，绚丽的色彩耀眼夺
目，有淡粉红色、鲜酱紫色及成虎斑纹的橙色砂岩和页岩；有
暴露在外的深灰色煤层；有奶白和柠檬黄色的沙子。比斯蒂像
一幅天然砌图，将大自然的奇趣表露无遗。

□ "上帝的油彩"——福科纳斯之谜

在美国犹他州、柯罗拉多州、亚利桑那州和新墨西哥州四
州接壤的福科纳斯，壮阔奇丽的地貌随处可见。因此，这一带
遍布国家公园和名胜古迹。即使置身于芸芸胜景之中，谢伊峡
谷仍是独树一帜，因为它环境清幽，与世隔绝，而且对于昔日
当地居民的生活和信仰都产生过深远的影响。

这个峡谷是由许多峡谷组成的一个迷宫，经由流速缓慢的
河川雕凿而成，谷底深入到迪法恩斯高原的红砂岩中。峡谷岩
壁的高度从九公尺到三百公尺不等，陡峻而异常平滑；岩壁上
的黑色条纹酷肖油画中的线条，有"沙漠油彩"之称，那是千
百年来富含矿物的水流从崖壁上流下岩面而造成的。

你能读懂一千年前的岩画吗?

风霜侵蚀峡谷边缘，使巨砾冲落谷底；不久，巨砾分解为沙粒，随风而去。因此宽阔的谷底看上去非常整洁。春季，银白色的溪流在沙堤间蜿蜒；当地的纳瓦霍人种植了一片片小果园，园中盛开着苹果花和桃花，争妍斗丽。

虽然谢伊峡谷的冬天很冷，但总能吸引人前来定居。高耸的悬崖脚下多是幽深的壁凹，其中几处矗立着好些岩石建筑群的废墟，那是一个消失于公元一千三百年左右的古代民族所留下的。在他们之后来到此地的纳瓦霍人将他们叫作"阿纳萨基"，意为"古人"。

　　十六世纪来到谢伊峡谷的西班牙人将这一带顽强不屈、足智多谋的当地人称为纳瓦霍人。这些当地人自称"迪纳"，意即"人们"。他们神圣的家园尽收峡谷之内，给圣弗朗西科峰、赫斯珀勒斯峰、布兰卡峰和泰勒由四座高峰所环绕。

　　峡谷之名来自纳瓦霍语，本意解岩谷。就在谷内阿纳萨基人的墓志铭旁边，纳瓦霍人也记载了他们自己关于神创造天地的故事。这些故事和传说被画在或者刻在许多洞穴的岩壁和岩架上。

　　也是在这里，纳瓦霍人从峡谷的要塞向接踵而来的入侵者开战。首先进侵纳瓦霍人的是西班牙人，后者作为报复，屠杀了一百一十五个纳瓦霍男女老少。

　　然后入侵的是美国移民。一八六三年，美国政府派遣了几支由卡森上校率领的骑兵部队围困纳瓦霍人。结果约七千名纳瓦霍人被驱赶到新墨西哥州。这段旅程长达三百三十公里。

　　四年后，美国政府让纳瓦霍人重返故土，他们的家乡现已被划为纳瓦霍人居留地。这片土地上的每一块石头、每一样大自然的东西都融进了纳瓦霍人的信仰之中。

　　离谢伊峡谷不远就是石化森林国家公园，那是一片布满树干的荒漠。躺在那儿已达二亿三千五百万年之久的树木会在恐龙时代早期繁茂以至枯死。当时这个位于亚利桑那州的地区还是一片热带沼泽。

　　那些倒下的树木，被埋进沉积物中。它们从地下水中吸收了硅元素。树木中的有机物逐渐由五彩缤纷的硬马瑙取代；包在石化树木外面的软石层、蕨类植物、鱼类以及爬虫化石被侵蚀掉了，从而形成这个记录了地球早期历史的形象化文献。

隐藏在谢伊峡谷陡崖壁凹的废墟是一组宏伟的岩石建筑群，里面有高耸的塔楼和地下厅堂。其建造者从公元一〇〇至一三〇〇年之间在这里生活，被纳瓦霍人称为阿纳萨基。

阿纳萨基人是杰出的建筑人才，而且在耕作、棉纺、编篮和陶瓷方面都表现卓越，足迹远及墨西哥和太平洋沿岸，却于十三世纪晚期消声匿迹，原因不详，也许遭遇旱灾与饥荒。只有所留下的建筑物标识着他们的历史。

□贮藏"装饰品"的洞穴之谜

新墨西哥州有一个洞穴蕴藏着丰富的地财和变化无穷的装饰物。

凡去过新墨西哥州莱丘加尔拉洞探险的人都会感到不可思议。直到目前为止，已在美国南部荒山下面发现了近一百公里长的洞穴和通道，是世界上最长的山洞群之一。洞中有各种各样的"装饰品"，即矿物硬壳，从洞顶垂下，将洞穴装饰得美不胜收。

这些装饰物绚丽多姿，让人目不暇接。外形类似鸟池的扁平岩石下面有多节的细颈柱支撑，呈柱状的钟乳石从洞顶悬垂下来，一缕缕细如发丝的石膏可延伸六公尺长。有些石膏形同珍珠，有的像爆玉米花、气球和薄霜覆盖的冷杉树，也有像优雅的褶布的。

山洞庇护着"白宫"，已有一千多年了。

说来真怪，这样一个与众不同的仙境一直未被发现。多年来虽然偶尔有好奇者到洞中探险，但是直到一九八六年才有一群探险者迈出突破性的一步。吹进洞门的强风吸引了他们，因为显示了在岩洞深处有更巨大的洞穴群。他们将洞底的碎石挖开，发现一个几乎垂直的矿井，称为"石瀑"，因为当他们递降时，石头像瀑布一样从这儿坠落。矿井下面是个美不胜收的洞穴迷宫。

　　莱丘加尔拉洞的探险进行得非常缓慢而又谨慎，不单因为地形险峻，湖水幽深，更因为探险者强烈地意识到那些装饰物是多么脆弱，而他们可能引起的变化例如温度上升，都会对洞穴状貌构成影响。

　　无论探险者落脚时多么谨小慎微，总会踏碎或弄脏某些装饰物原有的外层。许多山石膏形成的装饰物更是不堪一击，一不小心就会损坏或毁掉几百万年才形成的结构。即使洞口拓大后使洞内的空气变得略为干燥，也会令石膏装饰物受到腐蚀，可能最终会坍塌。

　　探险者有严格的行为守则。他们会尽可能赤脚走路，以免弄脏洞底，但是在洞底凸凹不平处得小心翼翼，以防划破双脚，留下血印。所有垃圾都被装进塑料袋中，没有人在洁净的水坑里洗刷。

　　大多数石灰岩洞是略呈酸性的雨水渗透到地下而形成的，莱丘加尔拉却正好相反，是从下而上形成的。来自地层深处油质沉积物的气体通过岩缝升腾而起，与氧气和水混合产生了硫酸，硫酸与石灰岩发生化学作用，从而形成了密密麻麻的岩洞和石膏。

几百万年以来各种溶于水中的矿物，通过迷宫般的水道不断点缀着岩洞。这些装饰物包括石笋和钟乳石，以及许多石膏作品。在一处名为"吊灯舞厅"的景点，悬垂着许多石膏结构，美妙绝伦，令人屏息而立。从洞顶渗进来的水将洞穴系统高处的矿物溶解，水分蒸发之后，留下许多结晶体，因而形成那些石膏作品。洞穴专家认为，为了保护莱丘加尔拉洞中的宝藏，使之免受破坏，应禁止公众参观。

□为何加拿大丢了夏天

一八一五至一八一六年间的冬天，加拿大南部和美国东北部地区没有什么特殊的现象。春天来临，还是像从前那样刮起大风。三月底，一连几天有雨有雾，池塘溪流的冰开始融化。大地解冻，寒气渐消。

四月里，万象更新。鸟儿纷纷从过冬的地方飞回来筑巢，枝头生出新叶，颜色娇艳的春花，点缀着棕色的林木和嫩绿的草原。

根据零散的记录，那年春天开始时虽无异状，但不久就发现春天的脚步放得特别缓慢。就记忆所及，春天从来不会来得那么迟。有些人抱怨说春天不应那样寒冷，但没有人因此而惊慌。北美洲这部分地区，四月仍然寒冷，并不算出奇，但是到了五月，天气还没有回暖，不合时宜的寒冷天气便成为挂在人人口边的话题了。这个时候本该把取暖的炉子熄灭，园子里也该长出新绿，农田里生出幼苗，但是春寒料峭，好像冬天执意留恋不肯离去。每天清晨，地上铺满白霜，水桶结冰。

　　然而大家还是耐心地等待，相信天气不久就会恢复正常。上了年纪的人忆述以前也有几年，五月还下雪，但夏天还是照样来临。没有人怀疑一八一六年会是例外。

　　不过到了六月，大家都觉得这年真是跟以往任何一年都截然不同了。这个月起初很正常，白天温度升到华氏八十余度。到六月五日星期三，哈德逊湾刮起一股强烈的冷风，扫过圣罗棱斯谷，直吹新英格兰。豪雨夹在强风中倾盆而降，下了一个下午和整个晚上。气温也跟着不断降低。第二天早上，气温只有四十度出头，又因为下起雪来温度继续下降。维豪特州本宁敦市的雪由天刚亮直下到午后三时。风雪过后，加拿大魁北克市积雪十二英寸，而新英格兰许多地方积雪也有六英寸厚。一个农夫在日记上说："从没见过这样阴暗反常的天气。"

　　一日复一日，离奇的冬季天气不但没有消失的迹象，反而变本加厉，气温从未高过华氏五十度，大都是徘徊在华氏三十余度。农民月初满怀希望地插下的幼苗，结果都被不合时令的霜雪冻死。大地看来像一片焦土。新罕布什尔州的一位牧师写道："新英格兰的玉米差不多全被霜雪冻死…饲料歉收最令人忧心。"

　　如果这时天气转变，恢复正常，惊慌的居民也许会镇定下来。可是天气一直没有回暖。从七月到八月，黎明时气温大都是华氏四十余度。到了八月底，清晨的气温是三十余度。当中一连几天天气回暖，大家都兴致勃勃地再次整理庭园，农民也栽种玉米和其他谷物，希望在冬天来临前有一次收获。但是庭园和农田再次为霜雪所损坏并掩盖。严霜在九月中旬便降临，那是新冬的第一次，比正常期略早了一点。

大家面对冬季的来临都感到恐惧，因为他们的土地并没有种出什么粮食来。幸而有些人还存有去年丰收剩下来的少量主要食粮。他们虽然还可以捱过这一年，但是都不知道一八一六年的夏天为什么会这样奇怪。若是以后的夏天都是这样，他们怎样生存下去呢？一八一六至一八一七年间的冬天特别寒冷，但是春天照常来临，而一八一七年的夏天十分正常。自此以后，每年的夏天也未再发生这种反常现象。

那一年为什么没有夏天呢？有些科学家认为，原因是从太阳来的热能被一大片灰尘阻隔了。在那个反常的季节，由于尘云在高层大气的位置，可能挡住太阳辐射，热能没法到达那一区域。大气层中积聚了过量的灰尘，是因为曾有几次火山大爆发。一八一五年，爪哇东部松巴洼岛上淡波拉火山大爆发，喷出巨量灰尘，跟早先一连串火山爆发喷入空中的灰尘积聚一起。这一大片灰尘，很可能在一八一六年的夏天把北半球的上空掩盖，使新英格兰圣罗棱斯谷地区的天气变成寒冷，出现了一个反常的夏天。

这样的情形会再发生吗？

有些科学家预测，一定会再发生，而且再发生的日子离现在不会太远，寒冷的时间还会更长。他们指出过去数十年间，在高层大气中已积聚了不少灰尘。有些预言家说，如果这种情形再继续多年，譬如再继续一百万年，地球便会进入另一次冰期。山上会形成冰川，南北两极原有的冰川也会扩张，然后遍布各大洲。大难来临前，夏天越来越凉，冬天越来越冷。

直到最近，高层大气中的灰尘主要是来自地球上的火山活动，灰尘积聚多年不散。一八八三年喀拉卡托火山大爆发，所产生的巨量灰尘，影响世界各地的天气达十年之久。其中有一大段的日子，北美和欧洲的日出日落，都受灰尘的影响，呈现奇异的玫瑰红色。

火山喷出的灰尘虽可引起反常的天气，历时多年，但基本上只产生地区性的影响，而不会改变全球的气候。例如一八三四年冬天，美国南部奇寒；一八九五年，冷锋伸入佛罗里达州的南端，多时不去，这些都归咎于火山的灰尘。

现在人类自己的行为也可能使到达地球的太阳辐射渐渐减少。空中累积的污染物加在原有的灰尘里，后果如何，现在还只能作出猜测，但一般都同意：如果空气污染的情况继续下去，全球的天气便会逐渐改变。人类也要适应较长、较冷的冬天和较凉、较短的夏天。有些农作物必须移到较南的地方栽种，例如要种植三个月才能收成的谷物便不能在加拿大南部生长。目前加拿大的经济，大半仰赖需要九十天才能成熟的小麦。

不容否认，人类的活动正影响一个最基本的自然现象，那就是气候。如果我们朝着改善的路走，世界会变得更美好。但如果朝着恶劣气候走，我们便要多加小心了。

□守时的间歇泉之谜

河流湖泊里看得见的水，只不过是陆地上水源的一小部分，其余的大部分都隐藏在地下的天然水库中。事实上，河流湖泊如果单靠雨水，恐怕都会逐渐干涸。湖水保持水位，河水长流，全赖地下水供应，甚至在干旱时也照样源源不竭。

雨水和融雪渗过泥土、岩孔、岩隙，不断注入地下水库补充水源。水或在地下流到远方，或成泉源，流出地面，变为溪涧、江河、湖泊，最后注入大海。

井水是一般人最常见的地下水。但是，地下水有时用不着掘井也看得到。其中最引人注目的就是从地下涌出大量沸水的间歇泉。世界上最壮观的间歇泉散见于冰岛、新西兰和美国怀俄明州珞矶山脉高原上的黄石公园。黄石公园里至少有一万个间歇泉、热地、沸腾的泥喷泉和喷气孔。

间歇泉的形成须有几个特别条件。首先，地表岩层下要有沸腾的熔岩（火山岩浆），把岩层底部烧热。其次，岩层中要有狭窄的通道，从烧热了的底部直通地面。通道四壁又要坚实，抵受得住喷泉的喷发力。最后，还要有地下水源，遇到熔岩烧沸后，被迫向上喷出。温泉和间歇泉的主要分别，在于熔岩把水烧热的程度。如果热度和压力足以产生水蒸气，喷发出来就是间歇泉。

黄石公园占地三千四百七十二平方英里，间歇泉和温泉四处散布，看来好像杂乱无章，事实上却是分布在界限分明的地带上。这些地带位于岩块可以上下左右移动的断层或裂缝上。困在地下的水蒸气和沸水，可以沿着断层喷出地面。黄石公园里间歇泉发出的热量，把冬天的环境也变得很适宜动植物生长，因此间歇泉附近，都成为动物聚居、植物业生的地方。

黄石公园间歇泉附近有许多熊穴，无数雀鸟也飞到这个温暖地区来过冬。池水因为有喷泉涌出的温水，冬天不会结冰，所以常可看到鸭子在池中游来游去。黄石河流经间歇泉地带的一段，河水温度比平均数高出六度，所以鳟鱼在整个冬天里还是很活跃。

老信徒间歇泉是黄石公园里最有名的喷泉，但并不是威力最大的一个，还有比它喷得更厉害的，例如稳定间歇泉便整天喷个不停。老信徒间歇泉也不是最美丽的天然喷泉，只胜在喷发有定时，始终那么好看。喷得和它一般高的喷泉，都没法和它相比。

老信徒间歇泉位于一个圆丘的中央。这个圆丘由间歇泉本身喷出的矿物堆积而成，高约十二英尺，最宽处达五十五英尺。泉水中含有大量溶解了的矿物质，俗称"硬水"。对硬水有认识的人都知道，烧过这种水后的水壶，内壁会留下一层矿物质。这些物质是水分蒸发后留下来的。

喷泉口底部四周的情形也正是这样。黄石公园里有些间歇泉存积的矿物质，结成奇岩异石，形状或似椰菜、或似海绵、或似椅子、或似花朵，有的还像项链，比老信徒间歇泉的圆丘更引人入胜。有时泉水流下山去，沿着山坡积成一级级的台阶，例如黄石公园的大温泉就是这样。堆积物上可以看到各种艳丽色彩的线条，主要是因为泉水含有不同的矿物质，不过也有些是那些能在高温下生长的水藻所染成的。

许多人以为老信徒间歇泉定时喷发，有如时钟那样准确，事实并非如此。从前是每六十至六十五分钟喷发一次，现在的规律已大不如前，有时隔三十分钟喷发一次，有时则隔九十分钟。每次喷水通常都有预兆，先来一阵短促的喷发，然后慢慢升起一根美丽的水柱。起初水柱似乎升得很费力，过一会儿才向上猛喷，在一百一十五至一百五十英尺之间上下跳动。水柱顶端被微风吹开，散出一阵明亮的水花，在阳光下闪出虹霓的色彩。这个奇景每次只维持二至五分钟，而喷水量却多达一万二千加仑。

上面所描述的，不过是老信徒间歇泉的外表景象而已。深入地层下面，还隐藏着一套通连熔岩或热岩石的复杂水流通道系统。渗到这个系统之内的地下水就如水壶中的水被火烧一样。壶中水被烧会对流传热，热水上升冷水下降。但地下间歇泉的水因通道狭窄而没法子上下对流，底部的水很快便烧沸，而上面的水还是很冷。下面的水受上面水柱压力，因而沸点提高，和高压锅的作用一样。

通道末端的地下水越来越热，水温终于远远高出正常的沸点。蒸发出来的水汽也被通道上层的冷水压着排不出来，结果冷水因而间接得到加热，膨胀起来，涌出泉口。泉水排出后，底部水所受的压力陡然下降，使过热的沸水化为蒸汽。沸水突然从液体变成气体产生了威力巨大的爆发力，把水和水汽一起喷出泉外。

老信徒间歇泉的喷发虽然不像钟表般准确，但已属极为难得，因为只要渗入地下的水量或地下岩层温度略有变动，都会大大改变喷泉喷水的规律，甚至可能使它完全不再喷水。比较起来，其他间歇泉喷水，多半都不算有规律，有时几分钟喷一次，有时几年才喷一次。现在许多地质学家认为，大西洋海盆的洋底正在山岭左右两面向外扩展。由于洋底不断从中线裂开，裂口越来越阔，新的火山物质就沿着山岭的断层向上涌。这个现象还把海洋两岸的大陆推开，彼此相隔越来越远。沿着山岭这种继续不停的地质活动，可能是熔岩从地面下数百英里的地幔向上升的大规模对流的一部分。冰岛上有巨大"张裂缝"形成的裂谷，把岛割成两半。

黄石公园还有无数不能喷发的间歇泉。有些是冒蒸汽的水池，无声但有小波动；有些是经常冒泡的温泉，像个大汽锅。这些都是因缺少一个或几个条件而不能喷发的间歇泉。其成因通常在于地下通道的形状，过热的沸水在累积到足以爆发的膨胀力之前，便能排到别处去了。不能喷发的温泉之中，最引人注意的是硫磺泉。硫碘泉大多数只排出少量泉水，但泉口的边缘，却厚厚的积满一层鲜黄色的硫磺。

一项有趣的新研究发现，控制间歇泉喷发的"地时器"，可由月球引力及地震影响而重加调整。美国地质学家莱因哈特指出，每逢朔望，月亮与太阳排成一直线时，地球地壳上所受特别强烈的引力，会把间歇泉喷发的时间改变超过一小时。此外，老信徒间歇泉也曾证明地震前后地壳所受压力的变动，足以影响喷发的规律。一九五九年八月美国蒙大拿州地震前数月，老信徒间歇泉喷发的相隔时间，比正常六十五分钟喷一次的规律缩短数分钟。地震后不久，又突然延长到六十八分钟喷一次。据地质学家推测，地壳的压力把间歇泉的断层弄歪，有碍地下通道中蒸汽及沸水的正常流通。虽然整个自然作用过程还未确切了解，但间歇泉对外界事件的反应，远比我们以前所相信的为多。

□大盐湖之谜

大部分地方都有一个需要知道的主要特点。掌握了这个特点，其他枝节问题都可以迎刃而解。犹他州海拔约四千五百英尺的大盐湖就有它本身的特点。今天这个长七十五英里、最宽处有五十英里的湖，只是过去一个内陆水体的残余。这时这个巨大的水体要比现在大二十倍、深六十七倍，水量也比现在多好几百倍。

从一八七三到一九四○年，湖面降落了约十六英尺，湖岩线有的地方推前了十英里。因此露出的新地几有八百方英里，大半是有恶臭的淤泥滩或水潭与陆地交错的高地、杳无人烟、贫瘠荒凉、草木不生、难以通行，不过有些地方驾车也可以到达湖滨。

大盐湖的今天是个了无生气、甚至对人有害的地方。盐湖城离开目前的湖边十五英里。湖滨没有避暑小屋，也无人到那里去钓鱼，因为湖里无鱼可钓。盐度很高的咸水里很少生物能够生存，只有几种绿藻和原生动物、一种小虾和两种苍蝇。

一八九〇年代，湖上有过一个消夏胜地，那是一座辉煌的大亭子，附有楼阁，建在一堵深入湖中四分之一英里的长堤上。游人可坐蒸汽火车到达长堤尽头。这座建筑现已处于内陆地方，离开目前的湖边有四分之一英里远，而且部分已经毁于大火。

大盐湖从十九世纪中叶到二十世纪中叶减退得这样厉害，是由于湖面蒸发的水比从山涧与小河流入湖中的水多。一九四〇年代，差额倒转过来，流到湖里的水，开始超过蒸发的损失，结果是湖水逐渐升高。到了一九五〇年，湖水已经升高到离开十九世纪中叶的湖面不足十二英尺。从那时起，湖水又降了，但一九七〇年代中期，湖水剧升，到一九七七年，湖面扩大了一倍。

今天，一条铁路堤道把大盐湖分成两个不相连的湖，盐度各不相同，差别极大。目前约有百分之十的淡水流入南湖，因此含盐的浓度是百分之十点六。北湖所得的淡水少得多，含盐的浓度是百分之二十六。

湖里的盐分由注入盐湖的河溪带来。河溪水里溶解的少量盐分和矿物质，则是从附近岩石和土里冲下来的。因为盐湖没有出口，水分只靠蒸发湖中逸出。水分蒸发后，留下溶解在水里的盐分矿物质。因此从犹他州山中冲下来的盐分，集中这里成为藏在山中盆地里的一个小海。

在大盐湖游泳，饶有趣味。湖水含盐浓度高，在水中不会沉。头脚和双臂都能浮出水面，所以能在水上漂。从水里出来时，身上几乎立刻变得干爽，在皮肤上面留下结晶的盐。

这个古老的大湖，曾一度占有整个盆地。逐渐干涸后，在现今大盐湖的西面和南面，留下一片广阔无垠的沙漠。这片沙漠南北长一百六十英里，向西延伸约七十英里。茫茫一片，撒满几十亿吨盐，说不定是北美最难开垦的自然环境。想徒步穿越大盐湖沙漠，无异是去找死。这块寸草不生的平原上，虽然有一条公路，但是在这条公路上驾驶汽车，应该知道有五十英里路远，两旁既无别的道路，亦无房屋。

公路在盐湖城西面约一百英里处，从鲍尼维尔盐滩旁边经过。这是一个坚硬的白壳，长十四英里、宽七英里，非常平滑，就像湖上盖着一层冰似的。那层"冰"当然是盐，汽车在这层盐的平面上飞驰，时速经常刷新世界纪录。在飞机上可以看到下面有条又长又直的黑线，那就是指示飞车的标线。这里没有看台、没有房舍，只有白茫茫的平原和附近的童山野岭，一片荒凉不毛的景象。

这片距离目前湖滨这么远的盐滩是怎样形成的呢？古代的湖床上，这一带比较低洼。湖水减退，洼地上留下一片盐度特高的湖水。湖水干涸后，只剩下坚硬、平坦、光滑的一层盐。

鲍尼维尔盐滩表面以下几英尺，现在还泡着水。类似灯心的吸水作用，使盐层保持坚实，水分也能冷却盐层。在沙漠灼热的阳光照射之下，水泥道路很快就热得能把鸡蛋煎熟，可是盐层的温度通常总比气温低十度。

干旱时期，某些地方盐层下的水干涸，结果盐滩表面碎裂，形成许多深坑。可是到了冬季，从附近高地流下来的水，往往会把盐滩淹没，盐层的表面松软之后，又恢复平滑。

我们怎么知道大盐湖沙漠整个地区在远古时是个大湖呢？山腰上留下的高水位线就是证据。这些高水位线极易辨认。最高的线比现在的湖面高一千英尺。水位线完全是水平的，所以非常显眼。专家已经辨认出二十多条湖岸线。每条线都足以证明，湖水曾在那个水位，停留瞭了几百年或几千年之久。

这个冰期巨湖地质学家称为"鲍尼维尔湖"，由周围群山顶上的冰冠融化出来的水汇集而成。大概在二万多年以前，鲍尼维尔湖的面积最大，那时湖水在西北方泻出，形成一条大河，沿着现在的蛇河与哥伦比亚河河系，注入太平洋内。

现在人们对这个大湖最开心的，不是它在地质史上的各种成因，而是它在过去遗留下来的东西，究竟能在这里开采一些什么矿物。大盐湖水所含的矿物质，约是海水的七倍。地质学家估计，湖水含盐约六十亿吨。除食盐、石膏和钾碱外，湖水中还含有许多硼、锂、硫、镁和氯等元素的化合物。

湖中最重要的矿物出产是镁盐。另一种重要的资源是锂。这种最轻的金属质地很软，可以用来制造滑润油、陶瓷、火箭燃料等。此外，医药科学工作人员最近试用锂化合物来治疗各种精神障碍。

开发这些资源的人，使用与湖中盐分通过蒸发逐渐聚积的类似方法。首先，挖掘一些浅蒸发池，用抽水机把盐水抽到里面。太阳和沙漠上的空气把水蒸发了以后，盐在池底沉积。把这些沉积物舀出来加以提炼，方法很古老，可是也有新的地方。现代工程师知道怎样控制这个程序，使溶液所含各种不同的盐类，包括最稀有的盐类在内，有条不紊地逐一分开，注入本身的池里。

这种程序有个显明的标识：一排蒸发池。这是一个盐场，较为精确的叫法，是一个用太阳能作动力的大工厂。最古老的盐场不在湖上而在盐滩上。那里有个盐场一直在提炼钾碱，用作肥料。钾碱是从鲍尼维尔湖在冰期中形成的沉积层里抽取出来。目前大盐湖湖边正在兴建别的工场，规模更大。

那种招人厌恶的垃圾就是这样突然变为宝藏。湖滨淤泥滩上，到处是盐场。从地面上看，看不见什么，但从空中俯瞰，实在是最大的人工景物。因为蒸发池中盐水的化学成分各有不同，在阳光照耀之下，各池露出独特色泽，有蓝、棕、银、紫、乳白等，看来像沙漠上的一块块巨大彩色玻璃窗。

即使在一个工业国里，大盐湖依然不失其奇妙的气氛。它是盐质沙漠边缘镶嵌着的一颗蓝宝石。

□冰川还会到来吗

上次冰期的许多遗迹中，最著名又最令人一见难忘的一处就是加里福尼亚州的约塞密提谷。这个壮丽的峡谷，位于内华达山脉西面的斜坡，是千百万年前形成的。当时这个地方只在高山斜坡上有一条山溪冲出来的地沟。后来，隔了很久，一条冰川以雷霆万钧之势流经该地，才造成我们现在所见的奇景。

从前，一层很厚的大陆冰原曾几乎把整个加拿大和现今美国中部及东部三分之二的土地掩盖了。西部掩盖山区的大冰块则互不相连，名叫谷冰川。现时除澳洲外，各地高山都有谷冰川，只是体积不及从前的大，而延展范围也不及从前那么广阔。

环绕着约塞密提谷的内华达群山中，现在仍有小型冰川约六十条。若跟阿拉斯加的冰川或阿尔卑斯山的冰川比较，这些小冰川显然微不足道。事实上，其中许多条看上去并不像真正的冰川，只像未完全融解的大堆积雪。不过，它们经年不融，又有许多层，层层堆积，还会移动。由于有这些特点，它们算是真正的冰川。那条原先冲开约塞密提谷的冰川，现在已经消退得无影无踪了，但只要走进山区去，很快就会发现那条冰川发挥威力的痕迹。

从西面进入约塞密提谷那条路，最初是从加里福尼亚中央低地沿梅西特河朝上游走，直到一个名叫波塔尔的小镇，地势并不崎岖。然后，峡谷变得狭窄弯曲，仅可容纳一条公路和一条小河。游客到了这里，就注意到公路两旁那些有如石墙的万仞峭壁。谷中两边峭壁的廓线，形状略似 V 字形。世上所有由溪流冲出来的幼年谷，都有这种特点。

过了波塔尔几英里，地势开始改变，豁然开朗。谷底较为宽阔，两旁的峭壁相距较远。公路和溪流都任意在广阔的谷底蜿蜒前进，而山谷的轮廓线显然是个 U 字形。很奇怪，到了这里，人的比例感觉全不对了。峭壁的高度简直无从揣测。一些早期的探险家必然也有失了比例感觉的情形。他们估计甲比丹山的高度，有的说是四百英尺；有的说"至少有一千五百英尺"。实际上，从谷底算起，甲比丹山的高度是三千六百英尺，换句话说，甲比丹山的高度是直布罗陀岩的两倍半左右。

有两个地点特别适宜观看约塞密提谷的主要景色。第一个是在爬上山谷南面高坡那条公路的较低部分。从路上向东仰望，左方甲比丹山陡直的巨大绝壁，在谷底耸立；右方是新娘面纱瀑布，从高处一个小悬谷的尽头下泻六百二十英尺，直冲落谷底。在世界各地，经冰川冲刷过的山区常有这类悬谷。一条冰川较为急速地冲过"主谷"时，把主谷谷底冲得又深又宽。主谷原有的一些支谷，就都高高在上，距离主谷谷底甚远，成了悬谷。

在这个地方看约塞密提谷的轮廓线呈 U 字形，谷边的峭壁近乎垂直。远远望去，九英里外的半圆山就在峭壁之上。由谷底算起，该山高达四千八百英尺。

沿着公路上行，第二个适宜停留嘹望的地点是冰川角，比上述地点高三千英尺，可直接俯览又阔又平的谷底，梅西特河就在三千二百英尺下蜿蜒流过。

山谷对面稍为偏左的是约塞密提小河。小河尽头是个悬谷，河水下泻二千四百二十五英尺，形成上下雨条主瀑布和中间连续几级小瀑布。春天高处积雪融解，河流泛滥，这条急流从几达半英尺的高处下泻，声如雷鸣，令人叹为观止。暮春时节，各瀑布的水量都大减。到了夏天，很多瀑布的水流可能干涸。因此，初夏水少时，新娘面纱瀑布才真的名副其实。这时候水流缓慢，小瀑布成为一片薄水帘，被风吹得时而向左时而向右，飘来飘去。

东面，半圆山昂然兀立，成为这一带景物的中心。更东，内华达山脉高耸在二十英里之外，峰峦层叠，披着积雪，开如锯齿，越显出那些美丽动人的山谷布置得章法不俗。内华达山脉所在的那片地壳向西倾斜，那是由于东边地壳上出现的裂缝或断层突然上升了几千英尺所造成。

冰期之前，梅西特河是沿着上述山脉西面的斜坡向下流，而全程都在一个 V 字形谷内。约塞密提和新娘面纱两条小河都是梅西特河的支流。当时雨河的河水并非跟现在一样泻入梅西特谷。后来内华达山脉断块上升，向西倾斜的程度增加。梅西特河本是直接沿着山坡的方向往下流的，这时水流湍急渐渐冲出一条更深的河槽。但它的支流由于不是直接沿着那个增高了坡度的山坡向下流，所以河槽的增深速度远逊于主流。因此在注入梅西特河之前，沿途变成许多急流和小瀑布。

冰期来了。冰川在内华达山脉的高地形成后，遇到哪个山谷就顺着哪个山谷向下流。梅西特就是这些山谷之一。由于流经该谷的冰冲蚀了两侧和谷底，该谷便越来越宽阔，终于成为典型的 U 字型。我们可以想像：在冰川最大的时期，约塞密提谷里差不多满是冰。冰向低处移动，快要到达波塔尔时才开始融解。波塔尔必是冰川前进的尽头，因 U 字形谷到了这里便变为未经冰川冲蚀的 V 字形谷了。

在上述那个时期，约塞密提谷中大部分坚冰最少厚达五千英尺。在一片荒凉的冰原上，惟一露出冰外的陆标大概就是半圆山的峰项。许多条小冰川汇合成为一条大冰川时，那种景象一定极为壮观。每条冰川必然会挟带大量岩屑，或是冻在冰块里，或是落在冰川上。这种岩屑在冰川两侧附近特别厚，叫做"侧碛"。在半圆山之下，有两条侧碛合而为一，位于主流的中间，形成一条"中碛"。它的颜色是黑的。由于冰的颜色较浅，所以中碛好像是冰上的一条黑纹。中碛亦步亦趋地随着冰川弯曲，把冰川流动的踪迹更清晰地显出来。从上空观察现在阿拉斯加和格陵兰两地仍然存在的若干冰川，就可以很清楚地看见这种中碛，使我们可以想像远古时约塞密提谷的状况。

　　约塞密提谷的冰终于消失，露出了新娘面纱和约塞密提两条小河，现在这两条河已不像冰期前那样沿途变为许多小瀑布才注才梅西特河，而是被逼下坠成为飞瀑。

　　我们研究过约塞密提谷，就不难了解阿拉斯加和斯堪底纳维亚两地海岸峡弯的来厉。峡湾只是一个冰川造成的 U 字形溺谷。我们假想海洋的水位高涨，加州被淹，约塞密提谷的水深达千英尺。在这种情形下，这个山区就成为一个方向朝西，形状狭长的港湾，水很深，而且有悬崖峭壁。这不就是个典型的峡湾吗？

　　约塞密提区除了冰川的遗迹之外，又以奇形的花岗岩著名。有又陡又大的峭壁，壁面广阔平滑全无裂痕；也有圆丘和圆穹组成的奇景。圆丘和圆穹成了今天这个样子，显然是经过风化作用，把岩心周围的岩层消蚀后形成的。

　　半圆山充分显示峭壁和圆穹的形成过程。谷中较低之处遭受冰蚀，上面的圆穹因而崩坍了一半，结果圆穹朝北的一面成为峭壁。半圆山的圆形部分是山中花岗岩系受到风化作用和岩层剥落而成的。

约塞密提谷会不会再有冰川？北美洲这一部分至今已有过多次冰川，四次大的，许多次小的。未来的情形很难预测，各种预测又大都随各自服膺的学说而有不同。说不定将来冰川再度发生。我们现在也许处于间冰期。不管怎样，冰川作用是地球较近时期发生的最可观的地质大事，也给我们提供了解一些自然界奇观的基础。

□印第安人的土墩之谜

十六、十七世纪，欧洲探险家登陆北美洲，看到的是莽莽苍苍，全未开发的荒野。这些探险家几乎一致认为美洲虽然有一些人类文明的征象：比如墨西哥及其南部中美洲的建筑群和纪念碑、工艺品等，北美洲却似乎没有古代或近代文明曾经留下任何痕迹。这个广袤肥沃的大陆上只有半游牧的印第安人居住，他们分明长期定居于此，世世代代依靠这块富饶土地上的物产生存，却没有创造出什么永垂千古的文物。

不过十八世纪殖民者前往西部开发，抵达俄亥俄河和密西西比河流域时，偶然发现一些罕见的土墩，其上长满树木和草叶。土墩外形独特，显然是人工所筑。后来在相当于美国中西部和南部的广阔地区，陆续发现更多类似的土墩，早期殖民者便把这些土墩看作是某些早已湮没无闻的文化的遗迹。这些土墩有的造得较低矮，堆成动物模样而比这种动物巨大千百倍；

有的则高达三十米为圆锥体，也有的是平顶金字塔形状，塔占地若干公顷。

殖民者同时发现四周围的一大片一大片土地，以俄亥俄河及其支流一带为多见。例如，日后成为俄亥俄州纽华克市的地方，当时便有堆成两个大圆圈、一个四方形和一个八角形的土墙，而且全部有从长通道连贯，这些泥土建筑物占地共十平方公里，这是个古代民族的首都吗？十八世纪欧裔美国人都确信这些浩大不凡的工程，不会是他们碰到的当代印第安人或那些印第安人的祖先所造。

殖民者发掘许多土墩，原来的信念更加坚定。他们发现大量令人叹为观止的工艺品：精致的陶器、雕制精美的石烟斗、图案优美的石刻、用红铜或灵母制造的岛形和虫形制品。由于埋藏这些工艺品的土墩同时埋了人类骸骨，土墩显然是墓葬，埋下人类。

想来这个古代社会和古埃及人一样，看重把死者送往另一个世界，并以无数饰物陪葬。相反，动物形的土墩，就如这些土墩外表所示，只取动物的形状，可能应宗教方面的需要而堆成，平顶的大土墩看起来则似乎是建庙宇的平台。此外，一般考古学家相信这些土墙可能是造来围住圣洁之地，而不是城市的外墙。

一八四八年考古学家斯奎尔研究过纽华克遗迹，有这样的说法：“访客首次走上古老通道，不期然会产生一种敬畏心情，就如经过一座埃及神庙入口时的感觉一样。”最奇怪的是，这个看来是远古的先进社会，竟没有留下城市和道路的痕迹。

这种种发现似乎显示那些技艺卓越的土墩建造人虽则虔信宗教，对扩张领土、建立帝国却毫无兴趣。但他们到底是什么人呢？他们的文明又始于何时？

这些不可思议的问题不久即引来多方揣测，种种稀奇古怪的想法纷纷产生：土墩可能是维京人所筑；或者是渡过白令海峡来到美洲的亚洲人所造，后来他们大概也循原来路线回亚洲去，所以美洲并无亚洲人后裔的足迹。建造土墩的又或者是以色列十个失踪支派的人；或是一腓尼基人，或威尔士人。总而言之，照推想建造土墩的几乎可能是任何种族的古代人，却不会是原来居住在美洲大陆上的印第安人。

一八三九年，著名民族学家莫顿提出了证据，反驳以上种种假设。莫顿发现发掘土墩所得的头骨，与近代印第安人的头骨形状完全相同。因此，莫顿坚信造土墩的人就是现代印第安人的祖先。但只有少数人认为莫顿这个惊人的结论切合事实。即使是考古学家如斯奎尔，也认为很难相信印第安人确有土墩建造人的同等技术。最后，在一八八一年，美国国会委派史密生博物馆民族学部对土墩进行专门研究。在伊利诺州博物学家兼考古学家汤玛斯领导下，专门研究小组不辞劳苦工作了七年，掘出数以千计的工艺品，逐一加以仔细研究。专门研究小组发现部分工艺品毫无疑问源于近代的欧洲制品。汤玛斯本来极力支持消失民族的说法，但实据当前，最后也迫得改变一惯想法。他报道说有小部分土墩是"欧洲人占领大陆之后才建造和应用的，所以至少部分土墩建造人是大家熟知的印第安人"。

令人啼笑皆非的是，这场辩论根本多此一举。因为早在十六世纪初，西班牙探险家德索托（一四九九至一五四二年），就见过一些印第安人在今日美国东南部地方建造土墩，并且记述其事。二十世纪我们发现了这位西班牙人的见闻录，得以证实以下的说法：欧洲人正式殖民北美洲前约一个世纪，部分印第安人部落仍然按宗教的需要建造土墩，而且根本没有消失的文明这回事。解开了土墩建造人之谜后，美洲古代辉煌历史成为佳话，印第安人重获他们的地位和尊严。

□火从天降之谜

一八七一年十月八日，是个星期天，美国芝加哥街上挤满了寻欢作乐的人群。天气渐渐昏暗，忽然，城东北一幢房子起火。消防队接到警报，还来不及抬出装备，第二个火警接踵而来：离第一个火警三公里外的圣巴维尔教堂也起火了。立即分拨一半人去教堂。随后，火警从四面八方传来，消防队东奔西突，不知救哪处为好。

芝加哥号称"风城"，火借风势，越烧越旺，全城在第一个火警发出一个半小时后陷入火海之中，任何力量也没法抵御火神的进攻。惊慌失措的市民逃出房子，在街上瞎眼乱撞，都想找一个没火的庇护所。平民靠两条腿逃离火区。富人弃了马车，骑上惊马向市郊突围，一路踏死了不少人。幸亏火警早，人们均未入睡，全城被烧死和惊马踏死的有千余人，另有几百人在郊区公路上倒毙。大火延烧到翌日（十月九日）上午，中心闹市化为瓦砾，一万七千座房屋全毁。据救灾委员会报告，全城财产损失一点五亿美元（相当现在的二十多亿美元），十二万五千人无家可归。

这场火灾的肇事者是谁呢？报纸说是一头母牛碰翻油灯，触燃了牛棚，蔓延于全城。人云亦云，市民深信不疑。

在现场指挥救火的消防队长麦吉尔，对这个轻率的结论嗤之以鼻，他在调查证词中说："到处是火。而在短时间内，燃遍全城的这场火灾，是由某间房子开始而蔓延到大面积的，这完全不可能。……如果不是一场'飞火'，又怎能在一瞬间使全城燃成一片火海呢？"

目击者言之凿凿："整个天空都好像烧起来了，炽热的石块纷纷从天而降……""火雨从头上落下"。同一天晚上，芝加哥周围的密执安州、威斯康星州、内布拉斯加州、堪萨斯州、印第安纳州的一些森林、草原，也都发生火灾。这火是怎么烧起来的？

靠湖边的一座金属造船台，被烧熔结合成团，而其周围却无其它大建筑物。城内一尊大理石雕像烧熔了，这要多高的温度？木屋之火不过两三百摄氏度，不可能熔化金属和岩石。

几百人奋勇窜出火海，死里逃生，庆幸来到郊区的公路上。可是，他们离奇地集体倒毙了。尸检鉴定，他们的死与火烧无关。总之，谁也不再相信一头母牛碰翻油灯烧掉芝加哥的鬼话了。那么，谁是罪魁祸首呢？美国学者维·切姆别林研究了许多天文档案，比较大气和火灾之间的关系，得出"流星雨引火"的假设。彗星是制造流星雨的来源之一，捷克天文学家维·比拉一八二六年曾发现过一颗，命名"比拉彗星"。比拉彗星六点六年绕太阳一周，一八四六年擦过地球时，彗核已分裂成两半。一八五二年，分裂后的两半彗核相隔二百四十万公里，不久失踪了。

一八七一年十月八日，彗核之一擦过地球，交会点正在美国。于是，流星雨撒落下来，大部分在大气层中摩擦烧完，残余的陨石落到地面，具有极高的温度，足以使金属、石头熔融。芝加哥首当其冲，即被"天火"焚毁。附近各州亦溅落"天火"，引起一些森林、草原同时起火。陨落物含有大量致命的一氧化碳和氰，可以形成小区域的"致命小气候"，使人不焚而亡。几百人逃到空荡的郊区公路上，正好进入"死亡区"。

切姆别林的上述假设言之有理，为母牛彻底平了反。但尊重事实的科学家不以为然，因为至今没有任何实物能够印证切姆别林的假设：例如当时掉在芝加哥的陨石碎屑，遭"天火"污染过的土壤、树木样本，还没有找到一件呢。再说，彗星是极其庞大的"乌有物"，大气圈则是地球自我保卫的屏障，即使彗星物质与地球相遇，也不会造成灾难性的事件，不待陨石坠地，早在高空被焚烧净尽了。个别落到地表的陨石不可能酿成火灾，因为陨石擦过大气层产生的高温只限于表层，内部仍旧是冰凉的，到达地面哪有发火之力呢？

芝加哥大火至今是世界之谜。切姆别林的"流星雨引火说"尽管没有证据，但人们也拿不出证据把它推翻。人类从这场争论中，起码得出了这样的结论：应当警惕天外之火，提防流星雨、彗星屑的袭击。

□死亡公路之谜

在美国爱达荷州的州立公路上，离因支姆·麦克蒙十四公里处，也有一个被司机们称之为"爱达荷磨鬼三角地"的恐怖翻车带。当正常行使的车辆一旦进入这一地带就会突然被一股人们看不见的神秘力量抛向空中，随后又被重重地摔到地，造成车毁人亡的惨重事故。一位叫做威鲁特·白克的汽车司机就是经历过这一恐怖抛车事件的幸存者，每当他回忆起那次历险都会感到心有余悸。他说："那天，天气晴朗，我所驾驶的两吨卡车一切正常，当我行驶到那个鬼地方时，汽车突然偏离了公路，'腾'地翻倒在地。"

据统计，在这同一地点，已有十七条性命被以同样的方式断送掉。人们感到奇怪的是，这条公路与别的地方公路相比没有任何异常现象，同样是宽阔平坦的康庄大道。然而它所造成的死亡率却是其它路段死亡率的四倍。

无独有偶，在波兰首都华沙附近的一个地方，也是一个令司机感到头疼的恐怖之地，走到这里的司机一般都会绕路而行，因为驾车来到这里的司机往往会感到脑袋昏昏沉沉，如同没睡醒似的，从而导致了大量车祸的发生。在这里猫、蛇、鸟等小动物生活得很好，而牛、狗、猪等大动物却不愿在此逗留，甚至牛都不吃这里的草。在这里有些植物无法生长，如苹果树、枣树、杜鹃花等，而又有些植物却生长的很好，如枫树、柳树、桃树等。在这里蜂蜜的产量比附近地方则高出百分之三十。面对这发生着许多奇特怪事的地方，人们总想了解产生这种现象的原因，科学工作者们也试图能够作出一个合理的解释。他们对这里进行了考察，结果认为：这些现象的产生是由于地下水脉辐射的影响造成的。但人们还不了解这地下水脉有什么与众不同？它何以能够产生这种有着巨大威力的辐射；人们能否改变这影响到人们正常生活的怪现象呢？这些都是科学工作者难以回答的问题。

不妨再举一例：在中国的兰（州）新（疆）公路的"四百三十"公里处，不但翻车事故频繁发生，而且翻车的原因也神秘莫测。一辆好端端的、正常运行的汽车行驶到这里，有时便像飞机坠入百慕大一样，突然莫名其妙地翻了车。这种车毁人亡的重大恶性事故，每年少则发生十几起，多则二、三十起。给国家和人民的生命财产造成了重大的损失。尽管司机们严加提防，但这种事故仍不断发生。

难道"四百三十"公里处坡陡路滑，崎岖狭窄吗？都不是。"四百三十"公里处不但道路平坦，而且视线也十分开阔。那么，如此众多的车辆在前后相差不到百米的地方接连翻车，究竟奥妙何在？

起初，有人分析可能是道路设计有问题。为此，交通部门多次改建这段公路，但翻车事故仍不断出现。

后来，也有人根据每次翻车方向都是朝北的现象，推测"四百三十"公里处以北可能有个大磁场。这种说法虽然有一定的道理，但没有科学根据。所以，对司机来讲，"四百三十"

公里处成了一个中国的魔鬼三角，被蒙上了一层神秘的色彩。因为"四百三十"公里处的翻车现象，目前仍是个谜。

□ "天然魔板"之谜

最令科学家认为反常的地球重力表现而伤脑筋的地方，是美国加利福尼亚州圣塔克斯镇郊外的一个"怪秘地带"。你想去么？从加州海滨城市旧金山驱车南行，大约两个小时就可到达圣塔克斯小镇，然后再行车五分钟的光景，就会受到"怪秘地带"的欢迎。这里的游客总是很多。

森林包围在四周，风拂林吟，氛围辣然。在空地的木栅门上高挂着标有"怪秘地带入口处"的牌子。进了这道门，就如同来到另外一个世界，令你处处大惊小怪，其实每个新来的游客都不免如此。

你看，两位日本人矢追和大桥在干什么？原来他们在踩着两块石板比个头呢。这两块石板看起来很普通，每块长约五十厘米，宽约二十厘米，彼此间距约四十厘米；它们就摆在进门后不远的地方。这是两块"天然魔术"板。

矢追和大桥各选一块石板站好，再相互交换站立的位置。这个时候，他俩和周围的游客简直不敢相信自己的视力了：就见身高仅一点六四米的矢追倒显得比身高一点八〇米的大桥还高大、魁梧得多。再来交换一次位置，大桥转眼间特别高大起来，矢追一下子矮小得可怜。他们就这样来回交换着位置，他们的身高也随着来回变化着，忽而伸长，忽而缩短。

用卷尺测量一下身高罢，尽管表面看来身高在变来变去，可用卷尺测得的数据依然是原来的身高，一点没变。矢迫和大桥又认真地用水平仪测量了石板，两块石板确实处在同一水平面上。这一切到底是怎么回事？游人们可没功夫去想。秘密也许就在石板上罢。

离开石板，就要准备爬坡了。沿着一条坡度极大的坡道，游人们兴致冲冲地朝"怪秘地带"中心走去，沿途只见周围的树木全都向一个方向倾斜着，好像刚刚遭受了强台风的袭击，走着走着，有人发现看不到自己的脚尖了。原来不知不觉当中，身子已经极度倾斜了，几乎达到平行坡道的地步了。然而每个如此行走的游人，却都步履稳健，并不觉得有什么别扭。

简陋的建造年代不详的小木屋立在"怪秘地带"的中心，由木板搭成的围墙与木屋之间留出了供游客逗留的空地。这里的木屋也在明显地倾斜着，与树木倾斜的方向一样。游人们的身子依然无法挺直，憋足劲也没有用，全都不由自主地朝一个方向倾斜着身子。许多人侧歪着身子边走边笑，边跳边叫，感觉似乎比平常还好受些。这真是一种难以言喻的奇景，无法捉摸的引力改变了人们的行为。

当跨入狭小的木门进入小木屋时，要小心些才好。屋里立刻会有一股强大的力量向你袭来，似乎要把你推到重力的中心点去。敏捷的人虽然可以就近抓牢把手，与这股力量抗争，但不出十分钟，就会使你感到头昏眼花，像晕船一般难受。

有时，好奇的游客会伸出双臂，向上用手抓住天花板的横梁，你若站在一旁看去，就会发现那悬挂着的身子不同地面垂直，而是倾斜到一边。这不算什么。科学家已经验证，这地方的任何悬挂物，都无法与地面形成直角，总是呈现自然倾斜状态。

一直为游客讲解的老向导开始表演了。他不用扶持，稳当当地从木屋板壁接地边沿踩上去，顺着板壁步步高升。当他斜立在板壁高处，微笑着向下招手时，游客们都为他身怀"飞檐走壁"的绝技而吃惊。随后，大家也都学着老向导的样子走上板壁。哈，原来如此自由自在，如同在平地散步一般。这种走法，在其他地方是任何训练有素的杂技演员也望尘莫及的。

小木屋里的怪事还有不少呢。看到那块向外伸展的木板没有？它的外端明显地向上倾斜，可当你把一只高尔夫球放在木板顶端时，它并不会沿斜面往下滚动。即使用手推动它，球儿也是被迫往下滚几圈，然后再自动滚上来；当它顺着木板顶端滚落时，你可不能在垂直方向去掐它，因为它是不管什么"自由落体"规律的，而是按着倾斜的方向掉下来。小木屋里的"钟摆"也够古怪的。一根悬挂在天花板横梁上的铁链，其下端系着一个直径约二十五厘米、厚约五厘米的圆盘状物体，这就是供游人们赏玩的"钟摆"了。当然，它悬挂的角度也是倾斜的。眼看它很沉重，当你从一个特定方向推动它时，只要手指轻轻一点，它就会向前摇晃起来；但你若从相反方向来推它，它则纹丝不动，即使双手运足力气，也只能移动分毫而已。

按照常规来看，钟摆被推动起来后，它会按一左一右、一右一左的规则摆，幅度由大而小，最后以垂直状态静止下来。然而，小木屋的这个"钟摆"却很独特。在它受到冲击后，最初是按常规左右摇摆几下，但随后它就按圆圈的方向摇摆起来，一会朝左旋转几圈，一会朝右旋转几圈；每隔五至六秒钟，就自动改变摇摆方向一次，间或前后摇摆或左右摇摆。如此周而复始，历久不衰。

圣塔克斯"怪秘地带"发生的种种奇异现象，都是违反牛顿的重力定律的。地球重力场在这个弹丸之地的突出的异样存在，带给现代科学的不仅仅是困惑，它为富于探索精神的人们提供了一个新的认识窗口。

第 7 章　大洋洲地理未解之谜

　　大洋洲是一片枕在波涛中的孤独的陆地，地球用她那碧蓝的大海，把这块土地洗涤得分外鲜嫩、轻灵。大自然在亿万年的风云变幻中，雕凿的山突兀险峻，谱写的历史玄奥神秘……人们常把艾耳湖称之为不可捉摸的"魔湖"；常把乌鲁鲁称之为梦幻中的"圣堂"。人们常常会在浪花飞溅的海滩陷入沉思，沉思这艾雅斯石，为何会在阳光中幻化万般色彩；沉思这个世界上最雄大的珊瑚礁是谁一手垒造的……

□ "梦幻圣殿" ——乌鲁鲁之谜

　　澳大利亚沙漠中部一块巨大赤色沙岩，充满着神秘和传说。澳大利亚土著认为这块巨岩属于他们，具有重要的宗教意义，每道风化的疤痕不仅对他们有特别意义，也令每年到此的万千游客勾起各种遐想。

　　随着天际露出一丝曙光，乌鲁鲁开始明亮起来，山漆黑变成深紫，渐渐显出轮廓。太阳射出第一道光束后，这块岩石便迸发出绚丽的颜色，嫣紫绯红各色在石壁上以惊人速度互相追

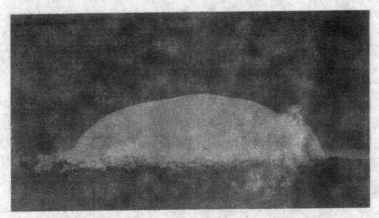

能幻化万般色彩的艾雅斯石

逐。阳光把岩石凹穴里的阴影驱走，直至整块岩石完全沐浴在沙漠阳光之中。岩石的颜色整日都在变化，由金黄、淡红转为深红、绯红以至嫣紫。到黄昏时，色谱上的所有颜色都显示过了。

　　乌鲁鲁跟西尼歌剧院一样，是澳大利亚的象征。但乌鲁鲁跟那座人造的现代化建筑不同，所代表的是这个国家的远古历史，当时居于这片大陆上的惟一种族是澳大利亚土著。乌鲁鲁是当地土语，也是现在的正式名称。英文则称之为艾雅斯石，因为在一八七三年，探险家戈斯发现了这块巨岩，于是以当时南澳洲总督艾雅斯爵士的名字命名。

　　这块巨岩在一百公里外已可望见。游客对此的第一个印像是岩石从平原拔地而起，继而对其巨大体积惊讶不已。这块巨石高三百四十八公尺，底部周长九公里。乌鲁鲁常被称为世界最大的岩石，其实是一座地下"山"的峰顶；这座山埋在地下深达六公里。在约五亿五千万年前，澳大利亚中部是个海床，而这块岩石就是海床一部分。后来海洋逐渐后退，地壳慢慢移动和隆起，岩石就推往一边。

这块岩石的主要成分是长石砂岩。长石砂岩是种红砂岩，含有大量长石，还有铁的各种氧化物。由于含有这些成分，这块岩石从黑夜到黎明，黎明到白天，白天到黄昏，显出各种颜色。很多到乌鲁鲁来的游客就是为了观看岩石在不同时间和不同季节所展现的各种色彩。下雨时，岩石像涂了一层银液，表面的沟壑中急流汹涌，像瀑布般从陡峭的岩石倾泻而下，在周围沙漠汇成一个个暂时的池沼。

走近细察，可看到岩石经风雨侵蚀的痕迹，其中有土著视为圣地的洞窟和水池，还有看上去颇似兽形或人形的沟壑和裂纹。

自然力量不断侵蚀岩石，留下清晰可见的标记。在沙漠中，气温变化剧烈，极冷极热相互交替，使岩层表面碎裂剥落。但有时剥落的碎片并不全都掉到地上，乌鲁鲁北面就有一道名为袋鼠尾的巨大石梁，像道扶垛墙般靠着陡峭的斜坡。

戈斯并不是最早发现乌鲁鲁的欧洲人。在他发现乌鲁鲁之前一年，探险家吉尔斯曾多次深入澳大利亚内陆，有次来到距乌鲁鲁北面四十公里的阿马迪厄斯湖畔，便看到这巨岩。他翌年重返旧地时，戈斯已登临过岩顶了。较晚的有澳大利亚冒险家兼作家大卫珣，她在澳大利亚内陆周游时也曾到过乌鲁鲁，在她所著的《踪迹》一书中，描述了初次看到巨岩的印象："这块巨岩有股笔墨难以形容的力量，使我的心跳骤然急促起来，我从没见过如此奇异而具原始之美的东西。"许多游人对此也与大卫殉具有同感，一块巨岩竟然激起这样强烈的情绪，真叫人惊讶不已。

要是对澳大利亚土著关于这块岩石和四周环境的神话和传说有点了解，上述印象便更有意义了。据土著传说，乌鲁鲁是他们祖先在"梦幻时代"开辟的路径上留下的标识，"梦幻时代"是指天地形成的那段时期。在这段时期，乌鲁鲁周围居住着兔袋鼠族和花杂斑蟒族。杂斑蟒族遭南方毒部族攻击，兔袋鼠族的地母女神布拉利出手相救，喷出毒雾，击退侵略者。

在兔袋鼠族的传说里，也提到部族曾受威胁的事。敌对部族唱歌召来一头叫古本亚的恶毒野犬，扑噬兔鼠族人，幸好他们超凡的跳跃能力，逃过大难。对今天的土著来说，有关这两件事的证据仍可在乌鲁鲁看到。毒蛇族人的躯体给绑成乌鲁鲁的形状，而岩石旁的水痕则显示他们流血的地方。兔袋鼠族逃跑留下的足印就是岩石底部周围的一连串洞穴。

乌鲁鲁每道裂缝对土著都有重大意义。土著都认为这块具象征意义的土地是祖先留他们守护的，而乌鲁鲁更是这块土地上最重要的部分。

在这些地方，衍生了不同的土著部族，各有本身的语言和历史，同时，在沙漠上造成错综复杂的路径，这些就是"梦幻时代"的路径，对土著的生活、狩猎至为重要。此外，这些路径的位置和秘密凭藉歌唱、绘画和庆祝胜利的舞蹈，一代代的传下去。

澳大利亚土著最早是五万年前从东南亚的岛屿迁至澳大利亚北部的。他们皮肤黝黑或深褐色，既不耕种又不牧畜，是游牧民族。分成六七百个部落，方言多达二百至二百五十种，各种方言差异之大就像汉语和法语一般。他们以捕猎动物为生，使用独特的狩猎武器飞镖和称为"乌麻那"的投矛器，此外还采摘水果和植物根茎。

每个部落都是由多个自治团体组成，每个团体是一个大家族，成员包括一名男子和他的兄弟妻儿等。女性享有平等地位，今天的情况和以往一样，不过两性各有自己祭祀的地方和仪式。在这些仪式中保存了"梦幻时代"远古英雄的神话、歌谣和祭礼舞蹈。每个英雄都与特定的植物、动物和其他自然物品有关。

土著在歌舞庆祝中，会表演这些英雄的事迹，舞蹈祭礼可达一星期之久。表演的多是男性，但也有些部族由女性担任，他们在脸上和身上涂上颜色（一般是白色，象征男性力量、死亡和再生），还在身上披戴一束束的草或羽毛。歌舞都属宗教节目，每人扮演角色，但长者备受尊重，原因是他们记得所有的歌曲和故事。长者还负责看管神圣的石块或木板，上面所刻的图纹都是代表这些故事的。这些石块与木板藏在洞穴中，在举行祭礼进才会拿出来。

洞穴中的壁画也有类似的象征意义，并显示哪种生物代表某族或某人（壁画一般都绘在神圣的洞穴中，游客不得入内）。这种以为人跟某种动物、植物，甚或一些无生物有密切关系的信仰，就是图腾崇拜。澳大利亚土著的图腾是半人半物。一个土著可能指着乌鲁鲁的一个坑穴说这是"蛇人"，并宣称"这就是我的祖父"，一个土著男性永不会伤害或吃掉代表他图腾的生物，因为这个图腾对他来说非常重要，杀了他的图腾就如同杀害他的至亲。

虽然妇孺，甚至访客都可参加男孩的成长仪式以及葬礼，但其他宗教仪式则保密，任何人泄露仪式内容都会受到严厉处罚。从前违法的要处死，后来改由族人围绕违法者，向他的腿部掷刺长矛。

乌鲁鲁对于当地的土著来说，不仅仅是一种美丽绝伦的地貌景观，更涵盖了悠长的文化与神圣的先祖双重意义。

□石头迷宫——彭格彭格山之谜

澳洲西部有许多蜂窝形的圆丘山，形成巨大的迷宫，这是世界上最脆弱的山脉之一。

彭格彭格山脉的山峰和峡谷在低斜的阳光照耀下，构成了一幅梦幻般的图画，仿佛光线是从山里射出的。这些具有虎皮条纹的圆顶山丘位于澳洲西部的奥德河平原上，景色之奇，宛如海底梦幻世界。

这些条纹岩壁和奇异山峰位于遥远崎岖的地区，到本世纪八十年代仅少数游客到过该地。今天，大多数人也只从空中俯瞰观赏而已。

这座山脉位于荒无人烟的广阔金伯利地区，占地大约四百五十平方公里。这里一年中大部分时间酷热，即使在遮阴处的气温也高达摄氏四十度。在漫长的冬旱季节，根本无雨。河流干涸，只剩下一些小水洼。在十一月到三月的雨季，整座山脉一片翠绿。印度洋的旋风带来滂沱大雨，岩阶上满是闪光的池水，溢出成为瀑布，这一带河水泛滥，切断了通往彭格彭格的小路。

彭格彭格山脉的形成要从四亿年前说起。那时，北边的山脉的（现已消失）被水严重冲蚀，在这一带形成大片的沉积层。后来，水流在较软的沉积岩上冲刷出许多沟槽、溪谷。这些沟槽、溪谷长期受风雨剥蚀而逐渐变深，互相连接，形成今天一座座分开的山丘。

大部分圆顶山都位于地块的东南。西北则是二百五十公尺高的峭壁，和冲蚀而成的深谷。谷中长满了顽强的植物，如针茅、金合欢、扇形棕榈等，全部生根在峭壁岩缝中，形成不同寻常的空中花园。

岩石上鲜明的条纹是风形成的。新露出的砂岩呈白色，沿沉积层缝里出来的水却给它涂上了一层石英和粘土。这层石英和泥土不断形成和裂开，其中的铁质就留下了一条条赤黄色的痕迹。而灰色和棕色则是地衣和藻类被太阳晒干呈现的颜色。砂岩较软，风化后就像滑石粉一样细。

一八七九年，珀斯测量师福雷斯特带领第一支欧洲勘测队亲眼观看了这个巨大的岩石迷宫。澳洲土著称它为波奴鲁鲁，意为砂岩。土著在金伯利地区已经生活了二万四千多年，彭格彭格是他们的一座神山。一九八七年，这里辟为国家公园，土著参与管理，以免脆弱的砂岩受到游客的破坏。由于有悬崖遮阴，少数池塘常年不枯竭，成为袋鼠和澳洲野猫等动物的饮水之处。有些白蚁在圆顶山丘侧面筑蚁垤，高五公尺半，与圆顶山一样堪称奇观。

□世界上最高的岩塔之谜

博尔斯皮拉米德岛在地图上只不过一个小点而已，在周围的洋面上几乎看不到它。但若站在这个孤拔于海的巨大岩塔面前，会不敢相信自己的眼睛。这是一块方尖塔形的摩天巨岩，虽然底宽只有四百公尺，但高度有五百五十公尺，几乎是艾菲尔铁塔的两倍。在《健力士纪录大全》中，博尔斯皮拉米德岛被列为世界最高岩塔。

无数五光十色的鱼儿围绕石柱和在石拱之下游动。这个游戏场其实是片火山岩高原，博尔斯皮拉米德岛是一座早已熄灭并不断崩裂的死火山，只有顶峰是露出海面。它在七百万年前就已熄灭。

从那以来，海水对这个从海底隆起的侵入地块发动"战争"风浪长期冲刷岩石，岩块"节节败退"，体积只剩下百分之三，成为一串岛屿和露头岩。

第一位见到这块巨岩的欧洲人是博尔。一七八八年，博尔指挥英国船"供给"号载着前往诺福克岛的移民驶过这里，以他自己的姓氏为这块方尖塔形的巨岩命名。在回程中，船在列岛中最大的岛屿附近停泊，他又以英国海军大臣豪勋爵的姓氏为那一岛屿命名。

博尔上尉和船员登上这个仅十一公里长的月牙岛屿，发现这是一座森林乐园，那里的动物对他们毫不惧怕。然而，后来又有许多船只到此，饥饿的船员把白水鸡等野鸟捕猎殆尽。

这林立的岩塔是远古人的迷宫吗?

一八三四年，豪勋爵岛上已经有许多移民。

随着移民而来的是老鼠，老鼠是从一艘沉船爬上岸的。蜥蜴、鸟类和昆虫都无力抵御老鼠，结果，有五种鸟灭绝，并使独有的一种壁虎、一种石龙子、一种竹节虫濒于绝种。

但是位于豪勋爵以南约二十公里的博尔斯皮拉米德岛却未受干扰。来往船只在其周围绕过，仿佛在向它致敬，船上的个都对其高峻肃然起敬。只有海鸟可以随随便便绕着顶峰盘旋，栖息在悬崖上。这个挡风的岩塔正是鸟儿理想的居所，成千上万的鸟，如花脸鲣鸟、燕鹱、燕鸥、红尾热带鸟等每年都在这里繁殖后代。

　　向南流的热带暖流与南极大陆的冷流在豪勋爵岛交汇。因而这里有最靠南的珊瑚礁。在珊瑚礁的角落、裂缝、凸出的部分以及礁间空隙中，生活着四百多种热带鱼和冷水鱼。这里有一些稀有动物，例如七十六公分长的双头隆头鱼（雄鱼的额头上有个大隆块而得名）是世界其他地方没有的。

　　博尔斯皮拉米德岛抗拒人类的入侵已有两个世纪了。这里没有小湾和海滩可供船只靠岸，在陡峭的石壁间只有一片海浪冲击而成的登陆平台。许多满载跃跃欲试的攀登者的船只在靠近时都海浪冲了回去。有些勇敢的人身带索具，冒着急浪和鲨鱼之险游到了巨石附近。当他们费力在岩石上寻找海浪冲击出来的立足处时，海鸟便向他们的头部猛扑下来，十五公分长的蜈蚣也爬到他们身上乱咬。

　　号称"澳大利亚埃佛勒斯峰"的博尔斯皮拉米德岛看来能保持不被人攀登的纪录。但是，一九六五年艾伦和戴维斯率领一支登山队登上了巨岩的顶峰。在离顶峰六十公尺处，他们几乎再也无法继续攀登，因为遇到了一些不稳固的岩石，只要一碰，便摇摇欲坠。另一些登山者也历尽艰险才登上了顶峰，当他们从巅峰下望时，不禁心惊肉跳。现在，博尔斯皮拉米德岛作为世界遗产而受到保护，像这样雄伟的岩石理应如此对待。

　　距澳洲西南海岸不远的岩塔沙漠，一片死寂，只有风在呜咽，如泣如诉。如果科幻小说家要写一部描写熔岩塔的惊险小说，此地可作为最理想的背景。这片沙漠荒凉不毛，岩塔林立，人迹罕至，只见风卷流沙，一片金黄。这片沙漠是澳洲很少有人游览的地方，离最近的城镇塞万提斯有两个小时的车程。但只有越野汽车可驶到那里，普通汽车的轮胎会被露出地面的石灰岩刮破。

尽管去那儿不易，但是那些奇形怪状的岩塔，在沙漠上投下一个个轮廓鲜明的黑影，景色就像月球表面一样，令人一见难忘，感到旅途的艰辛完全值得。暗灰色的岩塔高一至五公尺，矗立在平坦的沙面上。往沙漠腹地走去，灰色逐渐变成金黄。有些岩塔大如房屋，有些则细如铅笔。岩塔数目成千上万，分布面积约四平方公里。

每个岩塔形状不同。有的表面比较平滑，有的像蜂窝。有一簇岩塔酷似巨大的牛奶瓶散放在那里，等待送奶人前来收集；还有一簇名为"鬼影"，中间那根石柱状如死神，正在向四周的众鬼说教。其他岩塔的名字也都名如其形，但是不像"鬼影"那样地令人毛骨悚然。例如叫"骆驼"、"大袋鼠"、"白齿"、"门口"、"园墙"、"印第安酋长"或者"象足"等。虽然这些岩塔已有几万年历史，但肯定是近代才从沙中露出来的。在一九五六年澳洲历史学家特纳发现它们之前，外界似乎对此一无所知，只是口头流传着，早期的荷兰移民曾经在这个地区见过一些他们认为是一座城市废墟的东西。

此前，从来没有人提及过这些岩塔。如果它们露出地面，肯定会被十九世纪的牧羊人发现，因为他们经常在珀斯以南沿着海岸沙滩牧牛，附近的弗洛巴格弗莱脱还是牧人常休息和饮水的地方。一八三七至一八三八年，探险家格雷在其探险途中肯定从这个地区附近经过。他每过一地，必详细记下日记。但在他的日记中没有关于岩塔的记载。

科学家估计这些岩塔的历史有二万五千到三万年。肯定在二十世纪以前至少露出过沙面一次。因为有些石柱的底部发现粘附着贝壳和石器时代的制品。贝壳用放射性碳测定，大约在六千年前已被人发现。

但是这些岩塔后来又被沙掩埋了数千年，因为在当地土著的传说中没有提到过这些岩塔。一六五八年曾在这一带搁浅的荷兰航海家李曼也没有提及它们，只是在他的日记中提到两座大山南、北哈莫克山，都离岩塔不远。如果当时这些石灰岩塔露出沙面，李曼必定会记在他的日记里。沙漠上风吹沙移，会不断把一些岩塔暴露出来，又不断把另一些掩盖起来。因此，几个世纪以后，这些岩塔有可能再次消失。但它们的形象已经在照片中保存下来。

帽贝等海洋软体动物是构成岩塔的原始材料。七十万至十二万年前，这些软体动物在温暖的海洋中大量繁殖，死后，贝壳破碎成石灰砂。这些砂被风浪带到岸上，一层层堆成砂丘。

最后，在冬季多雨，夏季干燥的地中海式气候下，砂丘上长满了植物。植物的根系使砂丘变得稳固，并积累腐植质。冬季的酸性雨水渗入沙中，溶解掉一些砂粒。夏季砂子变干，溶解的物质结硬成水泥状。把砂粒粘在一起变成石灰石。腐植质增加了下渗雨水的酸性，加强了胶粘作用，在砂层底部形成一层较硬的石灰岩。植物根系不断伸入这层较硬的岩层缝隙，使周围形成更多的石灰岩。后来，流沙把植物掩埋，根系腐烂，在石灰岩中留下了一条条隙缝。这些隙缝又被渗进的雨水溶蚀而拓宽，有些石灰岩风化掉，只留下较硬的部分。沙一吹走，就露出来成为岩塔。岩塔上有许多条沙痕，纪录了砂丘移动时砂层的厚度及其坡度变化。

□ "魔湖"——艾耳湖之谜

这个咸水湖大约每十年才有一次湖水。大自然在这里演出了一个魔术。

艾耳湖虽叫湖，但不是湖，而是澳洲干旱腹地的两片巨大洼地。湖底大部分时间全部干涸，盖满盐层；湖的四周有一圈好像悬挂着白霜的矿物层。一八五八年，探险家沃布顿来到湖边，把这里的景象形容为"可怕的死寂"。

湖四周是一片晒干的土地：北面是辛普生沙漠；东西两面是布满圆丘和风刻石的平原，很难通过；南面是一串盐湖和干涸的盐洼。在这片荒无人烟的地方，如能看到水的闪光，就足以人使惊喜不已。地平线上的水光往往是小盐池的闪光或者是三十九度高温热气所形成的海市蜃楼。然而旅行者偶尔也会遇到盼望已久的大片淡水。

艾耳湖是澳洲最低的地方，湖底低于海平面十五公尺。其集水面积大于法国、西班牙和葡萄牙的总和。湖分两部分，南湖较小，北湖较大，总面积约九千六百平方公里。两湖由十五公里长的戈地亚渠连接。下雨时雨水从远处的山上流入干涸的河道。大部分的水沿途蒸发掉或渗入沙中。若雨下得很大，有些水最终可以流到艾耳湖，流程长达一千公里。只有在雨水很多的年头，水才流经戈地亚渠。

只要有水，艾耳湖就呈现生气勃勃。艳红色的斯图特沙漠豌豆等植物会突然抽出芽来，迅速开花结子，赶在水分消失前尽快完成其生命循环。雨水也使藻类复苏，使埋在泥中的虾卵迅速孵化，艾耳湖变成热闹的场所。不久鸟儿飞来，其中有野鸭、反嘴鹬、鸬鹚、鸥等，有些是飞越半个澳洲大陆前来的。它们吃河里的鱼虾。鹈鹕和长脚鹬在湖边造窝繁殖，一片喧闹，有时鸟窝竟多达数万个。

艾耳湖西面的石滩　使最顽强的旅行者也望而却步。

每当艾耳湖注满时，光秃秃的湖岸便会繁花似锦，长满雏菊和野蛇麻草等植物。

来水中断后，湖水在高温下很快蒸发，盐分逐渐增加。各种动物都要争分夺秒，雏鸟须在湖干之前成长，学会飞行，一旦湖干食物缺乏，成鸟就会离开，把羽毛未丰的幼鸟弃下不顾。淡水鱼无法逃生，只能死在咸水中。最后，艾耳湖恢复原状，在湖底淤泥土盖着一层硬硬的盐壳，到处一片荒凉，又等待着新的雨季带来生机。

火辣的太阳把淤泥晒成坚硬泥面。一九六四年，坎贝尔驾驶蓝鸟牌涡轮汽车就是在北艾耳湖马迪根湾的干泥地上以六百四十四公里的时速打破世界纪录的。

早期的欧洲拓荒者都认为澳洲中部可能有湖泊，甚至有浩瀚的内海。许多人不知道流往内陆的河流流到哪儿。

一八三九年，二十五岁的艾耳从阿德莱德出发，希望成为从南到北穿越澳洲的第一名欧洲人。他越过弗林德斯岭，来到盐湖区一个无法通过的巨大马蹄形地带，不得不折返。一八四〇年，他再次尝试，终于到达了现在以他的姓氏命名的艾耳湖。当时湖水虽已干涸，但湖底的淤泥使他无法继续前进。

其他探险家也有类似的经历，但他们报告前方有一个大淡水湖。直到一九二二年，哈里根才从空中测绘了艾耳湖，发现北湖有水。但是次年他徒步到湖边时，看到水少得只能勉强浮起一艘小船。

现已查明艾耳湖的确曾变成广阔的淡水湖，但只是每八至十年才出现一次。这种循环已经持续约二万年了。偶尔会连续两个夏季下暴雨。倘前一年的雨水浸透地面，第二年的雨水从山上流下时，地面的吸水量就较少，艾耳湖才可注满。

□ "上帝之乡"——卡卡杜之谜

在澳洲最北部有广阔的荒原，澳洲人把这个地区叫做"顶端"。卡卡杜国家公园的面积相当于法国科西嘉岛的两倍，其自然风光因地而异，随季节而变。雨季从十二月初开始，暴雨常常导致大片土地洪水泛滥。五至十月是旱季，几乎不下雨。

一条崎岖的陡崖沿国家公园的东面和南面蜿蜒五百多公里，成为阿纳母地高原边缘的标记。一八四五年，欧洲探险家莱奇哈特曾从布列斯班附近的东海岸出发，作了一次为期一年四个月的横贯大陆的探险。在这次史诗般的征途中，他艰辛地翻过了阿纳姆地高原，见到了"许多奇形怪状的砂岩"，"岩缝和沟壑中长满各种植物，掩盖了我们跨越高原曾遇到的一半险阻"。

峡谷从陡崖边缘切入，有些地方陡崖高达四百六十多公尺，雨季暴布雷鸣响彻上空。最壮观的两条瀑布是高达二百公尺的吉姆吉姆瀑布和因形得名的"学生瀑布"，这两股水流从

卡卡杜的岩画上，为何画淌着乳汁的女性？

高原飞泻一百公尺。

陡崖下面的低地上，分布着草地、森林和沼泽，积水片片，河流纵横。莱奇哈特曾把卡卡杜主要河流"东鳄河"周围的美丽风光记载下来："我们走进了一个风光绮丽的河谷……它的东面、西面和南面都是高耸的山岭，从几乎无树的碧绿草原上拔地而起。"

卡卡杜是澳洲土著卡卡杜族的故土，卡卡杜国家公园就以这个部族之名命名。他们的祖先至少四万年之前已从东南亚迁来，先是逐岛渡海而来，后来在冰河时期海面较低时，从新几内亚沿陆路抵此。

按照卡卡杜人的传说，卡卡杜荒原是他们的女祖先瓦拉莫仑甘地创造的。她从海中出来化为陆地，并赋人以生命。随她而来的还有其他创造神，如金格——创造岩石的巨鳄。有些祖先神灵完成创造使命就变成了风景，如金格变成一块露头岩石，形如鳄鱼的背脊。公园的大部分属土著所有，他们把土地租给国家公园与野生物管理部门。

在公园的七千多处地方，发现有一万八千年前以来的土著岩石壁画。壁画里的动物种类随着绘画的年代变化，因为海面上升之故。

最早的壁画作于最后一次冰河时期。当时海面较低，卡卡杜荒原位于距海约三百公里的地方，画中有袋鼠、鸸鹋、袋獾（在北澳现已绝迹）以及一些现代所无的巨大动物。冰河时期约在六千年前结束，海面上升。阿纳姆地悬崖下的平原变成了海洋和港湾，所以这一期的壁画中主要画的是巴拉蒙达鱼和梭鱼等鱼类动物。许多画还把脊骨等动物体内的构造都画了出来。

到约一千年以前，卡卡杜的淡水沼泽已经在海岸冲积堤之后形成。这个时期的壁画中有鱼、鹊雁以及在沼泽用篙撑筏的妇女。

穿越卡卡杜低地，就会看到那里的地形变化。阿纳姆地高原边缘往里剥蚀，剩下一些露头岩高高矗立在低地上，低地有些地方是草原；有些地方，有桉树林、生着千层树的沼泽和积水潭（与主河道隔绝的河湾，雨季会满水）。许多河流迂回曲折流向大海。

低地植物在旱季会晒焦，被林火烧黑，在雨季低地洪水泛滥。沿海是红树沼泽和沙丘。

卡卡杜现在还有大量野生动植物。这里有一千多种植物，为鸟类提供栖息场所。鸟雀中最主要的黑颈鹳，北澳洲热带地区的象征。其羽毛由白色和墨绿色相间，富光泽，非常漂亮，常在积水洼地和淡水湖里与其他的淡水湖里与其他的鸟如蓝翅笑鸫（一种翠鸟），一起觅食。

卡卡杜荒原还有七十五种爬行动物。其中有著名的咸水鳄，主要生活在咸水港湾、河流以及积水潭里，身长四至六公尺，性情凶猛，会攻击人和其他动物，到本世纪六十年代，因大量猎取其皮而几乎灭绝，现在受到保护，渐渐增多。公园里还有一种淡水鳄，长约一点八公尺，性情不太凶猛。卡卡杜荒原上的另一种爬行动物是皱纹鬣蜥。看似凶猛但不会咬人。受惊时，把松驰的皮肤皱拢到头颈处竖起来，模样像只小恐龙。

公园曾有不少水牛。但像咸水鳄一样，被大量捕猎，起初是为了取得其皮、角，后来政策鼓励大肆捕杀。这种水牛是十九世纪二、三十年代欧洲人从印尼引进，用来替代他们不适应热带气候的家牛。

本世纪八十年代初，在北部地方的涝原上约有三十万头水牛。澳洲人认为这些水牛对野生物构成威胁，它们践踏水生植物，破坏分隔咸水和淡水生物的冲积堤。此外还带有牛结核菌，对人类健康和养牛业构成威胁。到八十年代末，几乎所有的水牛都被赶出公园或杀死了。

二次世界大战后，荒凉的澳洲"顶端"地区发现了铀。围绕着铀的开采引起了激烈争论，政府把开采规模限制到最小程度。

自本世纪八十年代以来，由于系列《鳄鱼先生》电影的部分背景是在卡卡杜国家公园拍摄的，这里已成为最受欢迎的旅游胜地。现在这个公园列入"世界遗产"的名单。细心的游客如果驱车沿"西鳄河"行驶，就会看到标语牌上写着"您正在进入'上帝之乡'，务必保持这个场所的清洁。"

在卡卡杜草地上散布着许多大小不一、形状各异的土堆。有的高逾十公尺，有的低矮。这些都是白蚁垤。白蚁是合群的昆虫，每一支都有各自的职责。在每座硬如水泥的土堆壳里，都有迷宫状的通道。

罗盘白蚁的蚁垤最为特别，高二至三公尺，外表粗糙，好像上窄下宽的墓碑。都是南、北面窄。

有人曾经认为，罗盘白蚁可以感知地磁，因此把蚁垤方向建得好像指南针一样。现在看来，似乎只是受太阳的影响，在筑巢时考虑温度的调节。在中午，蚁垤较窄的面向着太阳，以免巢内过热。在早上和晚上阳光最弱时，蚁垤的宽面朝向太阳，以便吸收最多的热量。这样，巢内的温度可保持在摄氏三十度左右。

□彗星撞地球的伤口——戈斯之谜

这个神秘的陨石坑是一颗彗星撞击地球留下的"伤口"，

坑的四周岩壁陡立。

在恐龙于绿油油的澳洲腹地觅食的时代，一个巨大的火球突然从天而降，以数一万倍于一九四五年投于日本广岛原子弹的威力，把这片平原破坏殆尽。尘埃和碎石形成的巨大蘑菇云慢慢升起，在南半球遮天蔽日达数月之久。

以上就是一亿三千万年前戈斯峭壁产生的惊心动魄情景。一颗彗星撞击地球，造成一个四周岩壁陡立的大陨石坑。这颗彗星（由固体二氧化碳、冰块和尘土构成的球状物体）直径约六百公尺，撞击地球时变成一个熊熊燃烧的熔炉，撞入地面约八百公尺，炸掉了周围大约四百平方公里的地面。

起初的陨石坑直径大约三十公里，现在的坑直径只有四公里，是坑的中心部分。曾经铺满坑上的碎石已被长年累月的风雨侵蚀掉了。现在坑缘有两道坚硬的砂岩峭壁，高出平原地面一百八十公尺。砂岩峭壁是撞击形成的，现已查明，相同的岩层在地下深达二百公里，可想而知当年的撞击力是多么巨大。

从人造卫星拍摄的照片来看，戈斯峭壁像是有人在艾丽斯斯普林以西一百六十公里的米申纲里平原上按了一个巨大的拇指印。砂岩峭壁圈是彗星撞击留下的"伤疤"。

戈斯峭壁是探队家戈斯于一八七三年发现的。但是，此陨石坑早已为当地土著所熟知，他们虽早已迁离这里，但到处留下他们当年活动的痕迹及宿营地遗址，打猎的隐藏处等等。

一八七五年，吉尔斯来此探除时，对此坑作过详细描述。当时没有从空中俯瞰的条件，故无法看到陨石坑的对称性，也不知道它的来历。他平平淡淡地写道："有几株柏树扎根在山坡的岩石上。山坡并不像远看那么高峻，最高点也不过七、八百尺而已。"

戈斯峭壁的起源至今仍有很多争论。一种说法认为，可能是地下的天然气往上冲出，引起土壤和水的强大爆发，即"泥火山爆发"。另一种则认为此坑是陨石造成的，因长期风化而没有留下陨石碎片。现代科学研究却指出另有成因。

像大多数类似的陨石坑一样，戈斯峭壁也有从中心向四周幅射的地质裂缝。在风化过程中，岩石沿裂缝分开，形成锥形地碎裂锥。根据对该坑形成的研究，科学家证实此坑是撞击产生的陨石坑，撞击物体的速度很高，但密度相对来说很低。因而猜测是密度较低的彗星而不是岩石构成的陨石。

离戈斯峭壁不远是亨伯利陨石坑群。在四千七百年前，一颗陨石分裂成十二块碎片，撞击地面形成了十二个陨石坑。当地土著称之为"太阳走火磨石"，说明当时很可能有人目睹其陨落情景。

□世界上最大的珊瑚礁之谜

大堡礁是世界上最大的珊瑚礁，有数以千种珊瑚、鱼和其他海洋生物生活在其中，是迷人的水中王国。

一七六八年，英国探险家库克船长驾驶皇家海军兵舰"努力"号首航太平洋。这是一艘运煤三桅船，船身坚固。库克带领一批天文学家前往塔希提岛作科学考察，观察壮观的"金星穿目"。

库克也曾受命寻找南大陆，或称澳洲大陆，科学家相信南大陆的确存在，以平衡北半球的大陆。库克从塔希提岛出发，向西南方向航行，发现了新西兰，并花了六个月绘制新西兰海图。又向西继续航行，抵达澳洲东南沿岸。一七七〇年四月在一海湾登陆，库克和博物学家班克斯在岸边发现了新的植物群落，故取名植物学湾。之后他朝北进发，沿岸航行以便精确地绘制地图，却发现身陷珊瑚礁和海岸之间的浅泻湖中，泻湖宽度由十六至一百六十公里不等。尽管极力避免，"努力"号还是在珊瑚中搁浅了。他将船拖上岸，花了两个月把它修复，期间有充裕的时间来研究大堡礁的奇观异景。

自从库克以来，历代探险家、科学家和旅行家都将大堡礁及其奇观载入史册。它与澳洲东北海岸线平行，沿大陆架蜿蜒二千多公里。它是由三千多个生长阶段不同的珊瑚礁、珊瑚小岛、沙洲和泻湖组成的，环礁各小岛及暗礁之间，由狭窄、弯曲的水道隔开。在某些地方，如位于北岸梅尔维尔角外的珊瑚礁，狭长如带，在南岸马尼福尔德角附近，珊瑚岛却可宽达三百二十公里。

珊瑚原本归类为植物，色彩瑰丽，千姿百态，整座珊瑚礁堪与花园媲美。当珊瑚的触须在清澈的温水中漂荡，或如花朵般盛开，蓄势捕食，整座珊瑚礁就像一片广阔的植被。但这种归类是错误的，珊瑚其实是一种叫珊瑚虫的无脊椎动物，与海葵有关，它那白垩般的外骨骼是构成珊瑚礁的固体物质，则有别于海葵。每个珊瑚露头均由底基和表层两部分组成，底基是由死珊瑚骨骼沉积而成，表层则是活珊瑚虫，珊瑚虫从其壳体裂缝或小孔中钻出来捕食。

珊瑚与附于其身的单细胞梅藻相互依存，形成珊瑚礁。海藻受珊瑚保护，并从其体液摄取养分。海藻属植物，能利用阳光来制造食物；其中有些食物会被珊瑚吸收。更重要的是，它们能使珊瑚将海水中的钙盐转化成碳酸钙，让珊瑚形成骨骼。如无海藻，珊瑚虫只能像海葵群落，无法形成珊瑚礁。

　　在超过一百公尺深的海水中是找不到有活珊瑚虫的礁石的，任何沉积物都会阻碍珊瑚触须捕捉食物，所以海水必须清澈，水温也要保持暖和，全年不能低于摄氏二十一度；另外，珊瑚骨骼必须固定在硬物上，所以多岩石的海底是不能缺少的。只有符合以上各项条件，珊瑚才能生存。因此，沿澳洲海岸的无数岛屿，都构成了各自的珊瑚带。

　　在大堡礁，至少有三百五十种珊瑚，无论形状、大小、颜色都极不相同，有些非常微小，有的（如脑珊瑚，呈圆形，表面沟槽酷似人类大脑）可宽达二公尺。在礁石外缘的橡胶状珊瑚，能抵受大浪冲击；脆弱的花边状珊瑚却只长在波平如镜的海水中。珊瑚千姿百态，还有扇形、半球形、鞭形、鹿角形、树木和花朵状的。珊瑚栖息的水域颜色从白、青到蓝靛，绚丽多彩；珊瑚也不遑多让，有淡粉红、深枚瑰红、鲜黄、蓝和绿色，异常鲜艳。

　　在珊瑚礁激烈的竞争环境中，能否在阳光下占一席位关系重大。不同种的珊瑚都各出奇谋，以确保获得所需阳光。有些不过长得比竞争对手大，如许多鹿角珊瑚，每年身体可以增大二十六平方厘米。其他种类的珊瑚可根据所栖息的海水深度来改变形状：在阳光稀少的深水中可变得扁平，在阳光充沛的地方则会变得像手指般长而粗。

　　珊瑚礁群落内环境有异，其深度、温度、清晰度、宁静度及食物的种类随位置而改变，因此成千上万种生物都能找到所需的生存环境。有一千四百多种鱼、甲壳和贝类动物、海葵、蠕虫、海绵和鸟雀在大堡礁及四周安家；珊瑚只佔其中百分之十。海参吐出的细碎贝壳和沙粒沉入海底，就会填补珊瑚底基的裂缝，对保护礁石起着关键作用。

有些鱼为了适应礁居生活而改变身体。例如钳状蝴蝶鱼长成管状长吻，能插入缝隙觅食。彩蓝条纹的隆头鱼会吃掉附在其他鱼身上的寄生物，使它们保持健康。有一种鱼则收起食肉本能，维持昏睡状态，打开嘴和鳃，让隆头鱼替它清除寄生物，甚至深入其口腔。鳚鱼的外貌和行为酷肖隆头鱼，但不吃附在鱼身上的寄生物，而会咬掉一块鱼肉。

礁石间有些鱼色彩艳丽醒目，大抵想吸引未来的配偶，就算惹来大敌侵袭，也在所不惜。有些鱼将自己巧妙地伪装起来，如鮋将表皮上长长的片状物垂下，就像满布海藻的岩石，一旦发现猎物，就会悄悄浮起，静止不动，然后以惊人速度扑向猎物。石斑鱼能迅速改变体色和图案，与四周浑然一体，其吻与颚能张得很大，把猎物直接吞入咽喉。

珊瑚礁的生态环境平衡得异常微妙，稍有改变就会受到破坏。在二十世纪六、七十年代，刺冠海星的数量激增。由于刺冠海星会把消化液吐在珊瑚上，令珊瑚死亡，大堡礁的生态因而受到威胁。导致海星数目暴增的原因是游客捡光礁石上的法螺，而法螺这种食肉的软体动物，经常吃掉刺冠海星，减少其数量。保护法螺，就能减少刺冠海星，但部分珊瑚礁的生态平衡必须花上四十年才能恢复。

壮观的梅洋生物及奇妙的生存环境，使澳洲大堡礁成为世界上一个最大最年轻的自然奇观。最近的研究表明，大堡礁部分地区形成至今仅五十万年，从进化而言，非常年轻，成熟区域形成也不过一百万年。在短短的时间内能产生多姿多彩的生物群落，显示这些生物已适应了这片清澈的水域。

大堡礁堪称地球上最美的"装饰品"，像一颗闪着天蓝、靛蓝、蔚蓝和纯白色光芒的明珠，即使在月球上远望也清晰可见。但是，当初首次目睹大堡礁的欧洲人未以丰富的词汇来描述它的美丽，颇令人费解。这些欧洲人大部分是海员，可能他们脑子里想的是其他事情而忽略了大自然的美景。

一六〇六年，西班牙人在托雷斯在昆士兰北端受到暴风雨袭击，驶过托雷斯海峡（此海峡以他的姓氏命名）到过这里。一七七〇年，船长库克曾滞留于此。一七八九年布莱船长率领"邦提"号上忠于他的船员驶过激流翻滚的礁石来到了平静的水面。

"努力"号船上的植物学家班克斯看到大堡礁惊讶不已。船修好后，他写道："我们刚刚经过的这片礁石在欧洲和世界其他地方都是从未见过的，但在这儿见到。这是一堵珊瑚墙，矗立在这深不可测的海洋里。"其实，珊瑚要在阳光充足的浅海里才能茁壮生长，但班克斯正确地指出大堡礁在世界上是独一无二的。它沿着澳洲东北部大陆架绵延二千零三十公里，是地球上最大的活珊瑚体。

这一巨大工程的工程师是无数小珊瑚虫，约有三百五十种。珊瑚虫与水母有亲缘关系，每个珊瑚虫的嘴周围长着一圈触须，从海水中吸取碳酸钙，变成石灰质的外壳，无数外壳累积起来便成为珊瑚礁，珊瑚虫与一种明做虫黄藻的微生物共生于石灰质外壳中，虫黄藻会进行光合作用，把二氧化碳和水合成碳水化合物和氧。珊瑚虫吸收碳水化合物和氧，而虫黄藻提供硝酸盐和其他排出物。所以，珊瑚礁只能在有阳光的地方生长，即海水清澈且深度不超过四十公尺处。

白天在珊瑚礁阴影下的水中一片沉寂，但夜晚各种动物都纷纷出来活动。珊瑚虫在夜间觅食，伸出彩色缤纷的触须捕食浮游微生物，无数珊瑚虫的触须一齐伸展，宛如鲜花怒放。但白天不能伸出触须，否则会遮住虫黄藻需要的阳光。

在春季某些宁静的夜晚，会出现最壮观的情景。沿着大堡礁，不知受何种化学物质或光线的诱发，所有珊瑚虫会一齐放出一片片橙、红、蓝、绿色的卵子和精子，漂浮到水面，使海水呈现鲜艳的颜色。然后卵子和精子混杂在一起，产生出幼珊瑚虫，随潮汐四散游开，寻找合适的空地建造新的珊瑚礁。

在珊瑚礁中间生活的生物还有海绵和海葵、海蛞蝓和海参、巨蛤、海鞘、海蛇、水母和鱼、虾，种类繁多，色彩纷呈。珊瑚礁内外常有鲨鱼出没；在礁外的深水区生活着海豚和鲸等哺乳动物。

珊瑚礁不断生长。新珊瑚礁露出水面，很快就盖上一层白沙，上面长起植物。这些最先在珊瑚礁上生长的植物，繁殖速度十分惊人。它们结出的耐盐果实可以在水上漂浮数月，漂到适合的地方，发芽生根，为其他植物的生长铺平道路。鸟类为珊瑚礁上植物的生长作出重要贡献，它们把植物的种子散布在礁石上，其粪便则使礁石上的土壤肥沃。海鸥喜欢吃龙葵属的浆果，把其种子散布在岛上。黑燕鸥常在腺果藤树上筑巢，其黏性种子往往附在黑燕鸥的翅膀上传播。

珊瑚岛是无数海鸟的栖息地，如燕鸥、黑燕鸥、海鸥、鹱、军舰鸟、鲣鸟、大海雕等，常在珊瑚礁面噪闹。夏季，母海龟爬到岛上把蛋产在热沙里。约八周后，成千上万的幼龟便从沙里孵出，争先恐后爬入海中。在爬向大海的途中，往往被海鸟、螃蟹和老鼠捕食。

大堡礁是世界上最有活力和最完整的生态系统。但其平衡也最脆弱。如在某方面受到威胁，对整个系统将是一种灾难。大堡礁禁得住大风大浪的袭击，当二十一世纪来临之际，最大的危险却来自人类。

土著在此渔猎已数个世纪，但是没有对大堡礁造成破坏。而本世纪，由于开采鸟粪，大量捕鱼、捕鲸，进行大规模的海参贸易和捕捞珠母等，已经使大堡礁伤痕累累。

现在澳洲已把这一地区辟为国家公园，制止了此类活动，并对旅游活动进行了控制。

大堡礁是海洋中的热带雨林。珊瑚取代雨林中的树木，鱼类和软体动物取代了鸟兽。同雨林一样，内中也有各种各样的生物和生存竞争。仅鱼就有一百五十种之多，可见竞争之激烈。

在大堡礁的边远处，最凶残的大白鲨和虎鲨则时刻在等待着海豚和海龟。

□孤独的大陆之谜

南半球的惟一大陆——澳洲，一直是世界上最孤立的地区，几千年以来，都未被列入海图中。大陆的三面都被海洋包围。其正北方的诸岛屿，是企图迁移到这个南方大陆人们的踏脚石。然而，因为这些岛屿被容易迷航的曲折海峡所包围，反倒成为其它各地区船舶横越海洋来到大陆时的阻碍，因此使澳洲陷入完全的孤立。一直到十八世纪后半期，这块七百七十万平方公里的大陆，仍然没有文明世界的人类想在此开发殖民地。

新西兰的石球是从天上掉下来的吗?

但是，在十八世纪之前，"亚波利吉尼"（原始的土著）就来到此地。他们经由陆路，再由北方的爪哇群岛驾着小船横渡海洋而来。

在一万六千年或更早以前，澳洲的大湖——艾耳湖，当时还是一片翠绿大地的中心，史前时代的巨型动物，在草木茂盛的平原或水量丰沛的河川地区，逐水草而居。后来，有很长一段时期没有下雨，大约五千年前左右，又有火山爆发，流出的熔岩覆盖了大地，于是澳洲就像电影《地球之黎明》里所描述的，被火山熔岩侵袭之后，呈现着一片凄凉的景象。

在西方世界，自古以来就相信有澳洲大陆的存在；希腊人更主张，在地轴的中心，为了保持地球的平衡，南半球一定有陆地。

希腊的历史学家——迪奥彭巴斯所写的一些片段的历史章节，虽是属于公元前三百五十年左右的史书，但其中记载着：

> "有欧洲、亚洲、利比亚各岛屿，这些岛屿四面环海，而且，在这些岛屿之外，还有一片非常广阔且无法测量其大小的大陆或一部分陆地存在着。在这片陆地上有茂密的牧草，该地区所饲养的一些庞大而健壮的家畜，比我们现在所饲养的还大一倍以上；而且该地区人类的出生率，也比我们高得多。该地有很多城市及地区，他们所奉行的法律和条文也和我们完全不同。"

古代的希腊或罗马人对于赤道另一边的世界都心存恐惧，到了一百五十午，亚历山大时代，希腊早期的地理学家——托勒密，对马来半岛具有相当程度的了解，因此，这时期的人们才逐渐向东方或南方航行探险。托勒密制作了一张世界地图，对于他所不知道的部分，凭借推断予以补充。当他画亚洲大陆的时候，遇到他不知道的，就将地图上的亚洲大陆任意的延伸；当他画非洲大陆遇到相同的情况时，也任意延伸，造成亚洲大陆和非洲大陆连结的情形，结果在世界的最南端，也形成了一个未知的南方大陆。

其后一千多年，托勒密假想的南方大陆，就成为人们对澳洲仅有的了解。当然，亚波利吉尼亚人，是当时惟一具有不同见解的人种。

传统上，人类学家将人类分成三大类：白色人种、蒙古人种和黑色人种。但是澳洲原始的土著，在本质上和这些人种有些不同——亚波利吉尼人的手臂非常瘦削，臀部窄小，额头也很小，眼眶深陷，身上长了很多毛，皮肤呈黑色。

世界上三大主要的人种，后来虽然广泛地分布到世界各地，但他们总有自己的故乡。经过探讨，澳洲人种——亚波利吉尼人——的发源地，是澳洲北部的爪哇岛及附近诸岛。澳洲人种只有小部分迁徙到马来半岛和印度，其他大部分进入南方广阔的大陆。

依照科学上的年代测定得知：亚波利吉尼人在一万六千年前，就已经到达澳洲大陆。当时环绕大陆周围的海面，比现在至少低了八十米，广阔的沙洲把新几内亚和澳洲连在一起，因此企图迁徙到新土地的澳洲人种，能够安然地度过最后一段旅程，进入澳洲大陆。

但是，澳洲人种在抵达新几内亚之前，仍然必须横越海洋，因为在婆罗州东方和帝汶岛南方以及东方的狭长海峡，早在史前时代，就将新几内亚、澳洲和亚洲大陆隔开。但对于擅长游泳，且部分已拥有小船的澳洲人种而言，虽然在岛与岛之间，有无数个破碎支离的海峡，挡住了前进的路线，但要横渡这些海峡，并不是一件难事。

澳洲土著是个很单纯的"采食民族"，只有在需要另觅新的狩猎场所时，他们才迁徙。他们既不耕种土地，也不栽种作物，通常是以蛇、蜥蜴、昆虫的幼虫、植物的根部、鱼等果腹，有时候甚至以袋鼠、鳄鱼为食。他们没有铁或其它金属的知识。武器或日常生活上使用的工具，都是以石头、兽骨、树木或贝壳制成，他们所使用的武器和工具，外形虽然很简陋，但很多都是别具创意。

亚波利吉尼人身体非常矮健，可以忍受严寒、酷暑，以及湿度很高的气候。几乎所有地区匠亚波利吉尼人，都赤裸着身体，他们通常采取分散的部落方式，在旷野中生活。有时候他们也建造一些小草屋，不过通常都露天席地睡在旷野中。由于他们没有不动产，所以迁徙非常方便，适合于流浪生活。他们随着季节的变迁，一面寻找水和粮食，一面缓慢地迁徙至澳洲大陆的各个角落。

当悉尼殖民地在一七八八年代被建立起来的时候，澳洲大概还居住着三十万的亚波利吉尼人，然而时至今日，只剩下不到八万人。因为他们狩猎的场所被掠夺，传统的生活形态也受到威胁，而且又受到欧洲人所带入的疾病侵袭，有时候，也遭到欧洲殖民者的杀害，因此，亚波利吉尼人迅速地失去了独立生存的条件，甚至连求生的欲望也消失了。在十九世纪中叶，许多人都了解到亚波利吉尼人正走向毁灭之途。

一九〇九年，在昆士兰州肯因兹附近的一条小河上游，发现公元前二二一年至二〇三年埃及国王托勒密四世时代所使用的货币。这些货币大概是殖民者所贮存下来的，因此，或许可以证明，在二千年前，已有贸易商人徒步在返于昆士兰北部，从事交易的活动。

　　一八七九年在达尔文附近的一棵菩提树中，发现一尊石灰质的道教小神像。道教在公元七世纪是中国的国教，这尊小神像或许是中国人带到澳洲来的吧！

　　公元一九四八年，喀本塔利湾的格鲁特岛西北岸的海面，有一座叫做维恩却尔西的岛屿，在该岛上发现了一片十五到十六世纪间，中国明朝的瓷器碎片，这种瓷器到底是以什么方式到达这里的呢？

　　在欧洲人开始探险之前的几百年间，如果有人问道：有哪些国家的人曾经到达澳洲本土？往往无法获得解答。但是，我们或许可以说：经常往来于中国海、印度洋以及太平洋之间贸易的亚洲大陆诸民族，一定知道这片广大的南方大陆，而且也曾经到达澳洲海岸的边缘。

　　居住在太平洋诸岛屿的马来人，必然曾逐渐迁徙到澳洲北部的沿岸。马休·佛林达斯在环绕澳洲一周的航行当中（一八〇一年至一八〇三年），在喀本塔利湾，就曾发现六艘马来人的布洛亚（挂着大型三角帆的渔船）在捕鱼。爪哇人是个充满精力和冒险精神的种族，曾经在东方建立了一个相当大的帝国。因为这个帝国的位置，自古以来就是东方贸易航线的中心地带，所以，爪哇人对澳洲的了解，一定也曾传到其他亚洲通商的国家。

但是，无论是中国人、印度人或阿拉伯人，他们所关心的只是贸易而已，因此，在这种情形之下，澳洲自然不会引起他们的注意。即使有些商人到达澳洲，也会受到当地土著极端的敌视，而必须立刻折回。

　　依照八世纪意大利所制作的地图，当时世界已知的只有三大陆块——欧洲、非洲、亚洲，对于南方地区则附带着一项说明：

　　"在印度洋的另一端，有第四块大陆的地域存在，或许，传说中的安迪波迪安斯人就居住在这块土地上。但由于太阳非常酷热，所以该地区的情形，目前我们仍无法明了。"

　　地理学家托勒密所说的未知之图，在往后的七百年间，我们在欧洲所制作的地图上都可看到。然而，它们的轮廓没有丝毫科学上的根据，只是一些准确性不高的推测而已。

　　欧洲的历史学家们，对于到底是哪一国人发现澳洲大陆的？何时发现的？意见分歧，可是大家都承认，葡萄牙人在一五一一到一五二九年之间，曾经到达澳洲，这是因为当时葡萄牙的贸易商人，在东印度群岛有着压倒性的优势。但是由于文献证据的不足，对于发现澳洲的正确日期，也就永远无法获得解答。

　　主张葡萄牙人发现澳洲的最主要证据，还是根据"迪艾普"地图而来，这是法国所出版的一系列世界地图中，标明为一五四一年制作的最古老的地图。法国的航海家（海洋、湖泊、河流，以及其他主要水域地图的制作者），是世界上最优秀的地图绘制者。尽管在一五二九年之前，法国未曾涉足苏门答腊以南的地区，但是，在这张地图上，却可以明显的看出：

其画出的澳洲，不同于以往的地图所画的幻想式大陆，而是真正澳洲地形的一部分。迪艾普地图在绘制的时候，是搜集很多实际前往该地区的人们所提出的意见，综合制作出来的。而且从许许多多葡萄牙语地名可以证明葡萄牙人是开拓澳洲的先驱。比如"迪尔安奴加特"这地名，很明显的是由表示"水面下的土地"或者"下沉的沙洲"的葡萄牙语"迪爱拉雅内加达"所转变而来的；而"贝其巴莎"则是由表示"退潮的海湾"的葡萄牙语"拜亚巴莎"转化而来的。此外，在迪艾普地图说明文字中，有一个字"安达内巴尔夏"，也是纯粹的葡萄牙语。

尽管葡萄牙将有关澳洲的资料严密地封锁，但是其他各国对于这块被命名为"未知的南方大陆"的探除活动，仍是方兴未艾地进行着。

葡萄牙的航海家——培得罗·费南迪斯·得·基洛斯，主张南方大陆是确实存在的。他在一五九五年，和西班牙的探险家——阿尔瓦洛·得·梅达诺一起航行到南太平洋。当时，马贵斯群岛及其西方之圣大克卢斯群岛也被发现了。他们虽然希望继续前进探险，但在一六〇五年，增得罗被任命为秘鲁总督，以圣大克卢斯群岛为殖民地；而后，为了更彻底地寻找南方大陆，才又继续出航探险。

基洛斯率领两艘全副武装帆船，以及一艘"比尼斯"（小型的帆船），到达位于澳洲东方一千六百公里的新赫布里的群岛，他以为自己已经发现了南方大陆。为对西班牙的同盟国——奥地利表示敬意，因而将该岛命名为"神圣的奥地利之国"。

有一天晚上，基洛斯所搭乘的圣培得罗·依·帕岛洛号，突告失踪。据说是由于船员们对于长期而危险的航行感到厌烦，因而叛乱，独自折回美洲大陆，剩下的两艘船虽然日以继夜地搜索，最后还是没有觅寻到。

　　但是，在搜集当中，罗斯·托利斯·雷艾斯号（三贤士号）的船长——路易士·托列斯却发现了这个所谓的"神圣的奥地利之国"，原来只不过是个小岛而已，因此他就率领剩下的两艘船，为了发现南方的大陆，而继续向西航行。

　　一六〇六年八月，托列斯接近了新几内亚东南海面的路易吉亚特群岛，因为遇到暴风雨，就沿着新几内亚南岸前进，到达了南纬十一度——在这里，我们才第一次获得有关澳洲的个人记录。托列斯在航海日记上这么写着：

> 　　"在这附近一带，一定有很大的岛屿存在，而且南方还有更多的岛屿。岛上居住着身体强壮的裸体黑人，他们所使用的武器是一些粗劣的石制枪、弓、棍、棒。"

　　托列斯所描写的"很大的岛"，实际上只是澳洲最北端的约克角上的山脉而已。

　　他一共花了两个月的时间，才通过了今日以他的名字命名的托列斯海峡，虽然现在已经没有他当时通过海峡的航行记录，但是，他卓越的航海技术是可以料想得到的。他从香料群岛进入太平洋，发现了南方的航线，一直到一百六十四年后，科克船长的航海探险为止，没有一个航海家的勇气，顺着托列斯所发现的航线航行。由这点可知他的功绩是如何的辉煌，而且他的探险也是西班牙在该地区最后一次的探险活动。因为在往后的一百年内，所有关于澳洲的探险故事，都是叙述荷兰探险家的冒险活动，以及英国海盗的流浪故事。

□ "不毛之地" 之谜

荷兰人和西班牙人不同之处，在于他们对于"拯救人类灵魂"这件事，漠不关心，但是，他们关心的也不是探险活动，他们真正关心的是——贸易。自从荷兰人从西班牙的高压政策下解放出来之后，他们决心要霸占西班牙的海洋贸易事业，来削弱西班牙的国力。一六○二年，荷兰人设立了东印度公司，四年之后，一艘比尼斯型的"来福坚号"，号威廉·詹森船长率领，前往没有人探险过的新几内亚沿岸，企图寻找黄金。继詹森船长之后，抵达这里的一些荷兰探险家们，对于詹森船长这一历史性的航海行动，提出了如下的报告：

"威廉·詹森船长的探险，包括从南纬五度到十三度四十五分的新几内亚南岸和西岸，总计发现了一千三百公里的地区。这片广大的地带，虽然大部分都是沙漠，但是到处都有黑皮肤凶狠的野蛮人，很多船员遭到他们的杀害，所以詹森一行人，无法对沿岸的陆地或河川，作进一步的调查。由于粮食和其他日用品，已经不敷使用，所以，在没有重大发现之下，被迫返航。由他们的航行图显示出，最远会到达位于南纬十三度四十五分的吉亚维亚角"。詹森船长继续朝新几内亚西岸前进，越

这样的地貌能有生灵存在吗?

过托列斯海峡，航行到距澳洲南岸二百四十公里之处。在詹森船长航海日记里，留下了最初发现澳洲的记录。

由于不断尝试向东方航行探险，荷兰的探险家们，不久便学会了有效利用季风的方法。一六一一年，荷兰籍船长汉特利克·普勒威尔，在航向当时是荷兰属地的东印度群岛首都——巴达维亚（现在的雅加达）的途中，经过好望角转向正东方航行，然后朝着南回归线，转向北方航行。他发觉这条航线航行起来非常顺利，于是荷兰东印度公司就命令所有的船只，都依照这条航线航行。就在这个时期，某个航海家，由于向正东方航行过远，而发现了澳洲的西海岸。

"安特拉哈特号"（调和号）的船长笛尔克·哈尔多格，就是这个发现澳洲的人。他绕过好望角继续向东航行，在一六一六年二月二十五日，发现了澳洲西部的岛屿。现在，这个岛屿便是用他的名字命名的。在离开该岛之前，哈尔多格船长将船员们用的金属盘子，用铁锤敲平，钉在一根柱子上，在敲平的金属盘上，概略地记载他到达这个岛屿的经过。

"一六一六年二月二十五日，阿姆斯特丹的安特拉哈特号到达此地。船长笛尔克·哈尔多格。"

八十一年后的一六九七年，"赫尔芬克号"的佛拉明哈船长，发现了这块标志板，就以另一块标示牌代替，而将原来的标志板带回阿姆斯特丹。后来又经过了一百零四年，法国的船只"博物学家号"的船长亚姆兰，在沙滩上发现了佛拉明哈船长留下的标示牌，虽然已经很破旧，但字迹还清晰可辨。

荷兰人在一六二七年，发现了澳洲南岸这一年，泰生船长率领"黄金海马号"向东方前进，经过卢音角，沿着南岸航行大约一千六百公里。这个地区，后来便以曾经担任过驻日大使和台湾总督的贝德·诺易兹之名命名，称为"诺易兹兰"。

"黄金海马号"是第一艘横渡大澳洲湾的船只，然而，很可惜的是这次的航行只差几公里，就可到达今日南澳大利亚富庶的农业地带，但泰生船长却决定返航，因此，"黄金海马号"并未到达南澳大利亚。荷兰人在这段海域从事贸易活动，只有二十五年左右，但他们对澳大利亚已有足够的了解，荷兰的地图制作家，立即将这块广大的陆地画在地图上，称之为"新荷兰"。

一六四二年八月，荷兰总督安登·璜·迪梅恩任命阿贝尔·詹森·塔斯曼对澳洲南方海域，进行彻底的调查，安登叫督的正式指令如下：

"将所发现登陆的所有大陆和岛屿，以联合七州议会的名义，全部予以占领。"

这次的航海，具有多重目的。荷兰想要寻找自从一五六八年，被西班牙人发现以后，就没有再被发现过的所罗门群岛；同时，也希望能够找出从香料群岛前往智利的南方航线。荷兰和西班牙殖民地——智利之间，有很重要的通商关系，但是，当时荷兰船只都必须绕道新几内亚北岸，由东南航线横越太平洋。所以荷兰东印度公司非常希望塔斯曼能替他们找到经由南方到达智利的航线，除了调查新几内亚的海岸线外，还要调查所有陆地的海岸线，因为荷兰相信，广大的南方大陆是存在的。

当"海姆斯凯尔克号"和一艘比它大的"海鸟号"一起离开模里西斯的时候，塔斯曼中心最希望的，就是顺利完成这次任务，在他的航海日记中这么写着：

"一六四二年，为了发现未知的南方之国……，而开始航行……。"

由于顺风而行，塔斯曼在这一年十一月二十四日下午，就发现了现在被称为塔斯马尼亚岛的海岸。这片海岸，充满了原始气息。他沿着塔斯马尼亚的海岸线向东或向南航行了一段距离，但由于距离海岸线太远，所以对于是否有陆地，并没有做充分地调查。

十二月一日，塔斯曼为了宣布荷兰占领该地，打算在东南海岸的佛雷迪里克芬利岬海面上下锚，但是由于海浪太大，船只根本无法靠岸，于是就命令船上的技工，带着旗帜游泳上岸，将旗帜插在岸上，自己一个人举行殖民地宣言的仪式。

海姆斯凯尔克号和海鸟号虽然花了两周的时间向该岛的南部前进，但在十二月四日，塔斯曼就决定继续向东前进，寻找所罗门群岛。一六四二年十二月十三日，他再度发现了陆地，塔斯曼在右舷处望着海岸线，他相信自己已经找到了南方大陆。事实上，他看到的只是新西兰南岛的西海岸而已。由于西南方风浪太大，再加上这个地区的海岸地形险恶，因此他无法登陆。往后的三天，他继续向北航行，绕过南岛北端的海峡，转向东方航行，不久，就进入了现在称为黄金湾的地区。当天晚上，这两艘船安全地停泊在港内。

虽然塔斯曼很想在这里补充新鲜的水，但是，对于这片未知的土地及居民，依然不敢掉以轻心——究竟这些居民对荷兰人的态度如何？是友好呢？还是敌对的呢？

第二天一大早，海鸟号的高级船员们和塔斯曼商量，希望由他们先行和岛上的居民联系，塔斯曼劝他们不要轻举妄动。但他们没有听他的劝告，就在这些高级船员们返回海鸟号的途中，被乘着小船的马奥利族的战士狙击，而惨遭杀害。

塔斯曼虽然没有发现托列斯海峡，但是，他证明从约克角半岛到西北角的海岸线是连续不断的。他环绕喀本塔利湾一周，并且将该海湾，以东印度公司的阿姆斯特丹长官——喀本塔为名，命名为"喀本塔利湾"。他这次的航行，比较接近海岸线，所以能够观察海岸的地形，以及居民的生活方式，他在航海日记上，描述达尔文附近的安逊湾：

"海岸是不毛之地，原始居民品行恶劣而又残暴。即使我们无意和他们发生冲突，对方也会用箭射击我们。"在接近波那帕尔特群岛的时候，他也记载着："居民们野蛮而且赤裸，没有人能够了解他们。"

一六八八年，英国海盗到达了澳洲大陆，因而重新激起了荷兰人对澳洲的关心。搭乘西格内特号（白鸟号）的威廉·丹颇，是一位很独特的博物学家。当这艘海盗船在东印度群岛附近缓慢航行的时候，突然遭到台风的侵袭，船只被吹到荒凉的澳洲北岸。丹颇在他的航海日记中记载着："我们被吹离了所有的岛屿，一直漂向孤立在南方未知大陆的一部分——新荷兰附近。到底从这块土地上是否能获得补给，实在无法猜测得到。"

他们在一六八八年一月三日接近新荷兰，这地方刚好是现在称之为丹皮原毕格尔湾附近。第二天，向东前进大约八十公里，进入王岛，在西格内特湾下锚。水手们对于当地的特罗格勒泰特人虽然心怀恐惧，但还是在那里停留了九周。他们和以前曾经到过这里的航海家们不同的是，他们不仅在这里树立旗帜，寻找到淡水，而且还在这块世界上最炎热的地区之一，过着陆上的生活。他们一方面将船底的附着物除掉，修补船帆，同时还在陆地上搭帐篷睡觉，他们以海龟和海牛为食。丹颇调查该地区土地、居民生活，所获得的成就，可说是前所未有的。

丹颇在一六九一年回到英国，于一六九七年出版他的航海日记《世界一周新航行》。书中所描述的事情，使很多人感到惊讶，他这么写着："新荷兰是一片非常广阔的陆地，究竟是个岛屿，还是一块大陆呢？这个问题目前还无法定论；但有一点是可以确定的，那就是她并未和亚洲、非洲或美洲连接在一起。"

丹颇的航海日记，使英国人开始对太平洋，尤其是广阔的南方大陆，发生了莫大的兴趣。英皇威廉三世在读过他的日记之后，立刻命令海军总部开始正式的航海探险。为了要协助英国海军舰队对于新发现的土地，从事更详细的调查，丹颇也被派往太平洋。他所负的使命，主要是到达新荷兰的海岸，转向新几内亚北部，然后折向东方航行，继续寻找南方大陆。实际上，他所负的任务正好和塔斯曼的航线相反，但他并没有遵循这条航线，因为他曾被授权可以自由采取"任何航线"。

"罗巴克号"中途不曾休息。一六九九年七月三十一日，在笛尔克哈尔多格岛附近发现陆地，而后，从该处向澳洲的西岸和北岸航行一千五百公里左右，到达他上次曾经登陆的西格内特湾附近一百六十公里处。绕过西北角时，丹颇回头眺望艾克斯茅斯，心里盘算着："难道不能发现隔开新荷兰与新几内亚的海峡吗?"他决定在找到补充的水源之后,立刻折回来做详细的调查。但是一直没有找到充分的水源。

在夏克湾登陆后不久,丹颇初步决定,要在现在的布卢姆城偏南的罗巴克湾附近,逮捕一位土著,然后威胁他将他们带到有淡水的地方。于是,他布下陷阱,希望能诱捕到一位亚波利吉尼人。

但是,事情的发展,完全出乎丹颇的意料,他为了要威胁这些原始土著,不得不朝空中鸣枪,但是由于只发出声音,并没有发生伤亡,所以亚波利吉尼人就无视这些枪声。他们口里一面模仿"碰!碰!碰!"的枪声,一面大声呐喊着,朝丹颇他们攻击过来。为了压制敌人,丹颇开枪射中其中一人,才算吓住了这些土著,没有继续向前攻击。

由于饮水缺乏,再加上营养的食物都已经吃完了,丹颇的部下都患了坏血病。于是"罗巴克号"不得不改变航线,朝北方热带的群岛出发。他们绕过新凡内亚北岸、新不列颠群岛,再度通过新几内亚北岸的丹颇海峡,踏上归途。

如果他将航线转向南方的话,应该可以发现澳洲肥沃的东海岸。

丹颇所面临的情况愈来愈恶化,他在航海日记中写着:

"由于这段时期,遭到很多的困扰——没办法除掉船底的附着物,船员的人数大量减少,再加上船员们个个归心似箭,我们所到达的浅滩或海岸,都是些不知名的地方,如果再这样继续下去,结果将很可怕。在这种情况下,要想完成探险的任务,已经不可能了。"

　　这时候，他已经生病了，但是仍然继续指挥"罗巴克号"，一直航行到大西洋。更不幸地是，船开始漏水，每修理一处漏水的地方，其周围的船板就跟着受损害，这艘船终于在亚森欣岛附近的洋面沉没。

　　丹颇在一个月后获救，一七〇一年八月回到英国，但立刻就被送军法审判。这是由于飞夏在巴西越狱，逃回英国的关系。他在军事法庭中，作了各项对丹颇不利的指控，使丹颇被判有罪，同时必须支付罚款，而且不得再指挥英国的船舰。

　　两年后，丹颇谒见女王，女王对于他完成艰巨的航海行动，给予很大的奖励。一七〇九年，他的第二部著作《新荷兰航海记》出版。虽然这本书和他的第一本航海记一样，很详细地叙述一些足以使读者们雀跃惊叹地航海历险，但是，他在书中表示，澳洲是地球上最没有价值的不毛之地。

　　往后，开往澳洲探险的人，就逐渐减少。荷兰以贸易的观点，对于这块土地可说是完全的绝望。自从丹颇在他的书中记载有关这块土地以及原始土著的恶劣印象之后，几乎有一世纪之久，没有任何国家再对这块土地作大规模的探险活动。

第8章 地球的汪洋大海之谜

　　水是地球最珍贵的资源，是人类生存不可或缺
的，一切生命由水中产生，没有水，这个星球的一切
生灵都要枯竭；没有水，这个星球将死寂而荒凉。水
是柔美的、宁静的，当它曼妙的身姿在大地上低吟浅
唱时，无数的良田沃土得以灌溉，得以葱茏；水是阳
刚的、狂野的，当它咆哮着掀起万顷波涛时，人类也
不由地不慨叹它的磅礴与伟大；水也是神奇的，难以
捉摸的，它能在岁月的长河中，悄无声息地雕琢着、
变幻着大自然的容颜……水是地球最为奇妙的风景，
在它无常的面孔下，人类是如此的渺小与迷茫……

□大海为何会潮长潮落

　　潮水是对海洋影响最大的力量。海里的每一件小物体，即
使在最深的海底，也逃不过太阳引力与月亮引力的影响。当
然，陆地上的碎石尘土也一样受影响。不过，碎石尘土的移动
异常轻微，而海水一涨一退可以相差很多尺。太阳系的其他行

星和太空远处的星球，对地球也有引力，但力量很小，对潮水的影响根本微不足道。

太阳和月亮都可以使地球表面的潮水上涨，但月亮距地球近得多，是造成潮水涨退的强力因素。住在海边的人都知道，潮水涨退通常相隔六小时，而且高潮的时间要比上一天约迟五十分钟，与每天月出时间的改变完全相符。

潮水的高低，也随月亮绕地球转动的周期而改变。每月朔望，潮水高得多。这种最高的高潮称为"大潮"，发生的时候，太阳、月亮和地球成一直线；因此，太阳和月亮对地球和引力合而为一。月亮在上弦或下弦时，同太阳和地球构成三角形的三个顶点，太阳引力与月亮引力相消，潮水较低，称为"小潮"。

海岸地形对当地潮水的情况常有重大影响。加拿大北部哥伦比亚角，也就是皮列海军上将到北极探险的出发地点，潮水平均上涨只四英寸。但新苏格兰与新布仑兹维克间芬第湾头的明纳斯海盆上，潮水最大时，上升的高度比低潮时高出五十三英尺半，是世界上最大的潮差。明纳斯海盆的漏斗形状，使潮水涌集在芬第湾头的狭端。每次潮水涨退，进出芬第湾的海水大约有一千亿吨。

潮水的涨退并不简单。我们不要忘记，海洋下面有很多巨大的海盆，轮廓各不相同。视环抱的陆地与凹凸不平的海底而定。海盆的形状能够加强或减弱潮水涨退的幅度。

长久以来，大溪地潮水的涨退，一直使海员与科学家大惑不解。高潮发生于每日正午及半夜，低潮出现于清晨六时与晚上六时，与月亮的升落并不一致。因此有人也许会认为，月亮照不到大溪地，那里的海水只跟着太阳变。

这种情形当然另有解释。原来大溪地恰好位于一个海盆的中心点上，海盆中海水受到月亮的引力时，就像平盘中的水一样来回动荡。如果把平盘的一边缓缓翘上或侧下，就会发现盘中央的水差不多保持同样的高度，盘边的水起落却很大。这样盘中的水好像翘翘板一般，以某一点为中心，此端上升彼端下落。就潮水而言，大溪地适位于翘翘板的中心点附近。所以，只有太阳的引力能对海上发生作用，潮水的涨退，与太阳的升落步调一致。

潮水与航海的关系最重要。在茫茫大海上，当然觉不到潮水涨退，但是，轮船接近岸边的时候，情形就完全不同了。很多港口中，大量海水因潮水的影响而移动，造成强力的海流。如果潮流太强，连最大的轮船也要等到最适当的时间，才能进出港口。所以，有些巨轮驶往或离开纽约市时，常要在水上漂浮等候一段时间。纽约港口外有奈洛斯海峡作为屏障，而且多数码头都建在深入哈德逊河距离港口甚远的地方，但是最大的货船要等水势缓慢时才敢移动，以免受到潮流的冲击撞向码头。

有些很大的海湾，因为进口狭窄，潮流异常汹涌，不在水势缓慢的时候，根本就无法航行。例如格陵兰的桑德斯特罗峡湾，表面看来平静可爱，但狭窄的进口当中，凸出一个小岛，叫做西缪塔克，爱斯基摩语的意思是塞子或瓶塞。事实上这个峡湾像个大瓶子，装满水后又会把水倒出，西缪塔克岛像个塞不住瓶口的软木塞。潮水涌进涌出，犹如汹涌的河流。峡湾里大量的海水每天都要吞吐两次。以前，爱斯基摩人的皮制轻舟，每天只有两次各约半小时的时间，可穿过峡湾的湍急海流。现在，即使驾驶马力很大的汽艇也要特别谨慎，否则遇到时速八到十英里的海流，就会失去控制，被水冲走。

世界上其他地区也有同样情况，而且不一定在峡湾里出现。澳洲北部的水域中，不断增长的珊瑚礁造成很多水道，汹涌的潮水穿过这些水道，时速高达十英里。总之，在任何狭窄的水道中航行时，如果遇上海潮和大风，就可能发生危险。大家熟知的例子，是苏格兰与奥克尼群岛之间的潘兰湾。从北海方面涌进与涌出潘兰湾的海流，极端危险，船长通常都宁愿向北绕道航行。退潮时如刮起强烈西北风，情况最坏，海上会出现排山倒海的巨浪，苏格兰人称为"斯维尔基"。许多海员在这里丧生。从北欧海盗的时候起，海员一直视潘兰湾为畏途。有会开玩笑说遇溺海员的鬼魂，常在冬天黑夜里出现，向经过那里的海员大声叫唤。现在，即使在现代化轮船上工作的海员，在经过潘兰湾时，虽然海峡中灯火通明，像都市中的通衢大道一样，而且船上的引擎很有规律地不断发出强大的震动声音，他们还是提心吊胆，一定要过了潘兰湾才能安心。

航海指南都详细列出有关潮水涨退的警告。这是世界各地船长使用的航海宝书。例如《阿拉斯加航海指南》说，在阿留申群岛海面，潮水会造成最大的危险。在阿拉斯加也会出现一种叫做"涨潮激浪"的现象。阿拉斯加的涨潮激浪汇集于半岛南部海岸科克湾中的杜那根海湾。科克湾以英国探险家科克船长（一七二八至一七七九年）命名。湾内的潮水特别高，时常比低潮水位高出三十英尺，科克船长在高潮时进入杜那根海湾，后来发现他的船搁浅了，周围都是淤泥，过了六个小时才能把船开出。

涨潮激浪是在特殊情况中产生的异象。世界上好几个地方都可见。那里的海湾一定是很浅的河口或峡湾，入口处有些障碍物足以阻延潮水流动。如果有适当方向的强风使潮水的涨速超出流过障碍物的流速，到潮水涨到足以越过障碍物时，潮水就在障碍物上方冲过，涌进峡湾，前锋又陡又高，有如一堵大墙。除阿拉斯加外，世界上还有几个地方会出现涨潮激浪。例如，英国的塞汶河与特林特河；芬第湾；美国的加里福尼亚湾；亚马逊河；我国的钱塘江等。亚马逊河和钱塘江涨潮激浪之大，冠于世界，浪峰高达十五到二十五英尺，以万马奔腾之势向上游冲去，大潮来时时速十到十五英里。

许多人在阿拉斯加的杜那根海湾，目睹涨潮激浪的推进情况。在潮水来临前二十分钟，已听到怒涛激荡的声音，像雷霆一样，一步一步地逼进。当地居民早已见惯，不觉惊奇。他们在杜那根涨潮激浪到达前，把所有小艇拖到沙滩上的安全地点。

利用潮水的庞大力量充作能源，早已吸引富有创造才能的人。过去几百年，英格兰、威尔士、荷兰及新阿线斯特丹（现在的纽约）都有潮水磨坊。目前，法国在布列丹尼的兰斯河上，设有一个规模很大的潮汐发电站，年产电力五亿千瓦小时。这里的潮水高达四十英尺。双向的涡轮机，在潮水进入和流出兰斯河水道时，都能利用海流的动力发电。

有些国家在海岸装置潮水推动的马达。在英国有一些，但马力不大，不足供应整个城市的照明或一家大工厂所需的电力。最通用的潮水马达，利用浮体沿长杆滑上滑下，使机器保持转动。涨潮时浮体升起，退潮时浮体降落。不论升起或降落，都能发出动力。另一种装置需要建造一个蓄水池，前面有入口可让潮水流入。潮涨时推着机轮朝某一方向转动，潮退时又朝另一方向转动。

　　为了将来的需要，俄罗斯目前在北极海接近挪威边境的基斯拉雅湾，设置了一个试验性的潮汐发电站。工业国家对能源的需要不断增加，相信不久之后，很多地方的人，都要借重潮水的力量，使城市大放光明，使工业保持生产。潮水发电，就是利用循环运行天体的引力作能源。

□海浪的威力有多大

　　看海浪的人都会觉得海浪很神奇，海浪有时很富诗意，有时来势险恶，不管在什么时候，总有神秘莫测之感。

　　一连几天无风时，空气中的一切都不动，可是海上的破碎波越来越大。波浪默默地越过大海，活像列队的象群，一个接一个滚滚前来，究竟是来自多远的地方呢？远在波浪冲上海滩以前，先是象头然后是象身为什么都要变白，最后只见一片泡沫在海面上打旋？巨浪究竟能有多大？危险性又如何？

　　长久以来，人类一直都难以解答这些问题。事实上，到了近几十年，海洋学家才能告诉我们，波涛怎样在大海诞生，诞生后要走很远很远，才抵达岛屿沿岸处或大陆的边缘岸上消散。

　　首先可能问波浪是什么？有人可能认为，波浪是在海面上

海浪"凿"出的伦敦石桥。

移动的大片海水。绝不是这样，只要细心观察随波漂来的一片
漂木就明白了。先见漂木迎着前来的波浪移前少许，随浪升
高，然后又跟着小浪移前少许便落下。波浪过后，漂木仍留在
原位。因此有关波浪的第一件事实是，它和海流不同。海流确
实带着水前进，而波浪只是穿水而过。波浪不外是能的脉冲，
藉水分子的振荡在海水中传送。

最常见的波浪，全都因风而起。海啸则是地震所造成。海
风吹入水面翻起涟漪，涟漪不断堆起。风力把它们越推越高，
同时振荡也越来越深。

请注意"越来越深"这句话。这风吹起的涌浪吸收了风的能，其中一半是在海面之下。在浅水的沿岸海底潜水的人，见得到这种能的力量：涌浪在上边的海面上经过时，水中的海藻来回摆动。英国的"长涌浪"曾把一磅重的石块，从海底冲进设在水下一百英尺深处的捕龙虾用的篓里。爱尔兰西部近岸的海底一带，几百磅重的岩石常被海面的长涌浪打得像保龄球那样滚来滚去。然而使海员害怕的则是波浪的上半部，即波峰部分所传送的能。

　　风浪的大小，受风速、风吹的时间长短、海面阔窄等因素影响。波浪的稳定度，也就是波浪的陡度，决定于波长（前后两个波浪波峰间的距离）。一个波浪如果高度超过其波长约七分之一，就要散开，形成白帽浪。在风暴中形成的波涛，高达四十到六十英尺的，在公海上并不罕见。更高的"滔天巨浪"，也曾有人遇到过。

　　一九六六年，"米盖朗奇罗"号邮船在狂风怒号、浪高三十尺的大西洋上航行时，夜里突见一个巨浪渐渐升起。据船长估计，约有六十英尺高。巨浪以雷霆万钧之力打到船上，把船首三寸厚的钢板打扁，在桥楼上撞开了一个三十英尺乘六十英尺的大洞，冲歪了轮船内部几块舱壁的钢板，还死了三个人。

　　科学家解释这样的巨浪说，海是许多不同风暴形成的波浪汇集之地。在大海上任何一点看到的波浪，有遥远地区旧风暴形成的涌浪，也有在较近海域产生的涌浪。这些来自不同方向的波浪相遇时，力量不是抵消，就是加强。一个波浪的波峰，往往会吞噬另一个波浪的波谷，二者的力量就互相抵消，在湍流之中呈现一片风平浪静的景象。但是有时候，两个、三个甚至四个波峰会加在一起，在短短一两秒钟内重叠起来形成一个巨浪。

据可靠的记录，最大的波浪，是一九三三年美国海军油船"拉玛波"号在太平洋上遭受台风袭击时所遇到的。一连七天，大风暴的烈风在浩瀚无边的海洋上，朝着一个方向猛吹，翻起滔天巨浪。根据慎重记实的宣誓书和船上官员的计算，一连串巨浪排山倒海而来，一个比一个高，从八十到九十，到一百，到一百零七英尺，最后看到的一个，从波谷到波峰足足有一百一十二英尺高。像这样的目击者记载，看了定会令人感到惊奇，因为我们可以想像得到，许多更大的风暴所造成的巨浪一定更大，只是没有看人看见，也没有人记录下来而已。

冲上岸边海滩的波浪，一般说来，要比在海洋中的小得多。北美沿海的自记测波仪录得，约有百分之八十的破碎波高度不到四英尺，只有冬天风暴季节的波浪才达到十英尺高。夏威夷欧胡岛的背风面，一向以有拍岸巨浪著称。在那里，能掀起二十英尺波浪的涌浪，已经可以写入记录簿了。在北美北部太平洋沿岸一带，冬季的破碎波往往高达三十五到四十英尺，世界各地最高的波浪也不过如此。

波浪能远涉重洋，渡过大海。掀起波浪的风一旦平息之后，波浪就不再与风及湍流冲撞，而变为正常状态的"海浪"——在一定的风速下，海洋所起的最大波浪。从此以后，波浪就成了徐徐荡漾的涌浪，横过大海，向遥远的海岸涌去。波浪也和涌浪一样，可把风暴产生的能传送半个地球那么远。

这个事实已由第二次世界大战以后的研究证明无误。举例来说，一九四九年，在北大西洋波涛汹涌的一段时间内，英国的研究人员分析了打到康瓦尔郡海岸的一连串波浪，认为那些波浪一定是四天前在三千英里以外北美海面某处的风暴产生的。他们翻查天气图，在当时当地佛罗里达州海上果然有过一个飓风。今天，太平洋的自记测波仪常常录得，推动加州滑浪人御浪滑行的力量，也许是几天前在澳洲海外形成的疾风加在海中的能。

我们观察波浪在深海水中移动的情形，就可以估计波浪移动的速度。计算波浪时事，只要计算出两个波峰向前移动时相隔多少秒钟，然后用三十五乘这个秒数就行了。例如，两个波峰相隔十秒钟到达，那么时速就是三十五英里。即使是小浪冲上海滩消散，也放出大量的能。防波堤上的测力计显示，波浪往往以每平方英尺五十吨（每平方英寸差不多一百磅）的压力向障碍物猛击。有时波涛疯狂施威。俄勒冈海岸受到十二月八级风的袭击，波涛掀起一块重一百三十五磅的石头，把它抛到空中，落在海拔一百英尺的提拉木克灯塔守望人住宅的房顶上，击穿一个直径二十英尺的大洞。在苏格兰维克地方，波浪从防波堤把重达二千六百吨的坚实混凝土块冲走。

波浪为什么有时在离岸还远的地方就破碎了？答案很简单。波浪中能的脉冲底部一碰到海底，整个波浪的动态就大为改变。在深海中移动的涌浪，底部能向下伸到该诵浪波长一半的深处，即是说波长三百英尺的涌浪能碰到一百五十英尺深处的海底。

站在岬角上观海的人，可以看到波浪接近海岸时形态和速度怎样改变。首先，波浪碰到海底后，速度就会放慢。接着，在继续向海滩的斜坡滚滚前进时，整个波浪就从水里高高竖起。最后，因为不能支持下去，竖起的波浪就"轰"地一声落下来化为泡沫。波长大因而底部深的巨浪，在越过水下的珊瑚礁时会稍起泡沫；底部不深的短浪，在越过同一海底障碍时，却一点泡沫也没有。原因就是如此。

波涛汹涌并不一定是风暴来临的预兆。因为风暴掀起的波浪移动得比风暴中心快，如果风暴和波浪都朝同一方面移动，波浪的确会首先到达海岸，向居民报信。不过，风暴有时朝另外一个方向走。例如，大西洋的飓风常常把巨浪送往北美海岸，而本身却出海去了。

一般人相信，第三个（一说第九个，一说第十二个）波浪一定最大。这个说法并无实据。然而，波浪大小可随波型而改变。极有规律的阵波，以不同速度冲上同一海滩，几个波峰结合成一个大浪，接着步调渐乱，直到一个的波峰正好与另一个的波谷互相抵销后，波浪才又渐渐结合起来。站在海滩上观浪的人，往往能看出拍岸浪起伏的循环。

·海边形成强力回卷的机会，通常并不太大。泡沫迸溅的破碎波看似一条白水冲上沙滩，其实流上沙滩的水并没有多少。等到这点水追着拍岸浪退回时，又给第二个浪打回沙滩。换句话说，回卷并不能把人冲出海去；最坏也不过是，强大的回卷力把人冲倒，使他躺卧在拍岸浪边缘的海水上。

曾有泳者陷身在回卷里，因无法游回岸边而溺毙。这些确有真凭实据的报道又该怎样解释？有时波浪在海滩外面造成一道沙堤，把回卷回流的海水困在这条长沟里。这里的水随后会向旁游，遇到沙堤上的缺口就流返大海去。在缺口流出大海的水，事实上形成了一股强大的海流，叫做"裂流"。这股裂流一旦冲过破波浪，就会流入大海消失无迹。裂流和回卷不同，主要区别是裂流很窄，大约只有十到二十英尺宽。泳者只要与沙滩平行地游一短程，然后跟着拍岸浪回来就可以躲开裂流。

因此，躺在夏日沙滩上倾听拍岸涛声时，切记不可轻侮波浪的威力。不错，平稳时的波浪可以是最好伴侣。如果怒涛汹涌时，在波浪中乱闯，随时可能有五十吨重的海水以泰山压顶之势打下来。

□破译深海的洪流之谜

若干世界上最大的洪流，在黑暗中静悄悄流过海床，既没有人站在岸边欣赏它们的美丽，也没有人写出赞美它们的诗歌。

海流又称洋流，是地球的循环系统，就像人体的血流循环一样，对生物影响很大。海流使旧金山有雾、挪威有不冻港、秘鲁和西非有清凉的风。如果没有海流，英国可能千里冰封，变成不毛之地。海流像一把巨犁似的，翻动海水，把海底含有丰富矿物质的养料冲上来。地球上有大晕植物在海中生长，成为鱼类的主要食料。渔人每年捕鱼五千多万吨，供应我们这个饥饿的世界。

人类在海上航行已有很长时间，但在公元一五一三年前，还不曾想到海洋中有海流存在。庞斯·德里昂发现佛罗里达，据为西班牙王领土后，那年在沿岸航行时，才注意到令人莫名其妙的现象。他的小船本来顺着在风南航，实际上却朝北倒退。他发现了那股强有力的湾流——后来证明，这条湾流比他苦苦寻找的"青春泉源"更为重要。

此后二百五十年，没有人重视德里昂的发现。后来，历史上最富有研究精神的富兰克林开始提出一些问题。当时富兰克林担任美洲殖民地的邮政局长。由英国直接开来的定期邮船横越北大西洋，为什么要比普通商船慢两个星期？他提出这个问题，向新英格兰一位名叫伏尔格的捕鲸船船长请教。

伏尔格说，有一股强力的洋流横越北大西洋流向不列颠群岛。定期邮船由英国西航前来美洲殖民地，一路上要同这股洋流对抗。捕鲸船却改道避开这股洋流。富兰克林接着又问，定期邮船船长怎样会不知道有这股洋流？伏尔格冷冰冰地答："他们那么聪明，不会向头脑简单的美洲渔民请教。"

由于湾流来自热带海洋的暖水，绘制湾流路线图的最简单方法，是测量海水的温度。富兰克林派温度计给捕鲸船进行测量。结果首次绘出了湾流简图。直到今天，狡黠的船长在参加新港－百慕达游艇大赛时，仍用温度计来测出湾流所在。

过了一百年，另一位出色的人物在华盛顿办公室里从事研究，开始绘制全球海流的"流型"图。他是美国海军的穆里上尉，在一次意外事件中受伤残废，闲居家中。他分送特别航海日志本给军舰、商船及渔船的船长，请求他们，无论在地球上什么地方，都把每日的风向与海流动态一一记录下来。

穆里根据各船长的记录，花了多年时间，不辞辛苦地从事制图工作。海流概图终于面世。巨大的涡流，宽几千里，分别在北大西洋和北太平洋中以顺时针方向转动。在南半球则以逆时针方向转动。

在北大西洋，一条庞大的海底洪流，沿着赤道北边伸展，一路上吸取热量，后来汇成湾流，直达美国东岸，才转入大海。到了冰岛南面，一条海底山脉把这条海底洪流分开。一股流向苏格兰北部，最后在斯堪底纳维亚半岛的海岸消失；另一股沿着欧洲与非洲海岸南下，就是加那利海流。

北太平洋也有同样的涡流。黑潮沿着日本海岸向上流，朝东越过太平洋，成为向南流的加里福尼亚海流。然后折向西，成为赤道海流。

巨大的海底环形洪流，有些流速很快，每小时高达五英里；有些流量很大，每秒钟多至五千万吨。什么力量推动这些海底洪流？海水温度与密度的差别当然有影响，但主要推动力还是盛行风。海底洪流为什么会弯曲？这种偏向是由地球自转造成。

除主要海流外，还有次要海流。阳光充足的海洋，到了晚上，海水转冷，变得较重，逐渐下沉，引起垂直海流。次表层流是另一种次要海流。冷海水较重向下沉，聚集海底，然后从两极地区流出，在洋底上向四方散去，像碟子里的糖浆一样。

两极冷水与表层流暖水相遇的地区，就有大渔场，因为海水的搅动，把含丰富矿物质的养料带上表层来。海水表层生物死亡后，沉下海底腐化，在海底集成一层肥料。海流的巨犁把这种养料翻动，使其浮上表层时，细微的海洋植物急速增长。海洋的小动物以这种小植物为食。其次，从细小的鲱鱼和沙丁鱼到体积庞大的鲨和鲸等滤食动物，滤取水中的食物，吞食浮游生物。最后，海洋中的食肉鱼类，例如金枪鱼和鳕，又吞食小型的滤食鱼类。

在北大西洋，新芬兰大班克斯海各个渔场位于寒冷的拉布拉多海流与温暖湾流相遇的地方。在南半球，寒冷的本吉拉海流向北流到非洲西岸，亨波达海流或称秘鲁海流向北流到南美洲西岸，使这两个海洋区域都成为大渔场。非洲海岸外的渔场，鱼类极多，吸引日本和台湾的渔船队不惜环绕半个地球前往捕鱼。智利沿海岛屿以食鱼维生的鸟类，在亨波达海流上觅食。从那里的鸟粪数量可知鸟类吞食的鱼多到什么程度。在化学肥料问世以前，智利出售的天然鸟粪肥料，每年超过一百万吨。

巨大的海流通常都相当稳定，但强风中会使流型改变，有时还会带来灾难。大约每十年一次，温暖海流由巴拿马湾向南推进，迫使寒冷的亨波达海流改道。平时在海水表层生活的鱼要潜入较冷的深层，浮游生物则多数死亡腐烂。食鱼鸟因而饿死的，数以百万计。风吸收了温暖的水分，变成雨，降落在不毛的秘鲁沿岸地区，能造成洪水泛滥。

海流使某些海洋区域非常富饶，也使一些海洋区域比撒哈拉还要贫瘠。百慕达东南面的马尾藻海是生物最少的水域，因为那里是巨大涡游的滞水中心，没有海流把生物所需的海底养料冲上表层。

海流很像一条输送带，把生物散布到地球百分之七十以上的地区。西印度群岛的"海豆"，随海水漂流，时常在几千英里以外出现，到达欧洲海岸。椰子树原产于马来半岛，因为多在岸边生长，椰子跌落海中，随着海流漂浮，遍布南太平洋各地。不过，海流的最主要贡献还是散布鱼苗。据估计，鱼苗约有百分之八十由海流传送，散到各地。

生物随着海流移栖，最奇异的是欧洲鳗鱼的长途旅行。这种鳗鱼在淡水河中生活五至八年后，到要繁殖时间始长途远游，前往马尾藻海。不知什么原因，鳗鱼要到这个生物稀少的海中去交配产卵。

　　小鳗鱼出生后，立刻面临艰巨的任务。它们要游行三千英里，回到母亲从前居住的欧洲淡水河。没有海流的协助，小鳗鱼无法完成这样的旅程。甚至在海流协助下，完成这次旅行也要三年。

　　太平洋鲑鱼也有差不多的习性。在海中生活二至四年后，到春情发动时间便开始一次悲壮的移栖，回到原来出生的河流。雌鲑鱼在淡水河中产卵后，体力衰退，不久便死去。小鲑鱼出生后，先在较安全的淡水中逗留几个月，然后沿河而下，进入大海，一直活到成熟期。

　　我们对表层流虽有相当了解，对海洋深处的情形却所知不多。海水深处一定还有对生物具有重大影响的巨大海流存在。

　　一九五二年，美国渔猎局的克伦威尔在赤道太平冰研究金枪鱼的移栖活动时，表层流推着他的小船向西漂流，另一股力量却牵引着船旁的长约丝向东移动。船底下的深海里，显然还有一条很大的次表层流。克伦威尔的发现，犹如现代有人发现另一条密西西比河，不同的只是现在所知的克伦威尔潜流较大。一九六三年，美安密大学的海洋学家又在大西洋沿赤道地带，发现另一条逆向的次表层流。

　　海洋研究有一些立竿见影的实用目标。高空射流给飞机飞行提供巨大推力。因此，航空公司都想得到更多高空射流的资料。航运公司也同样希望取得海流所在与流速的正确资料。道理极为浅显。一艘油轮从墨西哥湾驶往美国东岸，如果利用湾流的推力航行，可节省燃料费一万美元。日本的散装货轮从澳洲载运铁矿和煤回日本，如果能尽量利用太平洋中的海流，也可以节省大量费用。

在世界缺粮日趋严重之际，还有个生意可能很实用。很多海流区域，因为海水无法环流，几乎了无生气。把一个封闭好的小型原子反应炉投下这些区域的海底，含丰富养料的底层海水就会暖起来，升上表层。有了这样的人工循环系统，表层的水就会富饶多产，植物首先出现，鱼类也跟着来了。

这样看来，在引人入胜的海洋中，我们还有许多有待完成的工作要做。

□大海的漩涡是如何形成的

世界上最强有力的大漩涡之一，位于北极圈稍北处的挪威海岸处，名叫萨特涡流。长久以来，许多挪威的传奇故事都与这个漩涡有关。从前的人以为，这个漩涡是在海底燃烧中的硫磺火焰所造成，先把海水迅速地吸入地心，然后猛烈地喷出来。

我们今天知道，萨特涡流是几道强力海流造成的。这些海流沿着连接两个大峡湾的水道流出来。水道有三条，南北两条少有船双航行；第三条在中间，叫做斯陀海流，是两峡湾间最主要的交通通道与海水通道。大漩涡就在这里出现。

斯陀海流深三百英尺以上，长约六千英尺，最狭窄处是四

如此巨大的漩涡，纵是万吨巨轮，也逃不出它的手掌心。

百五十英尺。在流速最高的大潮期间，水流时速能超过十英里。据计算所得，在普通大潮相隔六小时的期间内，流过水道的海水有一亿立方米。

造成萨特涡流的水势随着月相变化，朔望时水流最强，上下弦时最弱。刮西风与西南风对萨特涡流也有影响。风力最猛烈时，流过水道的水量也最多。

潮水涨落每天两次，每涨每落都有巨量海水涌过这条狭窄的水道，急如瀑布，声闻数里。这时，海面有满盈之貌，像水在杯中快要溢出的样子。千百小漩涡渐次形成，越来越大，流速也越来越高。有些漩涡直径达三十英尺，中心的空洞深度常达二十五尺或三十英尺。依民间传说，有些是"无底"的，那种黝黑的深洞确实给人以深不见底的印象。海水在回旋时，水上的空气也随着渐渐旋动，发出一种可怕的呼啸声。

水道两端都没有信号站，这是极有理由的。萨特涡流旋转得最急时，非常危险。大小船只都驶不过去。

一九〇五年，瑞典铁矿船"英雄"号不顾水道前头信号站的警告，试图驶过萨特涡流。到船长打算折回时，船已给冲走，撞向一个小岛。船员设法爬上陆地，只能看着船毁了，残骸也给海流冲去。

水道不宜航行的信号，日间是一个红球，夜间是一盏红灯。两个红球或两盏红灯，表示船只可安全通过水道。萨特涡流潮水涨落的时间，刊在最接近涡流的波多城出版的报纸上，让当地航运公司得以安排时间安全利用水道。

该处海流带来很多海洋生物，如鲱鱼、鲐鱼、蟹等。黑鳕鱼就爱守在这里捕食小鱼。由于食物易得，黑鳕鱼的肉味鲜美；又由于经常与急流搏斗，肉质细密而结实。这种鱼长可四英尺，是这个地方常见的食用鱼。

自古以来，这一带的人就喜欢钓鱼，大多数居民拿来作副业。游客则视之为很具刺激性的娱乐。漩涡回旋时，钓鱼的人常站在岸边碰碰运气；若在海水看似消退，黑鳕鱼大量出现时，水道上就会有小船几十艘之多。这时的海水可能并不像表面所见的那么安全，说不定船底下会暗起涡流。这种涡流初起时可能很小，而且不久便不见了。如果遇到的漩涡不太深的话，船只还能逃出来。船若陷身漩涡之中，便会随水旋转。捕鱼老手说，用船桨拍打，能把漩涡打走，使船得以脱险。真假不知，总之是渔人的奇谈。还有一个常讲的故事，说有个渔人给漩涡拖进去了，几秒钟后，从水底冒出来大叫道，"你应该见到下面的黑鳕鱼了！"

有些人可没有这么好运气。在教区记事录里，过去一百五十年来，起码有二十八个渔人淹死在萨特涡流的暗涡流中。

萨特涡流旋转时，间或有一群群绒鸭在湍急的涡流中戏水。公鸭毛色黑白相间，很漂亮；母鸭毛色棕褐，比较灰暗。这些小鸭乘着水流，到漩涡边缘觅食，危急时便飞上空中逸去。有时，绒鸭没抓住时机，便头下脚上地没入水中，一会儿之后——如果运气好——又跳跳蹦蹦走上岸来。

沿岸有许多农庄，许多居民是那个自命为"萨特涡流之王"的北欧海盗头子的嫡系子孙。一般人传说，他在附近有座木城堡，这一带的土地多半是他的。他有许多个妻子和大量钱财，还握有极大的权力。

世上许多地方都有大漩涡。最有名的漩涡中，有一个在日本内海的鸣门海峡，又有一个在意大利西南端与西西里岛之间的麦西那海峡。麦西那海峡的大漩涡就是荷马史诗中可怕的"卡里狄士"。古希腊的水手相信：卡里狄士是个母水怪，船只想驶过史克拉岩礁（在今日意大利的岸边）时，她便连船带人一口吞下，当点心吃。

千百年来，水手讲故事，作家写小说，都添技加叶描绘大漩涡的威力，说大漩涡把大小船只吸到海底毁掉。事实上，大漩涡的向下吸力比较弱，在大漩涡中遭遇意外，多半是强大潮流把小船冲到岸礁与浅滩上所造成的。

可是，这种叫人畏惧的自然现象一直都那么吸引人，迄今未减。每逢挪威的旅游季节，游人带备摄影机和钓鱼竿，乘汽车、骑自行车、或走路到萨特涡流来玩赏。有一家餐馆建最宜眺望的地点，宽阔的窗户对着大漩涡。天气寒冷时，客人据案而坐，喝咖啡、听音乐、看海水。无论什么时候，萨特涡流都很壮观。若遇天气恶劣，乌云汇聚，风雨交加，这时见到大漩涡的凶险景象，毕生难忘。

□破译海底的奇异之谜

自从人类第一次怀着忐忑不安的心情摇桨出海后便更一直想方设法了解海洋。他们用迷信的头脑想解释海上发生的灾难，于是推论说天神故意用暴风雨来折磨他们；海怪把船只攫到海洋深处；不小心船队驶出了地球边缘。人类妄作解释，误把看不见的洋底说成布满沉积物的平地。

二十世纪前，人类对洋底的有限知识，仍靠古老的方法（用绳索击上锤子投入海中测量深瘦）得来。凭锤子上附着的一团团沉积物，人类猜测整个洋底上满布一层软泥，掩盖着海床、沉船、宝物，甚至失落的古文明遗迹。从一九二〇年代起，海洋学家借助新发明的回声测探仪，才惊讶地发现洋底有山有谷，并不是以前所想像的一片平坦。

测量大洋深度时，用回声测深仪记录声脉冲从水面船只到达洋底，再从洋底返回水面报知需要的时间。迅速返回水面的回声，说明洋底有峰峦巉嵯的大山。从海底深沟返回海面的回声，则需时较长。最大的深沟是西太平洋的明达瑙海沟和马利亚纳海沟，巨大的裂缝，直达海面下约七公里深处。回声测深

海底胜景是谁塑？又是谁在欣赏？

仪除了使海洋学家获悉海底的各种形状以外，还使他们知道深洋的真正深底（通常为一万二千英尺至一万八千英尺不等），以及勾勒出海洋盆地的边缘。在奇妙的回声作用引起人类的好奇心之前，人们从没想到在未经探测的海底上也有奇景。

　　海洋学家的探测工作证明，洋底可分成三个不同地区：大陆架、大陆斜坡、深海盆地。大陆架接连大陆陆地。若干国家已同意，就法律观点而言，延伸到海面下二百公尺（约六百五十六英尺）为止的大陆架，是陆地的一部分。实际上，大陆架的定义与这种空想的定义相差很远。大陆架有时从水陆的边缘在海中伸出数百英里。大陆架的形状各有不同，有平坦如台地的平原，也有高低不平的地域。大陆架上尽是岩石，沙粒、泥土、淤泥、黏土和砂砾等沉积物。沙粒尤多，主要是直接从陆地上侵蚀而来的粗沙，被河流、海流、冰、风以及火山爆发的力量送入海中。

从生物学观点看，大陆架是有阳光可以射入的浅海域，滋养大量各种动植物。各种藻类及其他海生植物（包括微小的矽藻类），利用透过水面的太阳能进行光合作用。这些自由漂浮的纤细植物，构成浮游植物，是海洋的基本"生产者"。这些漂浮的有机体，把光合作用产生出来的蛋白质、淀粉和糖供应海生动物。

这些漂浮有机体，并不都是微小植物。许多类海洋生动物（如星鱼、海胆及珊瑚虫等）的生活史，都以浮游的幼虫期开始。这些纤小的漂浮幼虫，是浮游动物中的一部分。浮游动物还包括终生浮游生物，即整个生活周期都是自由漂浮的微细有机体，硬皮鞭毛虫是其中一类。

大陆地壳实际上止于大陆架向洋底陡降的地点附近。陡降的部分称为大陆斜坡，也是深海真正开始的地点。地质学家知道，一般来说，斜坡每一英里约下降一百英尺至五百英尺不等。斜坡上面通常都有一层沉积物，主要是泥土，还有些细沙和少量碎石。有些地区的陡度极峻峭。例如，沿南美西岸从安第斯山脉顶部到秘鲁至智利海沟底部的陡坡约为四万二千英尺。在这里，从海岸线到海沟边缘之间，没有大陆架那种平缓的斜坡，在不足一百英里的水平距离间，便下降了近八英里深。这个斜坡的陡度，使地球上的所有其他大陆斜坡相形见绌，多半大陆斜坡陡度徐缓得多。其中许多斜坡像一段段盆地与高地构成的山腰台地。

洋底海沟通常都与大陆余坡平行。海沟的位置常在一排排活火山附近，地震多在其邻近地区发生，证明深海海沟是有强烈地质活动的地方。难怪最深的洋底海沟都在"火环"周边上。火环是围绕太平洋盆地的活火山地带。近期的地质研究显示，由于大陆板块沿太平洋盆地边缘移动，该盆地面积正在缩小。目前许多地质学家相信，海是洋底地壳板块因遭大陆板块重叠压在上面而插入地球内部所形成的陷窟。

大陆斜坡上有壮观的峡谷。许多科学家相信，海底"浊流"可能有助于蚀成这些峡谷。浊流是挟带着沉积物，流动迅速的水流。开始时可能是水下的泥崩所造成。被水浸透的物质沿大陆斜坡滑下，一路挟带石块及砂砾倾泻，冲力越来越强，所经之处都深受冲刷。浊流到达平坦地区时，流动减缓，挟带来的岩屑碎石沉积起来。地质学家相信，那些峡谷的顶部会一度高出海面，后来由于海面上升，才下沉或"淹没"。峡谷没入海水后，把峡谷中的沉积物清除净尽的可能是浊流。

大陆架边缘以外的公海，称为海洋区域。阳光穿透水的上层，使植物能进行光合作用。不过海洋区域内的生物较大陆架地区为少。大部分海洋区生物都是"水层生物"（可以自由游动）。与大陆架上的情形相反，海洋区内很少动物能住在洋底。生于海洋深处的幼虫更多。这里的浮游生物主要是终生浮游生物，即整个生活周期都自由漂浮的那些有机体。在马尾藻海繁育的欧洲鳗鱼，其幼虫先发育成海洋浮游生物。这是一个显著的例外。

大陆斜坡继续下降，到达深洋盆地，平均深度为一万五千尺。深洋盆地占了地球表现的一半。海洋学家估计，太平洋深洋盆地地形百分之九十高低不平，与大西洋盆地一般为平坦"深海平原"的情形，恰好相反。深海平原之形成，相信主要是浊流的沉积物未受扰动日久堆积起来的。

每个深洋底都有一条大山岭横贯其间。最先发现的一条是中大西洋山岭。这条巨大山脉有些地方高出邻近海底三万英尺，从冰岛北方开始，绵延到南非洲南端下方。耸出海面的山峰构成亚松森群岛及阿速尔群岛等岛屿。在南极大陆及南非洲之间，中大西洋山岭转向东折，形成环绕世界的山系，称为"洋底山岭"，长四万英里。许多水下地震都发于这山岭中线的一条裂谷中。

大洋的"深海底带"起自六千五百英尺深处，向下直延伸至洋底。在这样深的水底，没有进行光合作用的植物。从大洋有阳光水层渗下的少量有机物质，以及从上面落下的海生动物尸骨，成为深海底带生物的食料。在这些黑暗水域中，生物的繁殖端视从上方有阳光水面降下的食物数量多少而定。这些有机废物降到洋底后，细菌和食腐动物就把其中大部分变成无机物。为了适应黑暗的环境，许多在这种深度下的海洋生物，眼睛构造已有改变。犹如人所熟知的萤火虫一样，有些海洋生物长有生物发光器官，在黑暗中发出亮光。

除浊流在深海平原上所堆积的沉积物之外，深海海底还有其他三种沉积物。在较浅的暖和水底有"钙质软泥"，主要由含丰富碳酸钙的海生动物的甲壳和骨骼构成。在较深较冷的水底有"红黏土"沉积物，主要为无机物；还有"矽质软泥"，主要为矽藻残骸（含类似蛋白石的矽土）。

在洋底这些美丽如画的景色中，也有耸立在海底上的大山，现在都淹没在海水中，离海面几千英尺。这些孤立的山峰，从基部隆起达数千尺，称为"海山"；顶部平坦的，则称为"平顶海山"。平顶海山多半分布在太平洋三个地区：沿中太平洋的山岭一带、马利安纳群岛与马绍尔群岛之间，以及亚洲北部堪察加半岛海岸东南一带。这些平顶海山都是火山，由炽热的玄武岩熔岩构成，而熔岩是从地球地幔深处一个"热点"通过岩石圈板块喷发出来的。本来都是活火山，但是由于山基所在岩石圈板块漂移，带着它们离开那个固定不动的热点，所以熄灭了。初时，这些火山多半凸出海平面。熄灭后，锥状顶部遭受侵蚀，变成平顶。后来，由于海洋板块伸展、冷却和收缩，海底降低了，使截了顶的火山降到海平面之下。

海底峡谷、山脉及山岭，都影响海水循环。这些形成物既拦阻也引导深层水流动，还有助于搅动海水及使其上下对流，对世界气候影响极大。但是地质学家至今未能充分了解峡谷与海沟的成因，也不尽了解浊流在海面下的地质现象中能发挥什么作用，也不晓得平顶海山如何被冲平，更不知道洋中裂谷如何触发海底地震。每年有探测海海底的新设备制成时，人类便多获得一点海洋知识。这样我们可以渐渐揭开谜样海洋的奥秘，可以在这个广大的新领域中，多发现一条线索去解开地球形成之谜。

□洪荒的海底有无生命存在

一九七七年，一批科学家乘潜艇"阿尔文"号往太平洋加拉帕戈斯群岛西北三百九十公里的加拉帕戈斯断层进行勘探，该处极深，温度接近冰点。他们知道该海域地壳的构造板块以每年二十厘米的速度背向分离。由于炽热的熔岩不断从地壳裂缝涌出，骤遇冷水，在海床凝固成新的枕状岩石堆。阿尔文勘探队发现许多新生岩石，在海平面下二千六百公尺深处又发现了一个令人叹为观止的奇景，各式奇特的新生物就生活在这片漆黑之中。

阳光无法透射到这种海洋深渊，水中压力要比汽车轮胎中空气的压力大一百倍以上。水温全年保持在摄氏二度至四度之间。在这个恶劣的环境中，却别有几处深海中的绿洲，孕育出一群群海洋生物。洋底冷凝而成的玄武岩裂缝不断涌出温泉，温度最高不超过摄氏二十度，富含矿物质，孕育出许多独特的生物，它们无须依赖阳光，也可生存。人类一直以为地球上所有生命都离不开太阳能，无论是陆地上还是海洋中的绿色植物，都必须利用阳光将二氧化碳和水转化成食物，最终，所有生物都依靠植物制造食物。不过这种观点正面临挑战。

在加拉帕戈斯断层有五处明显的深海绿洲。海水先经洋底岩缝渗进地心，加热之后又由地层裂缝涌出来，就在裂缝之上形成四个深海绿洲。在另一个水域，枕状玄武岩之间的沟壑遍布死蛤白壳，相信曾是海底绿洲，这时已变得死气沉沉，水温接近冰点，与周边海水温度相差不大，再没有热流了。

那四个海底绿洲，位置处起伏多变枕状岩石之间，容纳了许多生物。磷光闪闪的巨蛤挤满玄武岩，巨蛤比人掌还要大，外壳雪白，肉色鲜红，含血红蛋白（一种使人类血液呈红色的物质）。还有密密麻麻的贻贝，堆得犹如礁石。大群盲白蟹利用触觉和嗅觉在贻贝周围觅食，加拉泰德蟹和龙虾过滤水中食物，管状海葵则附在岩石上。栖居在大洋深处的某些生物完全不像地球上其他生物，当中有些酷似蒲公英子实或面条。

巨大的管状蠕虫是最奇特的生物，一般群聚在热源附近，白色管状身体可长达三公尺，顶端是血红的叶状体。由此可见温暖的海底裂口处存在的生命是多么引人入胜。管状蠕虫没有一般生物的基本消化系统嘴和肠；它们只借助在该处生存的细菌，通过自己管顶三十多万根触须，来吸收从裂口不断涌出并溶于水中的氧气、二氧化碳和硫化氢。蠕虫的体腔内充满一种特殊细菌，能将过滤的溶解物质（包括通常毒性很高的硫化氢）转化成有用的养料，最终为蠕虫的毛细血管所吸收。

这种密切关系同样存在于裂口处其他有机物群体中。例如贻贝的呼吸器及蛤颈周围蛛网状生长物都能保护细菌，而这些细菌就为贻贝和蛤完成养料转化的重任。因此，科学家断定，洋底一有新裂口产生，在其周围率先聚集的生物就是这些细菌。

这些海洋生物并非裂口处惟一资源。渗入海底裂缝的水混和了海底岩石中的矿物质和化学物质，受热后又被压出裂口，矿物质随水涌出（通常呈悬浮状，造成裂口处的水浑浊一片）。最后，许多矿物质凝固，遍布海底。这个过程在同一地点不断重复，矿物质向外、向上堆积，形成岸柱，有的高达五十五公尺，宽达一百八十公尺。这些喷出黑烟的柱（喷出的水含多种矿物质，水色黝黑如烟）含高浓度的铁、钡、钙、铜、锌、锂及锰。虽然在这些地方开矿不大可行，但是一般认为，以上现象有助科学家在昔日曾是海床的陆地寻找类似的矿产资源。

即使到了二十世纪六十年代，海底仍被视为黑暗、寒冷、生命几乎绝迹的荒漠。不过，在海底温暖的裂口处聚集各种各样生物群，足以证明先前的看法并不尽然。

□浮藻海是死亡之海吗

马尾藻海是海中之海，与其他海域截然不同。这片海域四周没有大陆包围，却环绕着大西洋的强大海流。这片海域引起这么多传说和神话，令人产生许多幻想，究竟是什么原因？

马尾藻海令一代又一代的海员心惊肉跳。有关船只为漂浮植物缠绕，水手被拖下海去淹死的传说，许多人都信以为真。时至今日，马尾藻海在海洋学和生物学方面，仍令人感到迷惑。自从远古欧洲和美洲两片大陆漂离后，两地的鳗鱼仍回到这里产卵。这片缓慢转动的海水位于百慕达群岛和背风群岛之间，面积约五百二十万平方公里；有人将之比作巨大漂浮的海藻筏子，也有人称之为生物沙漠。然而这两种说法都不准确。虽然其中某些地方海藻长得很密，但也有许多地方是清澈的海水，而且在海藻中和海藻下栖息着许多奇特的生物，最奇怪的是马尾藻鱼，会以指状鱼鳍，抓住海藻枝条。

早在公元前五世纪，已有关于浮藻、雾霭和离奇地无风无浪的传说，说明古代的水手可能到过马尾藻海。不过，最早见到这片海域的人，很可能是哥伦布及其船员。哥伦布于一四九二年发现美洲的航程中，船队驶到一处海域，极目望去尽是一团团的植物，水手细看那些橄榄色和金色的海藻，看到金海藻浮在水面，形如浆果、充满气体的气泡。

这些缠成浮筏状的植物主要是马尾藻，有两点与其他海藻不同：第一，这些海藻不需附生在沿海岩石上，第二是以裂殖方式繁殖的。每颗在母体形成的芽都可以脱落，继续生长，不断繁衍。

给马尾藻海的食物链不断提供养分的就是这些马尾藻。由于这里海水温度太高，浮游微生物（巨大蓝鲸和鲱鱼的主食）不能生长。然而，在海藻周围却生活着一些特别的动物。

有些微小生物如细枝珊瑚和管虫，栖息在藻叶缝中，筛取海水中的食物。有些地方，藻叶看似长了霉，其实是苔藓虫，一种从热带到两极海域都可找到的微小动物，通常由受精卵发育而成，但在这里却跟其海藻寄主一样，是从母体脱离繁殖的。这些微小生物用茸毛把微生物拨入口中，要是吞下的食物过多，以致藻业增加重量而不能浮起，苔藓虫就会沉到大西洋冰冷的海底死去。以藻叶为食的虾、蟹就不同了，当海藻业开始下沉时，它们便爬到上面较安全的地方。

对这里的生物来说，伪装是生存的惟一手段。这里的虾身上长有白点，类似苔藓虫，而细长的海龙看起来就像果囊马尾藻的分枝。不过以适应环境而论，最成功的要算马尾藻鱼了。这种鱼颜色似海藻，能突袭吞食长达二十公分，跟自己一样大的动物，要是受到威力，又会吞下大量海水，使身体胀得像个气球，吓退敌人。

马尾藻海的谜团之一，与欧洲和美洲鳗鱼的一生有关。二十世纪初时，人类还不明白它们是到马尾藻海产卵的，即使到今天仍未能完全了解其生命过程。

在马尾藻海繁殖的不仅是鳗鱼。这里海水温暖，加上缺少浮游生物而没有大型捕食者，所以泥鳅、狗鱼和飞鱼都到此产卵，长串状的卵就黏附在果囊马尾藻上。但据生物学家所知，返回这片独特而又不住旋转的海水来死亡的动物就只有鳗鱼。

□湖泊池塘是如何形成的

　　人们常在池塘边静坐，消磨时光，或驾独木舟荡漾于湖边浅水处，凝视湖水，很想知道水中世界的情况究竟如何。

　　池塘特别具有微型缩影的魅力。池塘的界限分明，岸边以内、塘底及水面之间就是一个自成单位的世界。范围小，所以人们能够领会其中的真相，能够加以描述和分析，或者能对其中生物之间的关系，带入自己的思维中，找出一切奥秘的答案。可是，池塘本身仍是我们困惑的谜。

　　在我们这个星球表面上，所有的水同属一个庞大的循环系统，池塘中的水不过是其中一环而已。海洋是总水库，太阳则是供应能源推动整个系统的大火炉。我们很容易辨认大气圈与大水圈（环绕地球的水称为大水圈），两者实际上是互相依存的。大气圈中的各种气体不断溶解于大水圈的液体中，而大水圈中的水则不断蒸发升入大气圈中。

　　空气越暖，能够包涵的水汽越多。因此水的循环系统中最短的一程，就是白海洋及陆地表面蒸发的水，升入上方的暖空气中。这种含有泾气的暖湿空气，由大气的环流携带上升，逐渐冷却，直至其中水分凝成小水点，成为雾状气体，就是云。

再进一步冷却，聚成个别较大的水滴，受地球引力降回地面，就成为雨或雪。

水就依这种方式，不断白海洋升入空中，然后返回海洋。但是空气中的水也常被带到陆地上，产生不同的现象。落在陆地上的水聚集后，可能在陆地表面直接流动，成为山谷中的溪流，再汇聚而成江河，最后倾注入海。另一种较常见的方式是，落在陆地上的水渗入土壤中，与在下面积聚的大量地下水汇合。地下水或成泉源或藉渗透升上地面，扩大江河溪流等地面的水流系统。溪流往往受地形影响，形成水潭、池塘和湖泊。这些地方把水困住，一直等到水面升高过岸，水才能恢复流动。水与空气接触就会蒸发。在某些地方，水蒸发得太快，水面永远升不到越过岸边再度自由流动的程度。因此世界上就有死海和没有出口的盐湖，这不过是地球上整个水系循环中的零星死水而已。

大量的地下水为陆生植物的根所吸取，通过叫做蒸腾作用的过程重返大气圈。蒸腾作用就是把植物叶上的水分蒸发。有些地下水困在密封的水潭中不能循环，达亿万年之久；有些地下水通过地下水道，渗入近岸的泉源中，重返海洋总水库。

由此可见，大气圈与大水圈之间的交流有很多途径，所有的途径最终都不外是蒸发然后凝结的程序。水一经蒸发就变为纯水，把溶解于水中的一切物质撇下。但是水是最普遍的溶剂，因此不能长久保持纯净。甚至雨水在大气中不但吸取各种气体，并且吸取空气中的微小固体——尘埃。此外，海水中的盐分也会由浪花飞沫散人空气升上云中。

然而雨水仍算相当纯净。雨水一降到地面，就有很多物质溶解其中。地面上淡水的化学性质，端视水所流经的土壤及岩石的成分而定。不同地区的淡水，化学性质可能差别甚大，对依靠淡水生活的生物有极重要的影响。在汪洋大海的水中，所含盐类的比例，几乎保持恒常不变，但陆地淡水中的比例则差别甚大。除没有出口的湖泊外，内陆水的含盐度永远不及海水高。这种湖泊的水分蒸发升入大气圈，把溶解的矿物及盐类留下来。因此，像死海和美国的大盐湖中，含盐度远比海水为高，而且各种溶盐所占的比例，也大有差别。

内陆水与海水还有其他重要不同。在地球表面上，各海洋是一个连成一系的水体。可是内陆的淡水则缺少连成一系的空间。淡水水体形成的时期也不同，例如北美洲中北部的湖泊是较近期冰川作用造成的。约在一万五千年前，该地区整个表面覆盖着一层一望无际的坚冰，并无湖泊。全世界有几个著名的大湖，如亚洲的贝加尔湖、非洲的坦干伊喀湖及巴尔干半岛的奥克里达湖，形成的年代远较其他湖泊为早。世界上的江河有几条也相当古老，但自它们形成后直到现在，时间不算长，与海洋自古至今从未间断的历史简直无法相比。

年代悬殊造成几种结果。就进化的观点而论，海洋本身是个整体，在研究其中生物的历史时，除脊椎动物有几项显著的例外外，无须借助淡水或陆地的资料。我们通常认为硬骨鱼类（有别于如鲨、鳐）约在五亿年前，在淡水中或在河口湾含盐的水中演化而来；即使硬骨鱼类是在淡水中演化而来，这些鱼类迅即侵入海洋，此后就在海洋及淡水中分别繁殖。爬虫类虽然主要是陆地生物，但在古代爬虫繁盛时期，演化出很多水生形态，现在海洋中仍有几种海龟、海蛇、鳄等可作代表。有几种哺乳动物，包括海豹、海牛、鼠海豚、鲸等，祖先原来生活在陆上，现已完全适应海洋生活。

在另一方面，研究淡水中生物的历史就不能不参考海洋及陆地生物的资料。淡水中生存蛤类、小龙虾、蠕虫，以及难以察觉的海绵，都是同类海洋生物的旁支后裔。淡水中昆虫甚多，其中很多演化出陆上生活及在水中呼吸空气的能力。脊椎动物中两栖类的演化是在淡水中开始，并且继续在淡水中生活，但是爬虫类、鸟类，以及哺类则以各种不同的方式，由水中迁徙陆上。内陆水中的主要植物中也有很多是由陆生的种子植物演化而成。

水道和水道侵蚀而成的地形，是天然景色的主要成因。研究天然景物形态和攻读地貌学的人，创造了一套既复杂又生动的语汇，用来形容不同类型的水道及其动态，于是就有了"网状水道"、"蛇曲河"、"夺流河"，以及"袭夺河"等名词。

一般说来，水道多半与所流经地带有密切的关系。贯穿蔽天的森林，流过空旷的草原，由沿途土壤中获得化学元素，自跌落水道的动植物得到有机质。但水道越扩宽，这种关系反而越不密切。如果扩宽成沿岸平原上那种长江大河时，就各具本身的特征，再也不受两岸的物理或生物特征影响。事实上，到达这个终极阶段，河床及两岸的淤泥多半是河流本身留下的东西，经悠长时间沉积而成。

上文所述只谈到淡水水体的暂时属性，尤以湖泊中的淡水为然，河流中的淡水则略有不同。一条河流水系，常有许多细微改变，甚至在我们进行观察的那个短暂时间内，也有变化。河流改道、一条河流的某些支流为另一条河的支流所掠夺、地面隆起、山泥崩泻、火山熔岩流等，随时都可以阻塞河道。但是世界上的大河流依然能保持畅通，那是因为这些变化大都是逐渐形成的，甚至某些河道发生剧烈的改变，旧河道也会有些部分留在新河道中。

就注入海洋水量多寡而论，世界上最大的河是亚马逊河。这条大河的支流网，几乎占了南美洲大陆的一半。亚马逊河经由黑河以及卡西基艾利运河的一段天然河道，直接与南美洲大陆北部的奥利诺科河连结。这两大水系的水虽然散布广远，但可当作一个内陆水体，自古迄今一直存在。由于处于赤道地带，这两大河系想必长久以来为各种生物提供了稳定及适宜的生存环境。

这种环境滋长一些令人难以置信的物种动物。因为这些动物大部分生活在人迹罕至的南美雨林地带，所以它们的一切，科学界所知甚少。在这个河流密布、浩渺似海的地带究竟有多少种鱼，无人确实知道，估计有二千种之多。其中有机种是淡水中最大的鱼（骨舌鱼身长达十五英尺，重达四百磅）。曾见过使用炸药捕鱼的渔人在沙洲上遗留下的巨型鱼骨（活的必有数百磅重），令人记忆犹新。

这一地带也有电鳗（实际是鲇的同属而不是真正的鳗）及臭名远扬的剑齿鱼。很多人都认为剑齿鱼最凶恶，比较之下鲨及梭子鱼简直是小巫见大巫。蛇类中最大的森蚺就产于这个地带，多半在水中活动，较少离水登岸。海洋也给这一地带的淡水添了很多种生物，包括一种海豚，一种海牛及一种豹，这些生物多在安第山脉中急流冲成的沙洲上栖息。

提到有刺鳍的剑齿鱼、森蚺、电鳗等生物，而无须提及鳄，就足以令人觉得这一地带是一个危机四伏的地方。亚马逊河上游及奥利诺科河上游当然不是已开垦的地区，那里没有休憩胜地。但是这一地带引人入胜之处，在于区内河流纵横业林交错，至今还未被人类征服，其中虽然危险重重，只要有经验及一般常识就可避免，并非难事。

湖泊在水的循环系统中可以当作困塞的水，在地质学的时间表上只不过是暂时存在的东西。但贝加尔湖及坦干伊喀湖是两个例外。这两个大湖所在地是大陆地壳岩石中在远古时代的洼地。其他几个湖泊中，因生物进化而生出来的古怪动物，给地质学提供了年代古远的证据。西里伯群岛的波索湖、菲律宾的兰那峨湖，以及巴尔干半岛的奥克里达湖都有这种功用。里海是最大的内陆水体，所占位置很特殊，原是海洋的一个湾，在地质学上较为近期的年代被截断而成，年代只有一百万年左右。

与海洋相比，湖泊是浅水区。海洋的平均深度约一万二千七百英尺，然而最深的两个淡水湖（贝加尔湖和坦干伊喀湖），分别只有大约五千七百英尺及四千七百英尺。美国与加拿大国境交界处的苏必略湖是淡水湖中最广阔的，广袤几近三万二千方公里，平均深度只有四百七十五英尺。

湖泊一旦形成总是越来越浅，越来越小，原因是流入湖泊的溪流冲来的沉积物逐渐淤积，以及遭受在湖泊边缘地带生长的植物蚕食。湖泊也日趋干涸，因为湖泊的排水出口逐渐遭受侵蚀。这种逐渐缩小的过程，只要比较当地的湖泊、池塘、沼泽、湿地，以及藓沼等等，就很易勾勒出来。许多土壤肥沃的农场所在地，正是某个干涸的湖底。

水体消逝对两栖动物的影响不大，因为在一个湖逐渐缩小时，它们可迁徙到另一个湖去。对完全靠水生存的动物来说，这个问题就较为严重。这些生物逃生的惟一途径，全要依赖流人或自湖泊外流的河溪。在地质学上称为过渡湖泊中生存的动物群，与在同一地区溪流中生存的动物群，只在数量上有所不同。湖泊本是同一水系中的一部分，因此动物能在个别湖泊中生长的机会，少之又少。

我们虽然经常与内陆水接触，但对于内陆水中的天地仍有很多无法明了的地方。我们在某个山溪钓鳟鱼时，对选用某种人造鱼饵可能很内行，并且知道哪些水潭中能钓到鳟鱼，但是对鳟鱼所生存的世界，是否真正了解呢？水的表面就像舞台上一排脚灯似的，对人们是一道不能逾越的界限，只能沉思神往。漫长的行程中，即使最大的瀑布也不过是长流中的一个小曲折。瀑布也能把河流翻搅，最著名的就是非洲的维多利亚瀑布和北美的尼亚加拉瀑布。维多利亚瀑布的成因，是侵蚀作用把三比西河火山基岩下面松软的沉积层蚀空了；而尼亚加拉瀑布的悬崖则是由上次冰期的冰川削成的。这两大瀑布和任何地方的瀑布一样，都在不停地磨蚀本身的岩基。

大瀑布的侵蚀作用想不到竟然主要是从底部向上发展。这是因为瀑布的力量，在陡崖脚下造成一个"跌水潭"，不断削弱陡崖的根基，还不时把上面松脱的石头冲下来。结果是大瀑布一路向上游后退（例如尼亚加拉河中的蹄铁瀑布每年后退大约五尺），而且高度也逐年减低。水流急而浅的小瀑布从陡峭的山腰或从冰川凿成的谷壁下泻时，侵蚀作用往往把水局限于一条由上到下的凹沟中，使瀑布越来越狭。不管侵蚀作用怎样发生，每一条瀑布最后都须向流水锲而不舍的夷平力量屈服，与常流不已的江河比较起来，瀑布的寿命是短暂得多了。

□海底是人类的未来家园吗

这里的四位青年科学家每天早上醒来，就看见阳光穿过穿梭来往的银灰色针鱼群射下来，闪烁不定。从塑胶圆窗孔望出去，见到黄色的鲷鱼在环绕他们那座海底屋的活珊瑚花园中觅食。吃过早餐后，背上潜水器从防鲨廊出去，进入安全潜游水域，与鮐鱼、琥珀鱼、青蓝的鲟鱼、各种鲜艳彩纹的雀鲷等邻居一同嬉水。

从一九六九年二月十五日到四月十五日，这四位美国科学家在海底生活工作，前后共六十天，一直没有浮出水面。这些"海洋人"是在进行一项海底生活实验，叫做"玻陨石一号"。这项实验据以取名的玻陨石，是在地球上发现的一种像玻璃的卵石，据说是陨星撞月球爆炸后，飞到地球来的碎片。玻陨石计划原是美国太空研究计划的一部分，像有些来历不明的太空物体会落在地球上的情形一样，玻陨石一号入潜入了大海里。

玻陨石研究计划的海底屋，沉入维尔京群岛中圣约翰岛外的莱姆舒湾内。几位科学家住的是一所牢固的小型复式房屋，在约五十英尺深的乳青色海水下，坐落离岸几百英尺的沙地上。围绕海底屋的六英尺珊瑚墙，长满了茂密的海洋生物，例如扇形珊瑚、柳珊瑚、鲜艳的海绵等，造成一座海底石山花园。墙外还有更多珊瑚礁，不少高达十五英尺。几位科学家穿上蛙鞋拨水，潜过这些礁脊，便可以探索研究这片斜向海湾深处的平坡。

他们的海底屋是两个充满空气的圆筒形钢箱，各高十八英尺，由一条爬行通道连接。承托钢箱的底座，用八十七吨铅镇在海底。整座房子漆成白色，引来不少海鱼不分日夜游到圆形窗口来窥望。

每个钢箱有两个房间。下层一个房间布置得很舒适，铺上地毯。四人在这里睡觉、吃喝、阅读、听录音音乐。上层一个房间算是桥楼，放满通讯装置和实验设备。另一个房间摆着变压器和调节空气系统的压缩机，还有个保存食物的冷藏柜。（吃的主要是冷冻食品，但间或有新鲜果菜，放在密封的容器中从水面用绳索吊下来。）第四个房间是"湿室"，有个垂直的升降口直通出海去。房间里存放着水肺装备和潜水衣，科学家每次出海潜泳回来，也在这里用淡水冲洗身体，换干衣服。

海洋人居所与支援实验的驳船之间，有一条很粗的"脐带"相连，那是一束软管和电线。顺着脐带把淡水、空气、电力送到下边，保持通讯联络。

玻陨石实验组的组长是美国渔业局的海洋学家沃勒。组员有曼根与范德沃克，两人都是渔业局的生物学家；还有克利夫顿博士，是美国地质调查局的地质学家。四位年龄都是三十多岁。

研究计划是美国海军部、内政部、国家航空暨太空总署，与通用电器公司联合主办。海底屋由通用电器公司设计建造，屋里设备也由该公司供应。这个计划的主要目的，是为将来的水底实验室研究计划制订一些指标。美国太空总署想藉此观察长期关闭在细小而与外界半隔绝的居所中，人的行为有什么异状。那是作长期太空旅行的重要资料。

玻陨石一号的实验获得很多"饱和潜水"的知识。人在海中潜水，吸入了加压的空气或混合气体后，不论时间长短，都会使血液和身体组织饱含这些吸入的气体。压力越大吸收的气体越多。若潜到一百五十英尺深处，使用氮和氧的混合气体（普通空气）对潜水人无害。更深而压力更大时，氮便有剧毒；中氮毒的初步征象是进入麻醉状态，称为"氮麻醉"。由于这座海底屋位于海底约五十英尺深处，气压为大气压两倍半的普通空气仍可作呼吸之用。

居住在海底的好处是，各人只须（住满两个月后）"脱饱和"一次，不必每次潜游后都作一次。这是由于他们海底屋空气的压力，保持与周围海水的压力相同。两个月后，脱饱和的过程是要海洋人在减压室中住上差不多一整天，慢慢恢复正常的大气压力。减压太快，溶在血中的压缩气体就会很快从溶解状态气化而"起泡"，引起痛楚甚至往往引起致命的病症，称为肢腹痛或潜水员病。

说来奇怪，这四位科学家呼吸着比正常空气重一倍多的气体，每天二十四小时，前后两月之久，竟不觉吃力。玻陨石研究计划的医事组组长兰伯特森医生说："玻陨石计划中各种生物医学试验所得的重要结论是，各人在水底生活时，肺部、心脏、神经系统等都无重大变化。"

海洋人每天自己检查身体——脉搏、血压、心电图等等。夜里有电极记录他们的脑波，看看他们睡得好不好。同时，水面上的支援驳船上，一群医生和"行为监视者"坐在一大排闭路电视萤光幕与扩音器之前，昼夜不停地监视他们。（在日后各次玻陨石研究中，约有四十位海洋人体验过海底生活，虽然其中一些受不了孤处海底与外界隔离的心理压力，但都没有显著的生理问题发生。海洋人进行实验时也曾出过一件惨事，那就是一九六九年二月，"海洋实验室三号"的海洋人坎农在加州海边大陆架六百英尺深处，中二氧化碳毒身亡。）

玻陨石的科学家作了各种观察和实验。举例来说，莱姆舒湾的海底沉积多是分解了的珊瑚和甲壳类动物遗骸。科学家就在小心画出方格子的图纸上研究沉积层的形成。依海洋人兼地质学家克利夫顿说，人们已知珊瑚礁产石油，也可能是石油蕴藏所在，所以在大陆架上进行研究工作的海洋人，也许有一天能有助于提供找寻石油与其他矿产的线索。

将来，养鱼和海产养殖工作，例如种植昆布、海草等海底植物，都会需要不少人在海中生活。因此，玻陨石的科学家研究海洋生物的习性，还对该地区的海洋物作了普遍的调查。

海洋人数出了好几十种鱼，最小的是二英寸长的鳀，最大的是十二英尺的鲨。有时这些有鳍的朋友会动粗。生物学家曼根讲述有一回在一个珊瑚礁脊之处遇到一群二十多尾琥珀鲕，每尾都有二、三十磅重。"它们一大队在黑暗中向我们游来，"他说，"队形那么紧密，就像是一条硕大无朋的大鱼。"他的同事海洋学家沃勒补充说："我猜它们是在表示该地是它们的领域，因为它们向我们的肩背各部位乱撞，要我们离开。最后我们遵命离去。"

那个海湾的海底设了五个小站，在遭遇巨鲨袭击时可以藏身。小站都是笼子模样的小亭，有塑胶圆顶，还有一瓶备用的空气和通往海底屋的电话。为了安全，离开居所时都二人同游。还有更好的安全措施：由支援的潜水人坐小船在海面上巡回，循着海洋人呼吸器喷出的成串气泡跟踪他们。

最积极的研究计划之一，是由范德沃克主持追踪龙虾。这是一种食用甲壳类动物。维尔京群岛的龙虾，因当地龙虾尾的销路好，近年来产量下降。海洋人捕到一百四十只，把大多数都拴上标识，有些虾身上更绑上拇指大小的声纳发送机，这样可以追踪每一只在实验居所附近游动的龙虾。

范德沃克藉声纳追踪装置获悉，龙虾是在夜间活动的。它们在夜里去到生满绿藻的浅海沙底上，大概是找寻贻贝、蛤，和未长成的大海螺；日间则多半躲在珊瑚中藏身，那里是它们的"旅舍"。但还有许多龙虾，日间在离研究人员成所千尺的外海岩穴中过活，可能是为了躲避鲨和别的天敌。

有什么实用的结论呢？"我以为这一带的珊瑚礁可以养活更多的龙虾，"范德沃克说，"在这里不妨设一个孵化场，养殖多些小龙虾。也许可以用低频声音的信号把鲨引离龙虾场，把它们杀死。"

玻陨石计划的研究对象中，有另一珊瑚住客是一种奇怪的"珊瑚虾"。这种约莫寸半长的浅蓝色小虾栖居在海葵的毒须之间。"它们摇动触须，吸引来往鱼儿的注意，"曼根说，"鱼游来了，小虾便跃上鱼身，啄食外面的寄生物。它们洁净了鱼的鳞、鳍、鳃，甚至鱼身上创口的腐肉。"这种小虾显然不怕海葵螫，制药业的人会对它有兴趣。说不定小虾不怕螫的秘密，会使人研究出一种有医学价值的化学物品。

自从这回首次实验以后，在一九七〇年以后还有另外五次

海底生活实验，由四百多位科学家探究海中生活的情形。地点
分别在波多黎各、大巴哈马群岛、麻萨诸塞州格洛斯特、波罗
的海、圣克罗斯岛等地的海中。在人口过分拥挤的世界，谋求
食料、矿藏、药物等新资源的需要越来越迫切。玻陨石计功的
成就，已证明在世上各处大陆架上浅水地区进行广泛勘探是切
实可行的。

□海洋会吞噬人类吗

　　人类历来都以为海滨是人力所及的极限，也是大自然不可
征服范围的起点。拉彻尔·卡逊在一九五一年写《我们的海洋》
时，也以为海洋是最好的庇护所，永远安全。这句话听来有
理。海是那么辽阔，大洲简直像其间的岛屿；海又是那么深，
连珠穆朗玛峰掉进去也会没顶。海水总量接近三亿二千万立方
米，住着二十万种生物。这么庞大的自然环境，谁能破坏？何
必要保护？

　　尽管海洋之大实占整个地球表面百分之七十，但生产能力
大部分局限于包括大陆架在内的那些由海岸伸入水中的狭窄浅
水海底中。既然如此，海洋环境易受损害的道理便浅显得很
了。这些浅水的沿岸水域不过是海洋总面积区区一小部分，但
全球需要的咸水鱼有百分之八十由这里供应。此外，几近七成
的食用鱼类与甲壳类，在生活史上都有一个重要的阶段是生活
在港湾里，即海湾、受潮地、河口等地方。这些地方肥沃富
饶，比大海高二十倍，比麦田也高七倍。把这些区域的生物链

打断，把海底无数的有机体毁掉，把大陆架的水域染污，大海上主要的渔场必遭毁灭。

目前，或因海水污染，或因滥捕滥杀，有时两者兼而有之，不少渔场已遭毁坏。人类热衷填海拓地，沿海不少重要的受潮地变成了公路、工厂、桥梁或滨海住宅区。同时，其他港湾又天天都有亿万加仑的污水与工业废料注入，毒杀鱼类，毁坏蚝床蛤床，使海湾与受潮地不适宜生物生长。

重要的靠岸区域饱受摧残之际，外头的大洋也日受压力。比方说，一九七七年内，约有六千七百万吨废物用船运出美国水域外，丢入大海里。废物计有垃圾、废油、疏浚挖出的泥石、工业酸类、苛性硷类、去污剂、泥浆、飞机零件、烂汽车、腐败食物等等。探险家兼作家海伊达两度乘埃及纸莎草造的船横渡大西洋，途中见到塑胶瓶子、塑胶筒、油渍等垃圾，都给海流冲到大洋中心之处。清晨，船员看见污染情形，竟迟疑不愿洗濯。

美国佛罗里达州美安密海滩这个著名"阳光与海浪"的天然风景中，离岸约七千英尺的海面，有个人工留下的痕迹，给人讥为"圆形球场"。那是碧波上一大块黄褐色冒着泡沫的污渍，非常难看。这片污渍是美安密海滩与附近三个社区的下水道流出未经处理的污物所造成。不过，截至止前为止，风与潮水合力把废物送回沙滩的情形还是很少见。

佛罗里达州卫生局下令美安密海滩当局处理污水，已不止十年了，当局最近才考虑采取第一项步骤：把伸入海中的排污管延长一英里。会有好处吗？美安执密大学的海洋生物学家达勃说，加长排污管管的结果，只不过让盛行风把污物吹到别处海滩而已。

佛罗里达东南部日益繁荣，估计在二十年内，就会出现人口达千万的大都会。但圆形球场是个凶兆，表示佛罗里达州经济所赖的海洋与沙滩，虽然一向以为是无尽的资源，将来必会引起很多问题。

渔人、潜水人以及其他与海洋结下不解缘的人说，美国沿海和世界各地都有相似的情况。例如：

纽约市的沟渠污物与泥浆，都丢在离岸不到八公里的大西洋中。附近捕获的鱼，肚子里会发现有香烟滤嘴、绷带或口香糖。同时，新泽西州北部有些邻近纽约港口航道的海滩，现在满地都是塑胶瓶子、焦油，以至兽尸等物。

奥斯陆峡湾与挪威沿岸许多大港口，由于污物大量注入，一片广大的水域已没有海洋生物了。

海水污染的情况，有三分之一是海洋工业故意排出废料、采用某些清洁方法，和意外漏油所造成。一九六四年以来，超过一百九十八艘油轮在海上遇难毁损，共有一千零五十四人丧生，五亿多加仑原油漏入大海染污海水。最严重的一宗发生于一九七八年，"美油加地斯"号油轮在法国布列丹尼海岸外遇难破毁，漏出原油共六千六百万加仑。

一九六五年，日本水俣湾区有五人死于水银中毒，另有三十人患病。中毒原因是海鱼吸收了工业污物。早在一九五三年，海洋发出过警告，那年该地已有人患上这种病。病者逾百，死者四十三名之多。

面积较小的海，情形更坏。波罗的海深处，足以致命的硫化氢含量日增。据专家说，这种物品如果大量扩散，波罗的海就要成为海洋沙漠。地中海沿岸有名的海滩中，已有数十个因污秽而封闭了。仅意大利里维耶拉的某一段，沿着海滩就有六十七条明渠排出污水，使海滩不宜游泳与玩乐。

最使人觉得目前海洋政策不足的，大概是海底油井爆炸与油轮折断的事件。石油污黑了海滩，弄死成千上万海岛，并且一时不易解除对海洋生物的威胁，受害的地方已很多了。我们还没有好办法清理被漏出原油染污的海滩。近年油轮越造越大，大量漏油的危险也越来越大。到一九九〇年，大概有三千多口海底油井，原油污染的危险也就更大了。

早期核子试验会有辐射尘飘落，至今从海洋任何一处取水五十加仑，仍可验出辐射性来。英国水域会有大量海鸟死亡，研究人员在死鸟体内发现异常大量制造油漆与塑胶用的毒性化学物。全球各地普遍使用有毒而效力持外的杀虫剂，对许多处食鱼鸟和食肉鸟为害甚大，更有证据证明这些杀虫剂还能杀害浮游植物——海洋生物链中最基本的食料。

我们不得不作这样的结论：现在如不采取明智果断的行动，海洋就会像今日的陆地一样，变得杂乱污秽了。届时，损失最大的还是地球上的人类。

目前虽然已经迟了，但还是希望。不过，从大规模破坏海洋转而保护海洋，是一件艰巨的工作。世界各国须共同订立一项国际海洋政策，牺牲狭隘的本身利益，以保存这个广阔的领域。海洋是我们祖先留给人类共有的财产。为了人类的前途，这件工作必须列为当务之急。这一件工作，考验我们人类的才智，考验我们做人之道，也考验我们对子孙后代的道义责任感。具体说来，我们必须采取下列主要步骤：

①如果办得到，就不要把废物弃入大海、大湖及河流海湾的近岸处。经过处理后起码与海水的天然性质相同的液体废物除外。

我们快要没有抛弃废物的地方了。我们现在别无他法，只能利用科技设法把废物再循环，送回经济体系中再加使用。近来世界各国在控制海洋污染方面颇有进展，这是一件令人振奋的事。

②为了不让陆地上随处可见的混乱与破坏情形发生在海洋中，我们在进行新的海洋建设（诸如建造朝向海面的喷射机场，或在新区钻探近海油井等）之前，须先订立严格的限制条例。

新工程的每一阶段，都要让公众知道，并与公众商量。例如决定是否应当让海洋工业及其附属装置在海上建立，或者是否让超级油轮在沿岸水域行驶等，都要征询公众的意见。

至于近岸油井，在生态环境易受影响的地区，就应停止钻探。除非有足以服人的证据表示新井无碍于海洋环境而又有可靠技术能控制漏油事件，否则应当禁止钻探任何新油井。在此之前，海中不属于任何国家的未采油藏及矿藏，都应暂不开发。

③在无可估价的受潮地大肆疏浚与填土，及以"改进"为名开辟沿海地带，都必须立刻停止。

有些海洋生物学家严厉指出，我们若不立即采取行动，目前海洋污染的情形正在加速恶化。五十年后，或者还不用五十年，海洋生物大致会灭绝。这样的一场浩劫，实有非常严重的后果，因为人类一直依赖海洋资源取得食物、原料和娱乐，在最近的将来还可能向海洋求取生存空间。

□百慕大是"魔鬼"海域吗？

世界上许多国家的科学家怀着浓厚的兴趣去探索"百慕大三角海区"之谜，他们不畏艰难险阻，甚至冒着牺牲生命的危险，进行了大量的调查研究和实地考察工作，陆续发表了成千上万篇文章和专著，不同专业的科学家从不同的角度，对百慕大三角海区船舶与飞机神秘失踪事件做出各种各样的解释和假说：

有人认为，船舶出事是由于触礁。但是根据探测，百慕大海区的海底山脉，最高的离海面也有六十多米，所以触礁的可能性可以说是不存在的。何况飞机在空中失事的许多事实又如何解释呢？

有人曾提出这样原假说：百慕大三角区离赤道很近，距离赤道越近的地区，天气的变化就越剧烈。从北方吹来的冷空气同赤道的暖气流在百慕大三角地区相遇，因气压相差很大，所以容易形成飓风，在这样的条件下，即使是晴朗无云的极好天气，也会突然变坏而刮得飓风来，这种风云突变的天气是很难预测到的。因此，航行到这里的船舶或飞机都会吃亏的。这种天气的变化往范围不大，如果在海面上发生，到达不了海岸就会消失，人们也就不容易发现。

还有人认为，这个地方还常常发生海龙卷，是一种灾害性天气，是由于冷、暖气流突然相遇，在强烈的阳光作用下形成

百慕大能"吞下"如此巨大的船只吗？

的旋转气流，即旋风，强烈的旋风称为"龙卷风"。"龙卷风"发生在陆地上的叫陆龙卷，发生在海上的叫海龙卷。当船舶和飞机遇上龙卷风，自然就会被卷得无影无踪。一位曾在百慕大三角海区遇到过飓风的船长说："当时，大海的面貌可以说是无法形容的。海涛翻滚，您会遇到二、三十米高的水墙直挺挺地朝你倒下，也许船只被卷进大浪里，就再也挣扎不起来了。"这段描述说明了遇到飓风的可怕情景。

一位在百慕大三角海区失踪事件中侥幸生存的海员，也讲述了当时遇到风暴时的惊心动魄的情景：一九七三年的三月，一艘排水量为一万三千吨的运煤船，航行至新泽西州麦因角岛，东南一百五十海里处失踪了。在救援搜寻中，于根尼角岛以东三百海里处，发现了一个黑人海员骑在一块木板上漂流。这位海员叫斯坦因·加布里埃尔森。据他说，他们的船舶遇上了强大的风暴，舱盖被风掀掉了，海水涌满了货舱，仅仅五分钟以后，船就沉没了，除了这位黑人海员外，所有的人都葬身大海了。

根本上面二人的描述，估计只有海龙卷才会有这么巨大的破坏力。所以在海上航行的船舶，如果遇到海龙卷是难逃活命的。不过，这种灾害性天气毕竟是局部、短暂的，而且也不可能经常发生，何况飞机在高空飞行中，是海龙卷所不及的，如果将成百上千只船舶、飞机失踪的事件都归罪于恶劣天气，显然是缺乏说服力的。

还有人认为，在百慕大三角海区有反旋风和下沉的涡流，这也是导致船舶、飞机失事的因素。反旋风的顶部在海面的上空，是看不见的，它在水下部分会形成一个强有力的漩涡，船舶若是闯进漩涡中心，是很容易被卷进海底；飞机在空中遇到反旋风，飞行员就会偏离航线、迷失方向，可能在他还没有弄清楚发生了什么事的时候，就机毁人亡了。有一位水文学家说，波多黎各海岸在冬季北风强烈时期，由于内波的影响。从大海表面到海底能够产生一股强大的向下的海流，好似一条海下瀑布，这股海流的流速有时极快，就形成巨大的漩涡，像一个巨大的漏斗，会把经过这里的船只一下子吸进去。

还曾有人提出：百慕大三角海区发生的奇妙事件，可能是一种自然激光的把戏。

激光技术是本世纪六十年代发展起来的活跃的科学技术。

激光是由发光物质原子里处在能量较高的轨道上的电子，在一定的外界入射光的刺激作用下，被迫跃迁到能量较低的轨道上，发出光来。通过刺激发射出来的光，就叫激光。激光虽然是一种光，但它与普通光截然不同，它有很多特性。例如，激光具有高亮度和高定向性，它可以把光能在时间和空间上高度地集中，从而产生高达几千万度以上的温度，以使任何一种物质在一瞬间化为一缕"青烟"。这是激光最大的威力。激光是从激光发射器中发射出来的。

这些人认为，百慕大三角海区，船舶、飞机失事经常发生在天气晴朗的时刻，是因为在万里无云的晴空，太阳是激光的强大辐射源；平静的海面和大气上层好似两面巨大的反射镜；高空的强烈气流起着操纵机构的作用，这些条件则构成了一个巨大的激光发射器，它可以射出巨大的激光束，产生强大的威力。激光辐射流可引起局部地区天气骤变，海面升起浓雾，海水翻腾，出现磁暴、无线电通讯受到严重干扰等现象，航行的船舶或飞机若是进到激光束中，就会被化作一缕青烟。

关于百慕大三角海区之谜，地球物理学家们也怀着极大的兴趣积极地探索着。有些地球物理学家认为，百慕大三角区奇异事件发生的原因与海底地形有关。他们设想该地区的海底，地壳可能有宽大的裂缝。由于地壳内部地心部分是熔热的液态岩浆，沉重的地核在液态岩浆里"漂浮"运动着。在太阳和月亮的引力作用下，地核往往会朝地壳薄弱的方向运动，以强大的压力将熔熔的岩浆压向地壳有裂缝或开口的地方，于是岩浆就从这些地方喷发出来，这就是火山爆发和造山运动。当地核退去后，地壳往往下陷，有时会产生"吸入作用"。如果海底地壳有裂缝或开口处，遇到上述情况，就会发生海底火山爆发或海啸。当地核退去时，大量海水会以很高的速度被吸进海底裂缝，于是就产生飓风和磁暴，这也许是使船舶飞机失事的一个因素。

有人认为，在海底地壳的裂缝中不断冒出大量的气体溶解于海水中，海洋底层含有大量气体的水被上层水沉地压着，就好像一瓶被盖子严严盖住的汽水。一旦海洋上层压力减小，就像把汽水瓶盖打开那样，下层水中的大量气体就挤向上冲，因而升起浓浓的泡沫来，假如船只刚好通过泡沫最厉害的地区，就一定会在泡沫中下沉，当泡沫冲出海面，会形成茫茫的白雾，飞机飞进这样的白雾里，自然就会迷失方向，坠向大海。

关于地壳裂缝冒气的说法，并不能解释船舶与飞机上导航仪器失灵的现象，以及为何会有漂泊在海面上的空船。这或许只是导致百慕大三角区船舶、飞机失事的因素之一。

有些科学家充满自信地认为，使百慕大三角海区船舶及飞机神秘失踪的主要原因是次声的威力。

什么是次声呢？声音的产生是由于物体振动的结果。人们听到声音之所以会有高、低、尖、厚之分，是由于各类物体在单位时间里振动的次数、传出的声波长短不同的结果，在自然界里，声波的频率范围十分宽广，而人耳只能听到频率为二十至二千赫兹/秒的声波，频率在二千赫兹/秒以上的声波为超声波（超声），一般情况下人耳是听不到的；频率低于二十赫兹/秒以下的声音为次声波（次声），人耳也听不到。强烈的爆炸，火山爆发，强烈地震，风暴雷电等现象都可以产生次声。次声虽人耳听不到，但其振波却有极严重的破坏力。

一九三二年夏季，在北冰洋的一艘破冰船上，一位气象学者无意地把脸贴近一个探测气球，刹那间猛然使他耳朵感情以一阵剧痛，这是由于从气球传来的次声的强烈振动造成的。一九二九年，英国一位物理学家给伦敦一家剧院设计安装了一只扩音器，在试用喇叭时，它发出了低而惊人的声音，使得剧院的门窗在簌簌地抖动起来，仿佛房屋要倒坍下来，这也是次声的威力。次声波强大的破坏力，足以使船身破碎、飞机解体、人员死亡。

次声波在空气中能以每小时一千二百公里的速度传播，在水中传播的速度是每小时六千公里，同时它具有传播几千公里而威力不减的特性，所以在风平浪静的海面上行驶的船只，如果遇到千里以外传来的次声波的袭击，就可能使船员惊慌失措，甚至强烈的振动会使人的精神失常，跳进大海而葬身鱼腹。这可能是海面出现空船的一个原因。

百慕大三角海区复杂的地形及特殊的自然环境，更增加了次声产生的次数和强度。在三角区的南头有地震活动带，波多黎各海岸附近的海底火山爆发、海浪、温度的波动等因素都是产生次声波的原因。

据勘查，百慕大三角海区的洋面下，有一股强大的海底河流，其流向同海面海流的方向恰好相反。另外，从南美洲东北部海面上吹来的暖流总是围绕着三角区内的马尾藻海打转，使这里的海水温度发生很大变化，这也都是使该区次声波加强的因素。

另外一个情况也极易产生次声，飞机航行在空中，最怕遇上"晴空湍流"，因为这是无法逃脱的致命危险。"晴空湍流"又称：气穴"或"气坑"。在阳光明媚的天气中，飞机能平稳地飞行，能见度也会很好，如果这时发现飞机突然剧烈颤动，猛然上升或下降几百米，这种突如其来的强烈气流常常伴随有次声的出现，这时，次声就会像一把无形的利斧，把飞机劈得粉碎。

上述种种情况，充分说明次声不但破坏能力极强，而且许多因素都会促使次声的发生，因此，许多科学家断言，在揭开百慕大之谜时，也许可以证明，次声是使神秘事件产生的主要原因之一，这种假说的根据还是比较充分和有说服力的。

在百慕大三角区遇难的船舶和飞机，都出现过导航仪器失灵或罗盘指针大幅度摆动的情况，不少科学家自然地就提出是该地区磁异常造成的。

地球的磁场就好像在地球内部有一个巨大的想象中的磁体样，它也有两个磁极：地磁南极和地磁北极。地磁南北极的位置并非固定不变，它在不断地变化着。地磁南北极同地理南北极的位置也并不吻合，而是有个偏差的角度，也就是说，地理子午线同地磁子午线并不是重合的，它们之间的夹角叫磁偏角。磁偏角同海员或飞行员正确判断方位关系极大。当船舶和飞机航行时，用磁罗盘测到的是地磁方位角，所以必须知道当地磁偏角的数值，才能确定正确的方位，沿着正确的航线前进。

地球的八十度经线恰好穿过"百慕大三角区"，而八十度经线上的磁偏角是0°，这就是说，航行到这里的船舶、飞机上的磁罗盘指的是地理的正北方向，如果领航员不注意这一点，必然就会偏离航向若干度，同实际位置相差很大，也许会远离航线几百海里。因此，有的科学家认为，船舶与飞机常常在这里失事，与这一地区磁场特性有关。

还有一种说法认为，百慕大三角区海底有着巨大的复合动力源，能产生强大的磁力，使罗盘及仪器失灵。一九四三年，美国的一位裘萨博士曾经由海军协助配合，在百慕大三角区做过一次有关磁场的奇异实验：他用两台磁力发生机给停在船坞里的船加大十几倍的磁力，看它会发生什么现象。实验开始后，在船体周围立刻有绿色的烟雾出现，很快就使整个船体笼罩在绿雾之中。接着，船上的人员就消隐不见了。实验结束后，船上的人员似乎受到了强烈的刺激，有些人经过特殊的治疗，恢复了健康，有些人精神失常了，有些人甚至死亡了。此事后，裘萨博士也不晓得什么原因自杀了。他在临死前说，实验的事实与爱因斯坦的相对论有关，除了这句简短的、令人费解的话以外，他没有留下任何详细的论述，以致于使这次奇异实验本身又给人们留下了一个难解的疑团。

磁异常的另一种表现形式是磁暴。磁暴是当太阳突然喷出大量带电微粒进入地球大气层时，引起了电离层的变化，与此同时，还引起地球磁场强度及方向的急剧而不规则的变化，这种现象称为磁暴。磁暴发生时，会使无线电通讯中断，引起一系列的磁异常。因此有人认为，百慕大三角区船舶、飞机失事原因与磁异常有关。

总之，百慕大三角海区之谜，对于科学家来说，是一个现实的、重大的、具有魅力的课题。经过他们几十年来不懈的努力探索，已经获得许多重大的成果。当然，探索一个自然科学之谜并不是一帆风顺的，是要经过长期艰辛的努力，才能得出令人满意的结论来。

近年来，一些人对百慕大三角区之谜又提出了更富有幻想色彩的假说：船舶与飞机失踪事件是否是"飞碟"的恶作剧？

关于目击飞碟的第一次公开报道见于一九四七年，若从历史文献上查阅，则可追溯到十三世纪。然而，有关"百慕大三角区"船舶、飞机失事的记载'却要早得多，因此有些人极力否认飞碟与"百慕大三角区"之间有任何联系。可是，根据来自世界许多国家和地区目击飞碟的报道，人们可以发现，发生在美国的比较多，有几千件，其中以佛罗里达研究室——巴哈马地区目击到的记录为最多（这正是百慕大三角海区），难道它同百慕大神秘事件是偶然的巧合吗？美国一位著名的天文学家 M·K. 杰塞普曾提出："在百慕大三角区失踪的东西与人都是飞碟干的。"

一九四八年一月七日，美国的一架"野马式"战斗机在诺克斯堡追踪一个低空飞行的飞碟时，突然不明不白地解体粉碎了，碎片还没有拳头大。据说，在飞碟周围有阴极射线，由于飞机离它太近而掉进电离场解体的。一九七一年十月，美国的一架"星座号"飞机航行在巴哈马群岛附近，同一个飞碟相遇，结果也遭到了同样的。当时发出了一声巨响，并有极亮的闪光出现，把半边天都照亮了。美国"双子座"4号、"双子座"7号的宇航员在太空中航行时均曾发现过有飞碟在跟踪着他们。"阿波罗"12号飞船在飞到离地球二十万公里的高空时，有两个飞碟一前一后地跟踪着。宇航员戈登说："它们非常亮，好像在给我们发信号。"这些现象不都是飞碟的蛛丝马迹吗？

如果"飞碟"的存在是事实的话，那么它们从何而来呢？是外太空的不速之客吗？当联系到百慕大三角区的奇异事件时，有人也曾提出过："飞碟或许是来自海底。"它们这些富于幻想的说法倒也并非毫无根据，如一九六三年，在波多黎各东南部的海面下发现了一个不明真相的怪东西，以极高的速度在水面下潜行，当时，美国海军派了一艘驱逐舰和一艘潜艇去追踪，一直追了四天也没有追上，因为它有时可以钻到水下八千米深处，人们根本无法观察到它的真面目，只是看到它有一个螺旋桨。另外，西班牙沿岸采海棉的工人曾在海底看到过一个体积很大、圆顶透明的怪东西。这些海底的怪物是否就是人们目击到的飞碟呢？如果真是飞碟，那它们是从空中钻入海底暂时栖息隐蔽呢？还是在海底存在有飞碟的发射基地呢？这个基地是属于外太空人的呢？还是属于海底智能生物的呢？（有人提出，在海底世界生存有科学比人类还发达的智能生物，他们在海底生活了很久了。）尽管目前对这一连串的问题尚得不到肯定的答案，也许这种看法是极荒诞的，但是，我们不能否认，今天的科学技术条件，还不能使人类对占地球面积三分之二的海洋深处的每个角落进行探测与了解，因此也必然会存在有许多令人茫然不解的秘密。

第9章 地球的气候变幻之谜

宇宙的星河运转，给地球带来了风云变幻、气象万千。气候总是井然有序地来到人类身边，当春日怒放的鲜花竞吐芬芳之后，夏秋金黄的硕果又会呈现在人们面前；气候又总是变幻无常地偷袭着地球，飓风、磁暴、洪水等灾难给地球上生命的繁衍带来巨大的威胁与挑战。当极光冷艳慑人的魅力令人不由地屏住了呼吸时，龙卷风狂野不羁的无情又让人心胆俱悚。气候像个嬉闹的玩童，令人类千百年来不断地为之迷茫、为之探索……

□飓风是如何形成的

什么是飓风？那是流动的空气——亿万吨的空气。这么大的一个空气散布在半径三百英里的范围之内。这团空气开始旋转，接近中心的空气转动时速，达到七十五至一百五十英里。这团空气中再充满了云，云顶升到四万到六万英尺高空之间。这些云以每天高达二十英寸的雨量，落下倾盆大雨。同时，这整个系统还沿着某一路线移动。旋转的风在海洋上掀起怒涛巨浪，海水涌入邻近陆地。这一切就是一个典型飓风的主要情况。飓风如果袭击人口稠密的沿海地区，拔树倒屋，后果总是一场灾难，极少例外。

飓风有几个名称。学名称为热带气候。在西太平洋称为台风；在澳洲称为"畏来风"。不管在各地的名称为何，飓风是诞生于热带地区海洋上空的一种旋转风系，由又湿又暖的热带空气构成。飓风的威力来自太阳。太阳使水从海洋表面蒸发，形成风暴云。水汽在高空的风暴云里凝结成小水滴时，放出热能；在这种情形下，一个中型飓风在一小时内由凝结所放出的能，等于十六枚二千万吨级氢弹爆炸的威力。这样巨大的能量，约有百分之三被挟持在飓风里。

飓风季通常从暮春开始，直到初秋，以夏末期间的风暴为最猛烈。那时热带海洋已经在太阳接近直射的光线下曝晒了数周，海洋表面蒸发率甚高，使海洋上空的空气，充满了催动飓风那副"热力机"的水汽。

过去利用天气侦察机报道热带氯旋的行踪，今天追踪飓风的工作，大部分已经由天气侦察卫星替代，其中包括美国的太罗神及雨云卫星。风暴的情况，白天由卫星摄影同拍照，夜间由红外线仪器摄取。卫星把获得的资料传送到地球各地的接收站，通过这个布满全球的追踪网就能侦察出某一飓风的诞生、成长、动向及消散的情形。天上的飞机、海上的船只及地上的天气观测站，也都收集这些强烈风暴的资料。

如果所有飓风的路径都相同，预测工作就简单得多了。可惜，飓风行踪可能飘忽不定，路径迂回曲折，诡谲难测。有时吹向赤道，随又转向走开；有时突然暂停前进，折向来时的旧路吹回。有时飓风前进时会采环状路径，本世纪初的一个飓风便是如此。一九一〇年十月，一股风暴在加勒比海向北移动，直接吹袭古巴西部的圣胡安马丁内斯城；两天之后，这股风暴又从西面绕圈折回，再次袭击该城。

威胁海上船只的风暴，莫过于已发展成形的飓风。猛烈的风势及汹涌的波浪，甚至能毁坏大型航空母舰队及远洋中的大邮轮。在第二次大战时期，美国上将海尔赛指挥的第三舰队，在菲律宾吕宋岛以东约五百英里处，被困在一个飓风范围内，遭受飓风猛烈吹袭。该舰队的气象人员早在事前接获警报，在该区某处发现飓风。四千里外夏威夷群岛珍珠港的舰队天气中心也接到报告。舰队天气中心虽已从海上的船只、天上的飞机及太平洋数十个岛屿上的美国基地继续不断接获天气报告的电讯，仍无法断定飓风的确切途径。

也是命中注定，海尔赛的第三舰队竟误入飓风中心。驱逐舰、巡洋舰、主力舰和航空母舰都颠簸得很厉害，像软木瓶塞在海中漂浮似的。旗舰上发出的命令是"任意航行"，舰队在风浪中远远的散开。没有一艘战舰能逃过重创的厄运。三艘舰只沉没，舰上官兵极少生还。

任何船只在海上遭遇飓风时，都极易被毁坏，但是小心航行可以避开风势最猛烈及波浪最险恶的地区。住在风暴路线上的海岛居民，天生不是很幸运。假使飓风直接侵袭海岛，居民只好找藏身处避风。如果预先获得警报而又有充分时间，最好还是暂时迁离沿海地区。若是岛上的地势低，诸如太平洋上的环礁，遇到飓风或飓风吹过，可能造成一场大灾难。

任何方法都不能保护这些小岛免受飓风中狂风骇浪的侵

袭。一个典型的环礁，是环状珊瑚礁，由一个或数个露出海面的低洼小岛组成，部分或所有小岛围成一个泻湖。构成环礁的珊瑚系统，大多数位于死火山顶峰。死火山从深海海底耸起，直达温暖有阳光的较上层海洋，珊瑚生物便在那里附着生长。较大的小岛，宽仅数百码，长由数百码至数里不等。小岛露出海面的最高点，绝少超过二十英尺。小岛所坐落的珊瑚礁，其特点为在海洋那面陡然下降，形成险峻的海底峭壁。珊瑚礁的圆形泻湖岸，陡度则平缓得多。泻湖最深部分，很少深于海面下二百英尺。

一九五八年一月七日，西太平洋上的马绍尔群岛遭受飓风侵袭，这是飓风对一个毫无掩护的珊瑚岛肆虐的可怕例子。受灾最重的是群岛中最大的环礁杰路依特岛。岛上一千二百名居民在那天早上已知道飓风即将到达，当时海上卷起的巨浪，开始拍击东面珊瑚礁的外壁。潮水还是非常低，所以珊瑚礁没有立刻被海水淹没。但是湖水高涨，波涛更加汹涌时，海水澎湃冲过珊瑚礁外缘，直袭环礁。突然一阵烈风从东北吹来。风力增强到飓风程度——时速约七十五英里，海浪开始冲过东边几个小岛，进入泻湖。

这时已是下午。湖水几乎涨到最高点，狂风挟海水扫过岛上的陆地。狂风把洪水吹成巨浪，混着一些被连根拔起的树木和数以千计的珊瑚碎块纵横狼藉，有些珊瑚碎块重逾一百磅。一位劫后生还的人回忆说："我们半游泳半涉水，从一棵大树到另一棵大树，但是到处都有树木倒下来，我们也不晓得哪棵树安全。我眼看着一家人全部溺毙。他们都把自己缚紧在一棵露出水面的高树上。大树忽然倒下，他们也随波冲走。"

飓风过后，杰路依特岛上几乎到处都留下珊瑚碎块，厚达三英尺。大树多半不是被连根拔起冲走，就是被齐根吹断。泻湖上出现许多扇形及三角形沉积物，像是小河积年累月留下的淤积物。当地人住的小房舍和粮食作物，如椰子树、露兜树及面包果树，全部惨遭摧毁。出入意料之外的是，飓风侵袭期间仅有十四人死亡。另两人于事后因过分疲惫而致命。死亡人数轻微的原因有二：一是因为有第二次世界大战期间日本人所建那些墙壁厚达一英尺的碉堡沉入珊瑚丛生的海水深处，发生了保护作用；一是凑巧人口最稠密的几个小岛上的许多居民，当时都去了另一个小岛，而该小岛在这次风灾中未被海水完全淹没过。

　　飓风吹袭沿海地区时，当风的地方危险最大，狂风卷起海水，常以排山倒海之势汹涌袭来。人口稠密的沿岸地区在风暴激浪侵袭下造成的灾害，实在不胜枚举。

　　一九三八年一场可怕的飓风直扑北美新英格兰沿海地区，约六百人丧生，财产损失超过二亿五千万美元。灾区大部分是在风暴中心东面的沿海低洼地区，那一带的狂风对正海岸猛吹。飓风从南面进袭时，这些地区都被狂风卷上岸的巨浪淹没。风暴中心西面的地区，受到强烈的北风吹袭，但遭水淹的情形极少，甚至没有。

　　飓风所造成的风暴激浪，已经杀害了不知多少生命。一九〇〇年，从加勒比海涌进德克萨斯州沿岸的巨浪，淹死六千人。一八六四年，孟加拉湾一股飓风，吹过人口稠密的沿海低洼稻田区，约有七万人丧生。一七三七年十月七日，同一地区曾发生过一次人类最残酷的天灾，飓风与地震同时袭来，四十英尺高的巨浪涌入内陆,死亡人数达三十万。一九七〇十一月,该地区再度发生悲剧,飓风激起的风暴浪,涌入当时称为东巴基斯坦的沿岸地区,二十多万人溺毙,飓风过后还有更多人死于饥馑及疫疠。这一带海岸最经不起飓风和巨浪的袭击,沿海平原仅仅高出海水水面,整个地区是流入孟加拉湾的恒河及雅鲁藏布江经年累月淤积成的一大片三角洲。此外,孟加拉湾为U字形,作为一如漏斗,把从印度洋向北吹的飓风威力,全部集中在这里的沿岸地区。

飓风登陆后便开始丧失威力,风势遇到丘陵、山岳、森林和建筑物的阻挡而缓慢下来,飓风无法再从海上吸收温暖的水汽,用来发动它那副"热力机"。登陆三百英里后,飓风风力可能依然强劲,足以吹断电线,同时还带来豪雨,造成洪水泛滥。但是飓风越进入内陆,威力越发减弱。进入内陆六百至八百英里时,便可能和一场暴风雨无甚区别。飓风实在是太阳和大海合力造成的自然现象。

□破译陆龙卷之谜

天气现象之中,最奇特的就是陆龙卷——大雷暴中由天上伸下来的骇人旋风。这种风的寿命很短,很少超过一小时,但其威力无疑足以表明它是世上最凶猛的风。

科学家现在约略知道陆龙卷可以这么凶猛,以及如何产生。但可惜我们对一些比较基本的事项所知很少,研究工作然然离不开猜测的阶段。因此,最了解陆龙卷的专家,还是那几位亲历其境而能生存的目击者。

龙卷风正侵袭美国某一小镇。

亲身经历过陆龙卷侵袭的人都常说，风来袭之前，天阴而无风，空气热而潮湿。有些人看到风暴云底下有涡旋的气流，又有些人见到两团缓缓旋动的云互相靠拢。大多数人都说，到漏斗状漩涡成形而逐渐移近时，声音非常唬人。前人把这种吼声与马车快速滚过鹅卵石路相聚，今人常把这种声音比作一队喷射机低飞掠过。

这种吼声可能与飓风及台风所发的声音有关，可是有些亲历其境的人说，陆龙卷来时特有一种莫名其妙的声音，"像百万蜜蜂齐哼的嗡嗡声"。等陆龙卷真正袭来时，接近风眼路径的人常听到类似炸弹爆炸之声。

炸弹爆炸的比喻用得很恰当，因为陆龙卷过后，地面好像经过饱和轰炸一般。建筑物裂开，顶盖掀起，住宅东歪西倒，更有些屋舍片瓦不存，只剩地窖和底脚。汽车、飞机、住宿用的拖车都给风卷起带走，然后抛落坠毁，简直就像抛玩具一样。篱笆铁线或给扭成绳索样子，或卷成捆，火车头有时也给吹离铁轨而翻倒，可怕的风力可能连铁轨也扯起来。

陆龙卷除了力大无穷，还会耍把戏，例如不把一群鸡吹死，但把鸡毛拔光。陆龙卷曾把盖屋的铁皮紧缠在电线杆上，把一根根木头像长矛般插穿房屋和刺中家畜，还有一回插穿一辆货车的轮胎。陆龙卷另一种较为细致面同等惊人的本领，是把小棍和草秆像铁钉一般插入人体丙。

这种风既然如此凶猛，虽然寿命不长，所经之处，人命多有伤亡当然不足怪了。世界上每年死于陆龙卷的人，数以百计，伤者成千成万，财物损失要以百万美元计。

陆龙卷比其他类型的风暴猛烈得多，于是经常有人提出这样一个有趣的问题："陆龙卷漏斗柱的风到底有多快呢?"没有人测量过，因此科学家只好根据所受的灾害来作间接估计。布鲁克斯博士是美国测量风速的权威人士，他的估计较为可靠。依他的计算，像一九五三年六月间闯过麻萨诸塞州乌斯特市那个毁坏力特强的陆龙卷，既能把高压电缆的支架吹毁，风速必定在每小时三百英里左右。还有些科学家揣测，旋风风速可达每小时五、六百英里，又有人竟然估计超过音速。不过，这些高速之说目前仍有甚多争论，有些科学家认为，风速不会超过每小时二百英里。

风速只是问题的一部分。陆龙卷是什么东西造成的？让我们先看看已搜集的实地资料，然后研究有待解答的问题。

陆龙卷是旋风族的一员，其他成员有小至微型的尘卷，大至吹过半个大洲的冬季风暴。陆龙卷归于旋风族中较小成员之类。与那些在晴天形成、较为有力的大尘卷及温和的海龙港不同，陆龙卷显然只在大雷暴的时候出现。幸而平均大约一千个雷暴才生出一个陆龙卷。

甚至在漏斗状的涡旋出现之前，已可看到母云底部打旋。上升空气就在那里渐渐形成陆龙卷。涡旋越来越大，速度也越来越快，漏斗柱从云中向地面垂下来，有如一条象鼻。有时不是一直垂下到地面，而是勾回云端，这种情形的陆龙卷便只会危及飞机。

倘若漏斗柱到地，气旋就搅起一团尘云。常有人说在这团尘云里见到雀鸟绕着漏斗飞翔；事实上，所见的"雀鸟"当然是在旋风中飞舞的屋顶、房屋被吹毁后的零星瓦砾，以及其他杂物等。陆龙卷只在漏斗柱所经之处造成灾害，因此，也许一座房屋荡然无存，而隔壁一座却安然无恙。

雷暴生旋风之事，虽在热带亦有所闻，但以温带为多——大概是由于温带地区温度差异大，冷暖气团相遇时就产生猛烈雷暴。北美中部有世界上受陆龙卷蹂躏最强烈的地区之称。这无疑是当地人不欢迎的一项"世界之最"。那个地区的雷暴通常都很猛烈，尤以春季为然。在墨西哥湾一带，陆龙卷季节始于二月；春夏两季，移向北方。

陆龙卷多在下午三时左右形成，这时太阳把空气温度热至全日最高点。可是夜里也不是绝对没有陆龙卷。不论何时发生，漏斗柱通常以母云的速度移动，慢时等于我们步行的速度，快时可达每小时七十英里。一般来说，在一地为患不会超过一分钟，有时仅数秒而已。

目前解释陆龙卷成因最普遍的说法，认为大气中下层空气又暖又湿，上层空气又冷又干，到这两层空气的温度相差极大时，就会造成陆龙卷，因为暖空气上升进入冷空气时，水分凝结，放出热同时产生一般足以造成陆龙卷的强烈涡旋上升气流。但这个说法解释雷雨云比解释陆龙卷好得多。单单是温差，似乎仍不能产生那么强烈的陆龙卷风力——甚至连威力不及一半的风也难产生。温差也无法解释何以只有最大、最猛的雷暴才产生陆龙卷。另外有一种说法则认为，陆龙卷附近常见到落下的大雹块，是这种风的成因。可是气象学家多半认为，冰雹无法引发陆龙卷的上升气流，何况，陆龙卷又不一定有冰雹。

那么，陆龙卷的成因是什么呢？百多年前，曾有一种电气说一度甚为流行。一八三〇年末，美国有位科学家黑尔说："我研究过所有事实后，认为陆龙卷是一股代替通常闪电而使地面与云之间放电的带电气流所造成。"大约同一时间，法国物理学家贝奇埃写了一整本书，辩说陆龙卷确有电气本质。

陆龙卷的电气说当时显然有相当多人接纳，直到一八八七年，美国陆军通讯队的芬德利上校举出不下一百四十三个理由，说明陆龙卷不可能由电气造成。自此以后，电气说便失了科学界的支持，这个概念也几乎给人完全遗忘了。

美国白艾思先生是一个科学家，研究大气已有二十五年余。由一九五三年陆龙卷摧残乌斯特市时开始，艾思才对陆龙卷的电气说发生兴趣。那晚，艾思从剑桥市的一个研究室下班回到家里，接到友人电话，说在大西洋上空东南方，有很不寻常的闪电。艾思去到岸边，见到平生所见最壮观的闪电。闪电与六小时前在乌斯特市出现的陆龙卷，俱是同一风景造成，艾思那时看见几乎恒定的亮光——每秒钟起码有二十道闪光。据当时相距约一百里所摄得的照片，艾思能推算出闪电来自雷雨云的云堤，云顶距海面约十二、三英里。艾思于是估计产生这样一个景象所需的电力，得出一个难以置信的数字——约一亿跹，与当时全美国总发电量相近。

艾思随即忽发奇想，也许这样的电能与陆龙卷的形成会有点关系吧。随便计算一下，就知道这样大的力量可能足以推动陆龙卷的风。艾思于是着手翻查陆龙卷的资料，调查两件事：这类风暴是否经常有闪电相随？目击者观察到任何不寻常电气现象吗？两个问题都有肯定答案。

艾思查阅《美国的陆龙卷》一书，读到一位曾在航空公司担任气象工作的人说，陆龙卷大抵都有一种特殊而强烈的闪电相随。该书又录了一位目击者的话："有一种嘶嘶尖叫之声，直接从漏斗柱尽头传来。我抬头倾望，直望到陆龙卷的中心，真难以置信。漏斗柱中央有个圆洞，依我在那种环境所能作出的估量，直径大约五十至一百英尺，一直向上伸展，起码有半里高，洞壁都是旋动的云，整个洞给闪电照得通明，闪电不断显现，由一边到另一边，成之字形。若无闪电，我也看不见洞口和任何洞内情景。"

艾思在翻阅资料时发现，陆龙卷与发光闪电相随之事，人类早已知道，所以拉丁文有"普雷斯特龙卷"一辞，意为"一种火样旋风降落地上，形如火柱"。显然，艾思常以为很新的电气说，也许应当称为古老的正统解释。

但艾思仍须多找证据。因此，美国每有陆龙卷，艾思就致函当地报纸编辑，请那些曾在近距离目击陆龙卷的人细说经历。

忆述陆龙卷的经历，常有强烈的个人色彩。有位六十多岁的老人，回信忆述他八岁时的经历，也非例外。他记得家人当时一边慌忙躲避一边喊他，"威利，钻进床底下！"可是威利明知没有人敢跑来捉他，就拖把椅子到厨房窗前，对着"平生难得一见的奇观——大个电火球在陆龙卷前走着"，大饱眼福。直到那个漏斗柱移近，把附近的谷仓盖也掀走了，他才对自己说，"威利，还是别坐在这儿吧。"

艾思搜集所得的资料，有不少证据证实了前人所述的细节，并且新添了一些宝贵的细节。前人说嗅到硫磺或煤气气味，今人比拟为电机发出的气味。懂得化学的人，就说是臭氧或者是氮氧化合物的气味，这都是放电所产生的。曾藏身地窖躲避风暴的人，记得几乎被一种浅绿色气体闷死。又有人报告说，面部与手臂出现严重晒斑，可能是受到了电气活动发出的紫外线近距离照射。漏斗柱的内部，从前的人说像个发光的管，现在的人应该说"像个巨型霓虹灯管"了。

这类新增资料很有用，但大多数仍未能尽释专家的疑团。

专家不相信"传闻"的报道，要看"客观的"佐证与科学测量数据。不过，近几年来，找到两项又可靠又客观的证据，或可使更多人相信电在旋风中所起的作用。

头一项是因为有个陆龙卷在美国俄克拉荷马州土耳沙市附近的地球物理观测台六里内经过。风过时，发现观测台记录到多种干扰，例如流过地球的电流有急剧波动，地磁强度也有改变。这种强度变化，说明有强大电流忽然流过。新墨西哥州采矿工艺学院的布鲁克教授，依据这些数据，计算出陆龙卷经过时，有一道大过一百安培的电流，流过当地达十分钟之久。从这个电流强度和已知雷暴所产生的电压来计算，放出的电力似有可能大得足以推动陆龙卷。

另一项使人兴奋的客观证据，是詹姆斯·韦尔在一九六五年四月十一日星期日晚上拍得的一张照片。他当时在美国俄亥俄州托利多市附近家中拍摄雷暴的照片。他的摄影机随着雷电东去移向托利多市。他家一带早已在下雹，雹块这时更大了。他想做个试验——能不能借闪电的光度拍出前景地上的雹块呢？他向托利多市那边拍了一连串的照片，却不知道该市正遇上陆龙卷。

次晨，他在影室中，瞧瞧显影后的底片，想把一张似乎因漏光而起了雾翳的底片丢掉。可是有些东西引起这位摄影家的好奇心，他就把底片再细看一遍。他看出那两道有点模糊的垂直光带并没有越出底片药膜的范围，而漏了光的底片不会这样。于是他印了一张正片。后来，科学分析与托利多市内目睹其事的人都证明，韦尔所拍得的是一对真真实实的发光柱子——大概是两个陆龙卷漏斗柱被涡旋中某种放电作用照亮了。

这样的证据足以证实，起码在一些陆龙卷中有强烈的发光活动或者有强大电流。不过，这项证据所引起的问题要比它所解答的谜团更多。比方说，这种电气活动是一切陆龙卷共有的吗？它的性质如何？它是陆龙卷的前因还是后果？倘若这些问题得到解答，我们的气象知识就大为进步，而且科学家也就可能发明一些控制陆龙卷的技术，消除旋风对人类的危害了。

一九六九年，一队科学家为了研究澳洲的丛林大火何以那么难以扑灭，曾在昆土兰省洛坎普顿镇附近一个有五十英亩大的地方，引发一场受缜密控制的大火，进行一项代号为"尤洛卡行动"的演习。世上第一批人为陆龙卷也许就是他们造成的。为了让火烧得旺，砍下六千吨小桉树丛堆叠在四周，还在九百处同时点火。气象学家在点火前先记下天气情况，然后在火越烧越旺时，不停注视风与温度的变化。这项研究有一些意外的收获。他们发现这个大洪炉使地面风向有明显改变，在大火边缘风速增至接近三倍。但最惊人的现象还是在火场中心发生，该处的热风以每小时六十多英里速度怒吼，产生小型陆龙卷，打旋打到了二千英尺高。陆龙卷是大自然最神秘莫测而又最具破坏性的现象之一，人类既证明确有能力造出陆龙卷，就可能更进一步对它了解了。

□破译海龙卷之谜

无数站在岸上的人，都被眼前的景象弄得发呆。一根直径一百四十四英尺、高逾半里的大水柱，矗立在美国麻萨诸塞州南塔克特湾离岸不到六英里的海面上，像个黑色的活妖怪。

它能挡住龙卷风吗？

　　美国这一带海岸，有二十七年没见过海龙卷。至于体积如此大，又可让这么多人在岸上安全观看的，更是前所未有。一八九六年八月十九日下午，漫沙文雅岛居民怀着惊惧的心情，看了四十分钟。

　　海龙卷是什么？怎样形成？在什么地方出现？

　　海龙卷基本上是风和水卷起的漩涡，与陆龙卷相似，只不过出现在海上。海龙卷有截然不同的两类。第一类通常是在陆上已形成的陆龙卷或龙卷云吹入海中而产生的。这种海龙卷像陆龙卷一样，风势猛烈，卷起凶险的漩涡，有如乌黑的漏斗，顶上的云海汹涌。第二类较为常见，是在天晴时出现的水柱。这类水柱跟风暴引起的水柱不同，在海面上形成，朝天空打旋，很像陆上常见的尘卷。晴天出现的水柱，通常都很细小，为时甚短，实际上不会酿成灾害，看起来也只是使人感到奇怪并不十分可怕。那回在漫沙文雅岛海域内出现的水柱确是惊心动魄，可以肯定是陆龙卷吹到海面的那一类。

八月十九日早晨，天气暖和，吹轻微北风，有云。中午，西北方满天雷雨云，表示风雨将到，天气要变坏。居民吃午餐时，积雨云已来到漫沙文雅岛与南塔克特两海湾接壤的地方，看来要下雨了。

十二时四十五分，有人喊道，"海龙卷！海龙卷！"转瞬间，已有几十人拥到海岸去看。

这个景象出现了约十二分钟，海滩附近的人方才看到。目击者嘉烈特追述当时的景象说：

"我们当时在沙滩上，看见天空有团怪模怪样的云。起先云团吊着条怪东西，我们还有人把它看作'冰柱'。大家转身走回家的时候，有人回顾看见冰柱有了变化，我们就驻足观看。只见它越长越大，像一层又长又薄的灰白色雾幕。雾幕慢慢垂下时，海湾的海水却朝上升起来。"

这光亮灰白的东西逐渐变成乌黑，一直保持与海面几成直角，又向上扩散成漏斗形，直趋云底。等到当地摄影家把摄影机弄妥时，水柱已消散了。

这时海滩上站满了人。水柱不见了，但是大云团下面的海水不停沸腾。那里显然还有一股强力的旋风，虽然暂时看不见，但随时可能再度现形。

果然，那个云团在下午一点正，又生出一个乌黑漏斗，比前一个宽阔得多。这一回，漏斗管越来越粗，随着顶上的云团，安稳缓慢地向东南移动。正在度假的诺思牧师也被这个景象深深地吸引住：

"海上水平如镜，空气几乎停留不动，阳光普照，蔚蓝色的天空，到处飘着夏日的轻云；这时高空上出现一团黑色水汽，拖着一条水柱笔直地插在水面上，与晴空背景构成怪异的对照。此外还有一道道青灰色的电光，不时穿射高空的乌云，把整个景象弄得更加神秘。水柱与乌云相接之处稍呈漏斗形，柱身的直径，整条都是一样。柱底的海水，搅起大团白沫水花，有大帆船的桅樯那么高。"

岸上的人离得太过，听不见巨柱的吼声。"阿法仑"号帆船当时正位于水柱与海岸之间，所以船上的人另有不同的感受，这个怪物不仅加倍巨大，加倍可怖，而且旋风的威力更把人吓得目瞪口呆。

下午一时十八分，水柱慢慢消散。但过了两分钟，岸上几千个看得心惊肉跳的人又看见奇景第三度重现。这回不再是圆柱形，而是圆锥形。尖端在海平面隐约可见。柱身弯向东南，姿态优美。

五分钟后，旋风渐弱，凝聚力减低，最后水柱消散。瓦萨学院的地质学教授德怀特，刚好在漫沙文雅岛度假。他把最后一幕的惊人景象描述如下：

"这种自然现象快要消失时，东半边天乌云密布，天色相当昏暗，西半边天却阳光普照，向着黑沉沉的东方闪耀。当时绚丽的景色真是罕见，非笔墨可以形容。海湾水面几里远，都给各种颜色照得通明。有鲜蓝、绿、黄、灰，一片一片的，视乎海底沙石和海草的颜色而定。水柱和风景乌云，把各种色彩衬托得更浓了。成千上万的人挤满海滩上，怀着又赞赏又恐惧的心情，目不转睛地观看。"

旋风消失后，海水也平静下来。三场奇景在下午一时二十八分结束。从海滩上最先发现水柱，人们奔走相告时算起，全部过程历时四十分钟。

海龙卷消失之后，一道冷锋跟着扫过漫沙文雅岛。下午一时三刻，开始打雷。三时，豪雨倾盆而下。州卫生局长艾博特医生讲述其后的情形：

"海龙卷消失后不久，有显著的大气扰动。一小时前后，雷电交加，雨雹倾盆而下。初时西北方出现浓密的乌云，接着西南方狂风大作，转瞬间风向从东北转东南，然后转西南而西北。下午二时，气温是华氏五十六度。这个地方的气温，整个夏天都徘徊在七十度上下，五十六度可算是很低了。"

美国气象局的气象学家比奇洛教授对这次的自然现象研究得很详尽。他访问了许多位目击者，其中有几位还是任职气象局的观测员，他们在事发当日刚好声场。他从访问所得，加上仔细检视过所有照片后，对水柱的大小，有以下的结论：

海面水柱直径 ……………………… 二百四十英尺
水柱中部涡管直径 …………………… 一百四十英尺
云底涡管的直径 ……………………… 八百四十英尺
涡管全长 ……………………………… 约三千六百英尺
云顶的高度 …………………………… 约一万六千英尺
水柱移动的平均时速 ………………… 一又十分之一英里

自然现象出现奇观时，往往会造成大灾害，损失无数生命。一八九六年那次海龙卷的自然现象，规模如此大，却不伤一人不损一物，真是罕见。事实上，除阿法仑号帆船上的人外，其他受到若干危险威胁的，只是一艘单桅船上的船员。他们的船在水柱附近，因没有风而停下来。但他们可以近看这个惊人的海洋奇景，受一点惊也算有收获。

正如诺思牧师所说："从前见过这种奇景的人恐怕千中无一，终生也难得再见。"气象观测员乃弗特把当日在场者的感受总结得很好，他说："这是个难忘的景象。到了下午四点左右，天气转晴，每个人都因为逃过了大难而深表庆幸。"

□破译云卷云舒之谜

天空如巨大的电影银幕，上面差不多每天都有白云构成的无数图形出现。有的像恐怖的怪兽，有的像细长的马尾，有的像块奶油饼，有的像个花椰菜，也可能像大洲的形状，或人的脸谱。在高空上飘浮的云，如果排成有如鲐鱼背上的鱼鳞，我们把它叫做"鱼鳞天"。飞行员飞行时会报告说，穿过"羹汤"（意指浓雾），或在"羊毛包"（意指卷毛云）中。云的景象，每遇大气中有剧烈变化发生时，例如打雷、闪电、强风怒刮等，更会令人惊心动魄。

天上的浮云无论像什么，那种图形都是我们想像出来的。事实上，云是物理化学的一种现象，每朵云都由微小的水滴或冰晶组成。正如电影各有片名，云也各有不同的名称。

我们今天沿用的云名，是伦敦药剂师霍华德在一八○三年定下来的。这位观察力很敏锐的气象观察家把云分成三大类：积云、卷云和层云。这种分类法世界各地沿用至今。

霍华德本来想给云朵起些科学名称，不过当时他也必是把云看成各种图形的。例如在拉丁语中，卷云原是一束头发或卷毛的意思；积云原意是一堆或一团；层云原意为开展。换言之，积云是一团团的，卷云是一捆捆一束束的，层云是片片重叠的。

后来气象学家把霍华德的分类法修改得更为精确。因此，现代的云名把云的高度和形成方法也都表示出来了。例如，产生雨或雪的云，名字中总要加个"雨"字。

气象学家把所有高度在六千五百英尺以下的云列为低空云。其中包括天气晴朗时点缀着蔚蓝天空、有如棉花团的积云，以及气势汹汹的积雨云。平展的低空积云另有特别名称，叫做层积云。此外还有层层重叠的层云、浓密阴沉挟带大雨的雨层云等。空气中的湿度达到饱和的时候，层云便会在地面形成或由低空慢慢降到地面，把整片地区笼罩着，这就是雾。雾其实是碰到地面的云。

中间层的云，在六千五百到二万英尺高空之间。在这种高度的云，名字都加个"高"字。一团团白色的高积云，有时候平行排列，在天空飘过。还有层层乳白色的高层云，把太阳遮没，预示就要下雨了。

最高的云看来最稀薄，有如轻纱般在二、三万英尺或更高的高空飘浮。因为这些云是由微小的冰晶组成，高空的强风像一把梳子把它梳得整整齐齐，所以看来有如羽毛似的。在这样高度的空中，所有的云都同属卷云。

当然并不是所有的卷云都像一束梳得齐整的秀发。有的卷云形状像钩，有的像麦茎；而小卷波纹形的通常叫做马尾云。一种在高空出现形如薄纱的卷层云，有时是天气转坏的预兆，有时还会使太阳的光线折射，形成一个光环，叫做晕圈，环绕着太阳。卷积云较为少见，就它的形状而称之为鱼鳞天可算是贴切。业余的天气预测者早就晓得卷积云是暴风雨的预兆，尤以卷积云聚合加厚而成为卷云、卷层云或高层云的时候为准。俗语说得好：

　　　　马尾鱼鳞天，短暂风雨在眼前。
　　　　鱼鳞兼马尾，浪送船高帆下桅。

不论是哪一类的云，都是由空气中看不见的水汽形成的。由于树叶和其他植物的水分，以及江河湖泊池沼海洋的水，都会蒸发到空气里去，所以大气中或多或少总有水汽存在。

大气不断上下对流，把水汽带到高空。空气上升至高空，由于气压较低，所以膨胀起来。膨胀使空气的温度下降，温度下降使部分水汽凝结成微小的水滴，形成肉眼看得见的云。

大气中悬浮的微粒，促使水汽凝结成水滴。微粒中有来自陆地须用显微镜才看得见的尘埃，有随着海水蒸发到空气中的微小盐结晶。许多空气中的微粒小得连在光学显微镜下也看不见。不管它们体积多大多小，气象学家统称为凝结核。

云中的水滴在凝结核上形成，若在温度低过冰点的高空，那么水滴便会变成冰晶，或成为过冷水滴，浮在空中。冰晶又会聚成一团。聚集的冰晶重量加到空气不能再支持时，便开始降下来。冰晶下降穿过温度较高的空气层时，会融化为雨点。如果由高空至地面始终保持结冰温度，那么降下地面的冰晶就是雪。如果冰晶下降途中穿过暖空气层融化为雨后，又遇冷空气再凝结，那么降落地面的就是霜。

云既然是温暖而潮湿的空气升上天空的具体现象，那么是什么力量使这种空气升上高空呢？

太阳的光线使地球的表面变热，而地面又把热气散发到空气中。因此，接近地面的空气由于与热源相近，一般都比高空的空气为温暖。暖空气比冷空气轻，密切较低，于是地球引力便把较重的冷空气从高空扯到地面来，排走地面较轻的暖空气，把它推上高空。

大气上下对流，通常是一直不停地缓慢进行。不过，有时有些地方的陆地和海洋被烈日晒得迅速变热，于是出现一股强烈的上升暖气流，叫做"热泡"。地面的热力传到靠近地面之上的巨大气块。这些重量轻的气块迅速上升，穿过较凉、较干燥的空气，很像壶中的水烧开时气泡冒上水面一样。热泡中的水分到达空中某一高度便会凝结，产生一小朵积云。同时，水汽从气体变成液体的时候，会把热放出来。

热对流不断地把水和热带给这朵云，形成一条暖走廊，让新空气循此走廊急速高升。这样，一朵似乎无足轻重的积云，可能很快便变成了一大片带雨的积云。上升暖气流中的气块，往往本身也在转动，使积云看来好像沸水一样的翻滚。一朵小小的积云，可以在十五分钟内翻滚成一片巨大而可怕的积雨云——这是最有力而又最凶险的一种云。这种云会带来暴雨、雷暴、冰雹和龙卷风。云中的气流会变成非常强烈的下降气流和上升气流。飞机飞过这种气流极为危险。这种云聚集到了极点时，顶上会变成砧形，底部经常有杂乱的残云围绕。根据雷达的观察和飞行员的报告，有些积雨云的云顶高达六万英尺。

另一种暖流上升出现在有风的山岭上空。那里因地形的关系，迫使风向上吹，把水分带至高处，在山顶或山后上空凝结成云。风吹过山岭山脊后通常会变成波浪形，在山的下风头聚成一连串"背风波"云。这些云看来好像浮在气流波峰之间的范围内，停留不去。一方面，新的水分由气流带上云的一边，凝结成水滴；另一方面，水分又从云的另一边被气流带走，因为气流再次降到较暖的低空时，便起蒸发作用。虽然背风波云看来停留不去，但事实上云中的水分却一直在移动。至于云的形状，有的像波浪，有的像透镜，有的像鱼。

最有趣的还是在暖锋边缘上的云。在暖气团迫近冷气团时，几丝卷云便会沿着暖锋上端的前导边缘形成，后面拖着在稍低的天空形成的一薄片卷层云，很快便把整个天空掩蔽。暖空气与冷空气相接之处，冷空气密度较高，后退的速度不如暖空气前移的速度快，因此暖空气前移时，遇到冷气团，便折而向上，形成一个坡面锋。虽然锋的底部可能还在一千英里之外，但是上端前导边缘——有卷层云为标识——可能已到了我们的头顶上，像被风吹送的波峰，向我们涌来。

数小时后，云层慢慢地降到二万英尺，变成浮白色半透明的高层云。云层不断加厚时，淡白色的天空变成了暗白色。不久，乌云遮蔽大半个天空，云幕越垂越低。

通常低云的阴暗底部首先开始翻滚。散乱的云块，带来一些雨点或雪花。到了这一阶段，云层迅速降低，降到大约六千五百英尺时，满天便都是灰暗阴沉的雨层云了。不久，雨或雪便开始从无定形的云层内部降下，可能持续数小时，也可能数天，主要视乎前锋后面的气团大小而定。

前锋抵达时，风向、温度和天色都会改变。前锋经过时，天上的景象会因季节、地点和高空强风的方向而不同。

当然，云的现象自古如是，全无新颖之处。有一位诗人很久以前便曾观察到：

云形如石高似楼，

雨润大地代筹谋。

但是，今天的气象学家正在找寻新的方法去研究云。他们利用雷达和人造卫星图片来观察。为了进一步了解云内的情况，有些科学家把云视作一堆密集的电荷。有些研究者散播人工凝结核来催云化雨；又有些利用电脑求出以数字表示的云结构真相。

这些现代研究云的方法，使我们能更准确地预测天气，甚至将来人类有希望能知如何控制气候。可是，在空中飞过的白云苍狗，仍会使业余和专业的云层观察家大感兴趣。

□出现"假太阳"是凶兆吗？

英国南部塞汶河流域乡间，四月里的一个晚上，天气十分寒冷。破晓时分，就在种大麦的农夫离家下田工作的时候，太阳从东边树林缓缓升起，带来一个令人毕生难忘的奇景。

淡蓝的天空中，四个同样光亮的天球伴着太阳一道露面。天球成对分列太阳左右两边，两个璀璨的彩晕则穿过两对天球围着太阳。这个奇景是一二三三年春天显现在英格兰上空，从日出到中午，然后像最初出现时一样神秘地消失了，只在目击者的脑海中，留下一些胡思乱想，无法加以解释。

一九一二年的春天和一九一三年的秋天，欧洲大陆、英国及北美洲各地，很多人见到灿烂晕圈构成的各种奇象。一位目击者曾写信给英国的《大自然》杂志，描述其中一种特别少见的景象：

最初看到的是落日的上空，有个活像两撇胡子向上高翘的光体。那擦亮黄铜似的金属光泽，使光体两个彩环接触处清晰可见。上边的彩环大约只能见到十六分之一，呈现两种颜色，凹面银蓝，凸面浅黄。下边的彩环直抵地平线，现出各种色彩。另一方面，太阳本身也有一条细而长的圆锥形光体，向上升起到两撇胡子大约一半的地方，其色彩及光泽完全相同。

古往今来，很多这种奇光在空中出现，有的是一个晕圈，有的是布满天空的幻景。所有这些现象都是由于大气中水分太多，光线因而折射或散射所形成。

天上光环主要分为两种。最常见于冬季的真正晕圈，是因日光或月光遇到高层大气中飘浮的水晶产生折射而成。另一种是华环，有时会在夏季的阴天出现。稀薄的云层中含有无数大小相同的细微水滴，能够使光波产生"畸变"。华环便是因畸变而成。华环（有时误称为晕圈）可能只有一个，环绕着太阳或月亮，也可能有好几个。不过，这类称为日华或月华的大气层上的现象，与日冕毫无关系。日冕是包围太阳表面的发光气形成的。

晕圈和华环，多数几乎全无颜色，但是也可能鲜艳夺目，而其中尤以在太阳周围形成者为甚。较小晕圈的内层可能是鲜明的红色，外缘则转为蓝白色。最大的晕圈，假使不是纯白色，就会刚好与小晕圈相反，内层是蓝色。彩色的日华或月华，内层也是蓝色。有一种发展得不完全的日华或月华称为华盖，显现多种颜色，由内层的蓝白色到外缘的褐色。环绕太阳的光环通常不以环绕月亮的光环那样明显易见，因为太阳的光辉遮盖了光环的色彩。

出现日晕或月晕时，虽然并非次次都看得见，但总是在阴天，而且高空中布满含有微小冰晶的卷云（马尾云）、卷层云或薄幕卷云。日华或月华则出现在低空中含有小水滴的较薄云层。华环的大小虽各悬殊，但通常都比晕圈小得多。一般而言，晕圈和华环不会同时在天空中出现，当然也不会在同一云层出现，因为构成的因素基本上并不相同。

简单的晕圈，形状变化很大。非常美丽壮观。例如只能在高处见到的“假太阳”，便是太阳照在水平“云堤”上层出现的倒像。黎明或黄昏时分，近地平线的太阳，偶尔会把一个人的影子投射到很远的云堤上造成所谓“峨嵋光”。一个人见到自己在云中的影子时，也可能见到一重到五重彩环围绕着影子的头部，这叫做“彩光”或邹洛亚环。这些光环的构成因素，是光线在云层中受到衍射影响，与华环大致相同。飞机在太阳和云层之间飞过时，乘客往往会见到同样的情景。通常最少有一个彩环围绕着飞机的影子。

"布格晕"是晕圈的另一种变体。这种大光环悬浮在空中，面对着太阳。因为没有彩色，而且像彩虹一样与太阳遥遥相对，所以常有人称之为"雾虹"。布格晕也是光线受到悬浮在大气中的冰晶反射而形成的。

夜间地平线上时常会冒起很古怪的垂直光束。这种光束并非由日光或月光造成，而是文明社会的灯光所造成，在寂静的夜晚出现。平整的雪晶在空中飘浮，与地球表面互相平行时，地面灯光受到雪片表面的反射，天空就会出现很多光束，可能是白色，也可能是彩色，随地面上的灯光颜色而定。

有时候，太阳刚升出地平线之际，就在它的上方会出现一个"幻日"，偶尔还会有一条"日柱"从幻日上伸出，直达高空。一六八二年四月十日，德国天文学家侯弗利首次记录了幻日现象，此后一直认为是因太阳光线受到空气中冰晶反射与折射所造成。太阳略高出地平线时，幻日可能同时在它的上边和下边出现，日柱也会分别向上及向下伸出。

空气中冰晶的折射角度，决定日晕或月晕半径的大小。最常见晕圈的弧度，是从观察者至太阳中心所成的直线上，以二十二度仰角向两边画出的弧线。四十六度仰角的晕圈，叫做"大环"，不大容易见到，也很少测得。还有一种特别大的淡晕，半径仰角达九十度，出现的机会绝少。

假如大气情况很不寻常，晕圈的形状会变得异常复杂。二十二度仰角与四十六度仰角所成的晕圈可能同时绕日，都闪耀着灿烂的彩色。明亮的弧光可能在天空中出现，与这些晕圈交接，就像用圆规替晕圈画出一条弧形切线。还常有光亮的白光带，叫做"幻日环"，与地平线平行，穿过真太阳，而一些光亮的太阳副影亦沿着幻日环形成。这些太阳副影专门名称是"幻日"。普通名称是"日狗"、"伪日"。海员则称之为"关节软瘤"。

光度最强的幻日，会在幻日环的二十二度仰角或再外一点的晕圈上出现。太阳升得越高，幻日与晕圈的距离离就越远。也有人见过幻月。

这些美丽的景象，虽然有时在冬季落日时分出现，但在寒冷的黎明时分，见到的机会更多。在南北极地区，这些景象当然是司空见惯。太阳逐渐上升，幻日离开晕圈，变成彗星的形状。通常到中午时分，幻日就完全消失，只留下真太阳独自西移。

幻日、幻月及日柱，都是光线照在大气层中与地球表面成某一特殊方向的冰晶，产生折射与反射面造成。幻日环和普通的幻日，是因太阳光线在平静的天空中，照射在垂直飘浮的六角斜方冰晶上而产生的。幻日环的白光来自冰晶的反射，幻日则是折射造成。至于在真太阳上边或下边出现的幻日，穿过太阳的垂直日柱和切线形的弧光，就都是由水平方向的冰晶折射而成。

幻日是否光辉灿烂和轮廓分明，决定于大空中的冰晶数量和排列形式。幻日在靠近太阳的一边，往往可能是红色，与幻日环相交的地方可能显出拉长了的样子。在极少见的情况之下，二十二度仰角的幻日，还可能有环绕本身的晕圈，这个晕圈的一部分，会穿过幻日或与幻日很接近。

形状复杂的晕圈一出现，就必然引起大家的浓厚兴趣，有时甚至带来历史性的后果。据说公元三一二年左右，君士坦丁大帝见到天空出现十字架，因而改奉基督教。那个十字架可能就是晕圈幻景的一部分。一个幻日环连同在太阳上下伸出的日柱，就会构成十字架形状，而且看上去活像在燃烧。

北半球方面，日晕经常在春季出现，三月份最常见。南半球方面，日晕多数在晚秋出现。至于月晕，北半球在一月最为常见。有些日晕可以停留十小时。但就一般情形而言，日晕和月晕在空中显现的时间，平均不会超过两小时。

人们看到天空中出现奇光，总会认为是某种预兆，这当然是人之常情。这些预兆的推测中，至少有一项颇有根据。那就是云层出现日华或月华，预兆天将落雨。西谚所谓"月亮有环，夜雨连绵"，足以说明此种情况。同样可靠的是美洲印第安人的传说，"太阳在屋里（日华），很快就下雨。"

但也有些预兆的说法，经不起严格的考验。例如"环子越大，下雨越快"，显然是错误的说法。雨水即将来临之际，华环会变小，因为这时云中的水滴越来越大。就光学的原理来说，较大的小滴只能产生较小而非较大的华环。

造成晕圈的高云量，常常是冬季天气恶劣的前奏。一些科学研究详细考查过以日晕月晕作降雨雪预兆是否可靠。本世纪初进行的一项研究发现，二十二度仰角的晕圈出现后，十二到十八小时内几乎一定会下雨或雪。四十六度仰角的晕圈出现后，二十四到三十六小时内会下雨或雪。另一组观察工作先后进行了十年，发现冬天出现日晕后，七成会在三十一小时内带来雨或雪。

不论是预兆还是动人的现象，天空的奇光变幻莫测。人类会与十三世纪在英国时一样，继续观察这些奇光，以求研究出其中不可思议的秘密。

□破译大气层之谜

　　茫无涯际的气层，环绕地球表面，像一个巨大的外壳，厚达数百英里。地球上无处没有空气。大气盖着地球表面一亿九千七百万平方英里的每一寸地方，施于地球的总重力，是五字后面加上十五个零，单位是吨。在海平面上每平方英寸地方所受的大气重量差不多有十五磅。这个庞大的气团，约有百分之九十五集中在地球上空七英里之内的空间。其余百分之五，分布在七英里以上直达数百英里的高空，越高越稀薄，逐渐稀薄至乌有。

　　这片浩渺的大气层，绝不是毫无生气的，而是像培植得很好的花园般充满生命。在密度每高的底层中，长满数不胜数的动植物，全世界五十多亿人也在其中。这一层之上，也不乏丰富的生物。上空六英里以下的空气中，到处都是悬浮的细菌、真菌孢子及花粉。在二千五百至四千五百英尺上空，体积像块方糖那么大的空气中，平均约有七十种微生物，包括霉菌孢子、球菌和酵母菌的品种。此外，过去十年间，由科学家送上天空装有特别设备的气球，在十四英里的高空上曾经搜集到霉菌的孢子。

　　空气中也布满了无生命的物体，例如尘埃、煤烟、火山灰、海水泡沫蒸发成的盐结晶、在沙漠上被风暴吹起的细沙等等。此外还有宇宙尘。每天总有二至三千吨宇宙尘降落在地球上。

海平面的空气，除含有水分及杂质之外，主要成分与高空的空气一样。大概来说，氮占面分之七十八，氧占百分之二十一，其余是小量氩、二氧化碳、氖、氦、氪、氢、臭氧和微量其他气体。但高度越高，空气就越稀薄。到约六英里高空，空气稀薄的程度，能令人在几分钟内窒息。在十二英里高空，蜡烛也点不着，因为没有足够的空气助燃。更高的上空，空气更加稀薄，每立方英寸的空气中，气体分子数目剧减。换言之，高度越增加，大气粒子之间的距离就越大。通常每升高十二英里半，空气密度减低十倍。到一百二十五英里高空，只及海平面上的一百亿分之一左右，接近真空状态。不过，即使在这种高度，一立方公分的空间里，也还有数以亿计的气体分子，足以形成可以探测出来的大气。

人类不能明确定出大气层的最高界限，就像不能定出一团烟的边缘一样。在地球上空高处，空气层渐渐化入"行星际空间"那种近乎真空的地带，但我们不能把太空的开端划出一条明显的界线来。

空气看来似是均匀的，其实科学家发现大气内分开几个显著的气层。最低一层称为对流层，这里出现的变化就是我们称为"天气"的现象。这是个湍流区，云和天虹都在这里形成，还有大风、季风及沙暴；甚至暴雨、雹、雷、电等也都在此发生。

一般来说，对流层中越向上升，气温就越冷。说来似乎很矛盾，对流层顶部在赤道之上竟比在两极之上更冷。这是什么道理？由于地球自转而产生的离心力，在赤道地方比两极更大，对流层自然受到离心力在纬度上的差异所影响。简单来说，环绕在地球表面的空气，分布并不平均。对流层在赤道一带显著地鼓起，高度约为十三英里，而在两极的高度则只有五英里。因此在赤道之上的对流层顶部，比在两极之上更冷。两处的平均温度分别是华氏零下一百一十二度及华氏零下五十八度。

对流层内究竟有什么东西环绕地球呢？一片无云的深蓝色天空，有颜色之浓，地球表面无法看得到。为什么会如此深蓝？又为什么不是其他颜色？

答案在于太阳白光的成分和气体分子的散射作用。阳光其实是一组混乱的光波，由于虹所有的颜色组成。这些不同颜色的光波穿过大气层向下照射时，受到空气中气体分子的散射作用，就造成这种效果。紫光和蓝光偏转后，离开原来白光的方向最远，因为气体分子的散射作用，对紫光和蓝光影响较大，对黄光影响较少，对红光则几乎毫无影响。蓝光一旦偏转后，遇到其他大气粒子再偏转。这种散射过程反复进行，永无止境，使蓝光在空气中曲折而行。最后到达地球表面时，不像是从太阳直接射来，却很像细微的雨，从天空四面八方射下。结果，天空看来像蓝色，而太阳却呈黄色，因为黄和红的光线较少受到散射的影响，几乎可说是直射下来的。黄昏时分，阳光要经过特别长的途径，才能穿过对流层的厚空气，甚至黄光也大受散射影响，而红光所受的影响则甚少，因此西下的夕阳，活像个深红的圆球。

大气对光线的散射作用逐渐减少的现象，可以说明为什么高度越增加，天空就越黑暗。在极高的天空上，太阳光线遇到的大气粒子比在海平面的高度为少，同时散射和偏转作用也不常有。所以光线再不像从四面八方射来，而射来的光主要是由光源（太阳）射来。假如没有大气，天空就没有颜色。因此，在极高的地方所看到的天空，就像黑夜那么黑暗，而太阳光线则成为耀目炽烈的白光。

气象探测气球从对流层顶向上升，进入空气薄而明净的平流层，记录到温度显著上升。这种温度上升现象，在十六至三十二英里高空最为显著。长久以来科学家都百思不解。今天我们知道这种现象出现在几层臭氧内。这样高的平流层中，主要成分是臭氧。太阳的强烈紫外光，使天然的氧分子（O_2）分裂成两个原子，这些原子再组合后，就成为臭氧（O_3）。后来，臭氧再分解变回普通氧时，紫外光原来的能放出来变成热。在三十二英里高空上，这种变化过程产生的热量，足使温度升至冰点之上。

从人类的立场来说，平流层中的臭氧，保护着一切生物的生命：假如紫外光全部都射到地球上，那种渗透力和破坏力就会严重伤害地球上的生物。因此，臭氧层可以说是一把伞，替人类遮挡了太阳最危险的光线。

五十英里上空，漆黑如墨，可以看到太空中的繁星，该处是中间层之顶，温度降至华氏零下一百三十五度。由于空气分子之间分隔得太远，无法传送声音，所以经常是一片死寂。下面白云飘飘，像片片棉絮，云顶表面反照出灿烂的阳光。如果视野清楚，可在雾霭中看见地球朦胧的地平线。在这里，人类首次看到地球球面的弯度，还使我们了解自己的地球如何巨大，太阳系万有引力又如何强烈。

约在五十英里高空，空气都带上了电荷；本来电荷上属中性的大气粒子，带上电荷后，性质变了，能够互相吸引或排斥。除了太空人，人类迄今只进入四个（有时是五个）电离层中的第一层，名称就叫"D层，只有在阳光照耀时D层才会出现。

我们对电离层的正确知识很贫乏。不过，我们知道原子由一个带正电荷的核心和一个带负电荷的"电子"壳层构成，电子依固定轨道绕着核心运行。组成一切物质（包括空气在内）的各种原子，都是依这个基本原理构成。但在高空上，宇宙射线及太阳的辐射，袭击原子的电子壳层结构，使其改变，并把一部分电子从普通带中性电荷的系统中驱逐出来。一个中性原子失去一个电子时，其核心的正电荷就支配整个结构，变成带正电荷的离子，而分裂出来的电子就成为带负电荷的粒子。

所有四个离子层，都充满了带正、负电荷的原子碎屑。所以我们就把大气上层，即海平面生五十至六百英里的高空，称为电离层。

电离层是大气领域中最奇妙的地区。离奇的极光就是在这里显现。低频率无线电波碰到这个带电荷的地区，就会像镜子一样反射回到地球，使短波无线电信号可以折回传到地球很远的地方。由于无线电波只循直线而行，由地平线下的发报机发出来的信号，不靠这个方法就收不到了。

到五十八英里高空，最后的云层像若隐若现的薄纱飘过去。它们都是"夜光云"——不是微细的冰晶就是尘埃。在破晓或薄暮时分，有时可以从地球上看到这些云层。只有在那个时候，较低的云层仍在阴影中，太阳光线才能以某种角度照亮这种薄云层，使我们可以从地球上看到它们的踪迹。

高层大气也是流星闪现的区域。这里的空气密度，仅足以摩擦生出点燃"外太空射来的枪弹"的热。地球物理学家计算过，每天约有一亿块这类碎片落入大气层，变成白炽的流星，但只维持几秒钟就无害地烧成了气。能落到地面的，为数极少。

约在一百二十英里上空的电离层中，气温高达华氏一千五百度。再向上升，气温还要高。不过，这样的高气温令人易生误解。气温本来是度量大气粒子运行速度的标准。但从四十英里高空再往上，任何指定的空间体积内，不管大气粒子运行速度如何，都没有足够的大气粒子来产生大量的热能。可是，空气的厚度也不足以遮挡物体不受太阳直接照射。这种情况正如在没有空气的月球上，受太阳直接照射的东西，温度会升得很高，但在阴暗区域，温度却下降至零下数百度。

大概在地球表面之上六百英里，空气稀薄到难以置信的程度，但绝不是没有空气存在。这就是外大气圈。在这里地球引力对大气粒子的影响已非常微弱。大气粒子的数量与大气较低层的相比，也少了很多，但是因为直接暴露在太阳能之下，它们运动得更快。在这种情况下，有些粒子完全脱离了大气层，可能在太空中飘荡，直至进入另一颗星球的引力场为止；有些粒子可能绕着地球运行，像微小的卫星；还有一些会再下坠潜入较低的大气层中。

外大气圈向上伸展进入太空，无边无际，成为我们大气层中最高的一层。再向上升就是范艾伦辐射带，以及宇宙远方近乎真空的范围了。

□太阳风与地磁暴之谜

多年来，人类认为太空的起点是在地球大气层顶端那层气体之外。太空绝非空无一物，天文学家早就观察到太阳表面喷出巨大的耀斑，因而正确地推论说，从耀斑不断喷出的物质粒子，逸入太阳系中遥远的地方。但自从人造卫星进入轨道运行后，突然发现太空里有强烈的辐射"风暴"向地球袭击，活像飓风袭击一个海岛。

我们不会感受到这些宇宙风暴的影响，因为我们居住在浩渺的大气层底下。大气层形成坚固的屏障，挡住了袭击地球的射线，不过，最强烈的射线中仍有小部分像毛毛细雨般透到地球的表面来。假如更多这类辐射线达到地球表面，而大气层又不是这么有效的保护屏障，我侧就无法生存，或者至少可以说，地球上就会另有不同的生物出现。

这些袭击地球外层气体继而深入大气层中的特殊射线究竟是什么？今天，科学家知道宇宙射线是由太阳及星球所逐出的原子核组成的，在太空中以接近光速（每秒约十八万六千英里）的速度飞驰，具有极大的能量。到达地球大气层顶的宇宙射线，大半是氢原子核。但到达地球的射线中，也有其他较重元素的原子核。这些强力的粒子与上层空气中的气体分子碰撞时，激发起次宇宙射线簇射，这是由碰撞时造成的碎屑所组成。在较低的大气层中，这种级联簇射的效果逐渐消失。因此，只有小部分宇宙射线能由大气上层直射到地球表面。

科学家研究宇宙射线已有五十多年了，初期研究人员为了获得宇宙射线的知识，把仪器放在自由气球里升空，希望藉收集到的资料来解释射线的来源。他们利用盖革计算器，发现气球升得越高，计算器跳动越频。换言之，在高空里宇宙射线较多。

　　宇宙射线的性质令许多科学家大惑不解，其中一位就是美国物理学家范艾伦。第二次世界大战期间，范艾伦替美国海军部设计及制造小型仪器。战后才转移兴趣，致力于火箭及高空研究。

　　范艾伦替缴获的德国 V—2 飞弹弹头设计仪器，并协助发展新型研究火箭，例如气球火箭。这是一种由气球和火箭结合的装置，利用高空气球作发射台，把带到高空的火箭发射出去。

　　一九五六年，范艾伦编了《人造卫星的科学用途》一书。他致力制造人造卫星用的小型仪器，同时不耐烦地等候美国第一颗人造卫星升空。

　　一九五八年一月三十一日，探险者一号终于升了空。卫星只带了十八磅东西，其中有范艾伦的仪器，大小有如雪茄，那是一个盖革计算器管。计算管的电压由电池供应，并装置了一个袖珍电流放大器；遇有宇宙射线等带电荷的粒子通过计算管时，放大器就会把盖革计算器产生的脉冲电流放大。

　　附设的一个装置，把计算器急速的计算率按倍数缩减，三十二个脉冲电流缩为一个单位计算。计算结果馈入一对无线电发报机后，用远距离记录仪把资料送回地球。

　　在探险者一号的轨道下，已经设置了一个全球性的收听网，准备在卫星飞过上空时，接收它发出来的无线电信号。世界各地共有十六个这样的收听中心。探险者一号沿着一个椭圆形的轨道环绕地球运行，轨道最低点距海平面二百二十四英里，最高点一千五百七十三英里。

卫星传送回来的资料，最初的一批经整理后，并没有什么令人惊奇的东西。这些资料都是由美国境内的收听站收集的，因为探险者一号最接近地球的位置是在美国上空。所录得的宇宙射线数量跟较早时火箭实验期间所作的估计大致吻合。

在探险者一号升空后几个星期，世界各地追踪站把有关人造卫星头几圈运行情况的报告送回来，包括澳洲、新加坡、奈及利亚、智利等地。在地球另一面，卫星升到最高的位置，比不久前苏联两颗人造卫星伴侣一号和二号所到的位置更高。

范艾伦及其同事收集资料加以分析时，有一个现象令他们大惑不解。在极高的天空中，盖革计算器竟然没有记录到宇宙射线。

这点实在出乎意料之外，科学家曾一度以为仪器在距离地球遥远的位置发生了故障。但这又似乎不可能，因为降至较低高度的时候，仪器又继续操作如常，一点毛病也没有。当然，科学家也不相信在探险者一号轨道较高处竟会没有宇宙射线。根据人类对太阳系已有的知识来判断，这种解释无论如何都不能成立，因此这件事就越来越神秘了。

盖革计算器出现不寻常的情况，另一种解释是说遥远的高空中发生的某种现象使计算器失灵，等到离开高空回到较低高度时，功能又恢复正常。

科学家假定，计算器在极高的天空上，遇到一大股密集的宇宙射线，由于射线过分强烈，计算器根本无法应付全部计算工作。是否如此呢？宇宙射线过量，计算器负荷过重就会失去效用。

范艾伦及其同事没料到会有这种情形，不过他们知道有此可能。范艾伦为了证实这个假设，在实验室里把一个复制的盖复制的盖革计算器放在强烈的 X 射线下试验，结果证实它负荷过度时就会失灵。他因此下结论，认为探险者一号的计算器之所以失灵，主要是受到过量的宇宙射线袭击，比它在较接近地球轨道上所受的宇宙射线多出许多倍。

盖革计算器暂时失灵的现象，使科学家发现了一条辐射层，叫做"范艾伦辐射带"，像一条稍微泄了气的汽车内胎环绕着地球，约在五百英里高空开始，宽一千英里左右，一直向外伸展进入太空。

探险者一号的任务完成后不久，美国向月球发射了一枚太空火箭，可惜未能成功，坠回地球毁灭了。一般认为美国这次探月计划是彻底的失败，不过对范艾伦他们来说，却是极大的成功。

为什么？因为这枚火箭曾进入太空相当远的位置，把令人兴奋的消息传送回地球，证明太空中还有第二条更大的范艾伦辐射带。约自一万二千英里高空开始，辐射强度不断增加直到数千里外，然后慢慢变弱，伸到离地球五万多英里的高空。后来的太空探测，更发现这第二条辐射带的中心形成一个新月形，两端的月角向内指向地球的磁极。

这两条辐射带虽然到一九五八年才发现，但早在五十多年前，挪威理论物理学家史图默尔教授已预知它们的存在。他曾研究地球磁场对带电荷粒子运行途径的影响，并估计带电荷的原子粒子（如电子和质子等）在接近地球时，会发生什么变化。

这位挪威科学家绘出许多不同曲线和螺旋线，说是原子粒子由太空到达地球可能依循的途径。史图默尔认为，地球的磁场会把宇宙射线困住形成带状，就像范艾伦及其同事所发现的一样。

试想像有一根巨大的条形磁铁穿过地心，两端稍微偏离地球上的南北极，就可设想出磁力线由一个磁极伸向另一个磁极，穿越在磁赤道之上的太空远处。地面上的科学家在利用人造卫星作研究前，只能推测地球的磁力能伸到多高的太空中。不过，在地球磁力所及的范围，任何带电荷的粒子进入磁力线之间，实际上都会被困在一条由一个磁极到另一个磁极的无形弯管里。

这些粒子就在那里不停地沿着一条螺旋形的轨道来回转动，被非常有力的无形磁墙困住。因此，范艾伦辐射带又常称为"捕集辐射"层。

为了试验这个理论，有人提议把几枚小型原子弹发射上天，然后在高空引爆。如果原子碎屑被困住，并在地球磁极之间来回运行，那么这个理论会是正确的。在五百英里高空上，引爆了几枚原子弹。从地球其他地点发射的火箭，检定出爆炸时产生的原子碎屑环绕地球飞转，像困在瓶子里的蜜蜂。

目前的太空研究包括直接观察称为"太阳风"的气。太阳风是从太阳涌出来的，吹过地球时，把远在太空中的地球磁场卷入带走。迎风处的磁场受了限制，顺着风处的磁场吹成一条很长的磁尾巴，环绕地球形成一个细长的区域，叫做"磁层"。从磁场范围内逸出的太阳风的粒子，形成范艾伦辐射带。太阳上有强烈活动时，太阳风就更猛烈，产生交互作用，因而引起地球的"地磁暴"。地球上空的环境实在比过去所想像的更为复杂。

□美伦美奂的极光之谜

古时，亚里士多德写道："有时在晴朗的夜里，我们在天空中会看到种种景象：峡谷…地沟…血红的颜色…"这位希腊哲人接着提出理论，认为是空气在变成流火，其实他所要解开的那个谜，就是壮观的北极光。北极光有时连远在南方的新加坡都能看到。南极也有同样耀眼的光，那是北极光的孪生兄弟，叫做南极光。

在极地的夜晚，极光几乎经常寂静地闪耀，只偶尔加强，在有人居住的地区也看得见。这种强烈的极地光暴，像彩色缤纷的回卷光带，有时还会发出怪异疹人的嘶嘶声和噼啪声，通常在太阳表面有大耀斑爆发后一日之内发生。耀斑则多半在太阳黑子特别活跃的时期出现。太阳黑子的活动似乎每十一年一个周期（最近一次巅峰活动时期发生于一九六九年）。科学家现在相信，极光的形成很像电视屏幕上图像的形成。要电视显出图像，需用电磁把电子束聚焦在荧光屏上。地球磁场的作用相同，把来自太阳的电子和其他粒子，聚焦在地球磁极上方的天空"屏幕"上。在南北两极，地球的磁场形如漏斗，尖端低

北极光冷艳无比。

垂向地球。太阳粒子在两极上方的磁力漏斗旋转降向地球时，会撞及并激发高层大气的原子，受激原子就发出闪耀而怪异的极光。目前已知氧原子会发出红光和绿色；氮原子会发出紫光、蓝光或红光；太阳质子本身则会发出微弱的黄光和红光。

不寻常的极地光暴为什么总是在耀斑爆发后发生呢？因为耀斑会放出高速的粒子浓云，使太阳风的强度增加。

□流星雨与尘暴之谜

即使天空既无云翳，又无烟雾，我们周围的空气也不是像表面看来那样明净。空气里充满了看不见的固体物质和半固体物质：病毒、孢子、细菌、花粉、烟和尘的微粒等等，这些东西对地球上的生物都有极大的影响。

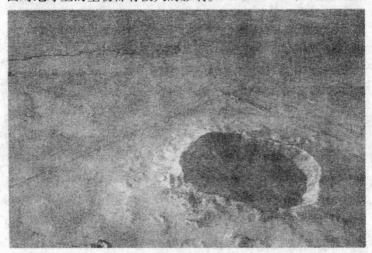

你猜得到这是天外来客撞击地球时，留下的伤口吗？

在体积、化学成分和生物构造上，这些空气中的颗料都不大相同。有些被风刮起的碎物，体积之大，打到脸上，会觉得隐隐作痛，不过这种大颗粒走不了多远就掉到地上。较细的颗粒可能乘风飘荡很远，等风稍停后才降落地面，更小的微粒说不定会无限期地悬浮在空中。那些最细小的微粒，被移动着的空气分子推来挤去，随着最轻微的气流到处飘浮，只有雨雪才能把它们从空中冲下来。

这些最小的微粒小得很，科学家用微米（约两万五千分之一英寸）来计算它们的体积。其中的花粉微粒，直径有时还不到二十五微米；细菌长度从两微米到三十微米不等；个别的病毒微粒，大小只等于一微米的极小部分；至于炭烟的微粒，可能小得只有二百分之一微米。

每一立方英寸空气里面，往往就有一百多万这样密集的微粒。人在正常的活动情况之下，每天大约吸入四十五万立方英寸空气，那么我们每人每天吸入的异物，就得用天文数字来计算了。

超过五微米的微粒，通常可以在鼻孔里滤除。鼻孔漏过的较大微粒，进入肺部以前，也给呼吸道里细如毛发的降凸阻住，扫还口部吐出来。那些进入肺部的最纤细的微粒，虽然有些已经沉积在肺部微小的气囊里，但大部分又随着呼吸呼出。气囊里的微粒可能溶解，然后通过肺壁进入血液中。假如物质有毒，进入血液时就会引起有害的反应。留在肺里的纤细微粒则可能使组织受到永久性的损伤，例如矿工得的"黑矽肺"病，和由于吸入不能溶解的矽尘过多而引起的矽土沉着病。

假定时间充足又无风，除最纤细的尘埃外，空中飘浮的微粒总会因本身有重量而自行坠落地上。坠落的速度与微粒的大小和密度差不多成正比。例如，一八八三年东印度群岛喀拉卡托火山爆发，一九一二年阿拉斯加卡提迈火山爆发，都曾把巨量微细的火山灰吹入空中。这两次火山爆发中，较细的灰尘都曾到达上空平流层，在清洗较低气层的雨、雪、风暴的上面绕着地球扩散。这些火山灰尘需经许多年，才在大气里绝迹。因为两微米大小的尘埃在大气层中约需四年时间才能下降十七英里，所以若说微粒在空中逗留不去，就一点也不奇怪了。

尘暴也能吹起大量灰尘在空中飘浮。撒哈拉沙漠的尘沙坠落欧洲的事，并不罕见。一九〇一年三月，估计共有两百万吨撒哈拉沙漠的尘沙落在北非和欧洲大陆。两年后，一九〇三年二月，落在英国的尘沙，估计有一千万吨之多。有许多次，撒哈拉沙漠的沙土，随着"泥雨"和"红雪"，落在西南欧大部地区。一九三〇年，北美大旱期间，一次就有一千万吨沙土从大陆心脏地带卷入高空。有时大风会把沙土刮到一千八百英里以外，遮天蔽日，把东部大西洋沿岸地区的白昼弄得天昏地暗。

地球上的水也能使空气中增加微粒。大风打碎海浪、平静海面受雨打或者水面气泡破裂时，进入空中的微小水滴很快就蒸发掉，把小小的海盐结晶留在空中，让大风吹到世界各地去。

飘浮在空中的海盐结晶，直径通常还不到一微米。要有一千万亿颗，才够一磅重。这些盐粒在天气变化上却有特别作用，因为盐粒是吸湿的，即是说有从空气中吸收水分的非凡本领。在厨房中的盐瓶里，这个特点令人讨厌，然而在大气里，却能给庄稼、河流与瀑布带来雨水。什么道理呢？因为雨点会在这些微粒周围形成，起的是凝结核作用。一般而言，云雾的每个微滴，中心部分都包着微粒。作为凝结核，小小的海盐结晶比空气中的其他微粒好。烟和尘的微粒也可作凝结核。

其实，就是流星雨的灰尘，有时也可以影响世界雨量。据观察所得，北半球和南半球降雨最多的时期大致相同。这种现象在气候学上还无法解释，不过流星可能给我们提供一个似乎合理的解释。

地球遇到流星群时，每颗向地球大气层外围进袭的流星，由于磨擦生热都燃烧化气。因此而产生的碎屑，都是细微的烟尘或粉末。这些"流星尘"随后飘到大气低层云系，在那里很容易就作了凝结核，形成冰晶或雨点。观察所得的事实证实了这种说法。地球在太空遇到流星群后约一个月，世界上的降雨量就会增加。在那一个月时间里，流星尘进入大气低层。大流星偶尔会留下一条看得见的灰尘。这些余迹多半会迅速消失，不过有几次有人亲眼看见一条灰尘逗留了约一个小时之久。有一个极罕见的例子，一九〇八年一颗大流星在西伯利亚上空破裂后，灰尘环绕地球走了一圈才消散。

产生空中异物的事物之中，比较壮观的是森林大火。这种火灾形成的上升气流，力量非常强大，所以烟和尘升得很高，同时由于烟尘的颗粒小，高空的风把烟尘吹到广大地区的上空。一九五〇年秋季，加拿大阿尔伯达省的森林大火，烟尘随盛行风向东飘过北美上空，越过北大西洋到达英国，最后到达欧洲大陆。这股浓烟的光散射作用，使苏格兰和北欧各国的人看到靛青的太阳和蓝色的月亮。

空中异物最大的来源之一，就是风媒传粉的植物。可惜，花粉也给千百万人带来严重问题。对花粉过敏的人，吸了花粉就会起反应，刺激眼睛和呼吸器官的敏感组织。反应的强烈与否，要看空中花粉多寡和吸入花粉的时间长短而定。

与花粉紧密相关的是孢子，孢子是真菌的繁殖体。真菌中有霉菌、酵母菌、锈菌、植物霉病、马勃、蕈菌等。这些微小的繁殖体在空中到处飘浮，甚至连海洋上空也有。孢子虽然在外形上与花粉相似，但不是传粉的媒介。更确切地说，孢子与种子类似，因为落在什么地方都能长出新的生物体。在地球各地高达十四英里的上空也发现过真菌的孢子。

大多数真菌靠风力散播孢子。一种霉菌把一个小球射入空中，裂开后就像在空中燃放的烟花那样把孢子散出去。另一种真菌像机枪那样把孢子连续发射。还有一些真菌像发射排炮般把数以百万计的孢子散放出去，看似一股股浓烟。孢子到了空中，那怕是极其轻微的气流，也很容易把它们带走。

只要一个杆锈菌落到小麦梗上，在七天到十天之内就能繁殖十万多个孢子。玉米黑穗病菌甚至还要多产，事实上它是植物界中繁殖力最强的真菌之一。在短短的两个星期以内，一个孢子就能繁殖出二千四百亿个新孢子。

从五月到九月，有许多真菌散发孢子。这个时候，空中的孢子实在数不胜数。在植物疫疠流行之年，整个打麦期间，小麦和燕麦锈菌的孢子像一团团烟雾，以每天每平方英尺近百万个的速度不断增加。一年四季总有不同的孢子留在空中。若是没有把果冻盖好，不多久就会发霉，那是来自空中的真菌孢子作怪。不新鲜的面包上面和皮鞋面长的那层霉，也是从空中飘来的孢子衍生而成。

由于风能把孢子带到很远的地方，要控制由孢子传染的植物病害真是难上加难。譬如说，为害加拿大小麦收成的孢子，可能来自几千英里以外的美国或墨西哥北部。澳洲谷物受到病害的时候，不久之后新西兰的谷物也会受到感染，感染谷物的孢子显然是从千英里以外越过塔斯曼海乘风而来的。

山脉有阻挡风势的作用，这就大大地减少了孢子和花粉的传播。植物遗传学家就利用花粉难以超越大山的特点，设法保持纯种的花卉。由此可知，加州肥沃的山谷能培植大量用以销售的花种，与其说是加州的气候好，倒不如说是因为有高山阻隔。同样，为高山隔开的稻田，孢子不易交换传播，真菌疾病传染的机会也就少得多了。

从前有人教导学医的人，说传染疾病的微生物在空气中很快落下来然后死亡。现在我们知道，譬如说因为打喷嚏而喷出来的微滴，几乎马上就会蒸发，但里面的微生物不是很快落下，而是留在空中飘浮。人类吸入的微生物，只有很小一部分引起疾病。其实，大多数细菌还能为人类服务。例如有些细菌能把大气中的氮转化为有用的植物养分。不过病原菌或致病的微生物，可能是伺机来侵的敌人。大部分微生物行分裂繁殖，即是说由一个细胞分裂成两个细胞。每个新细胞成长后再一分为二。如果环境理想，繁殖得很快。

幸而空气中不是微生物生长繁殖的处所。除非空气中有足够的湿气，否则许多微生物会因干燥而死。大部分微生物碰到太阳的紫外线辐射，不久就会死亡。低温使它们的活动大为减少，气温上升则能使它们迅速消灭。然而尽管有这么多危险，许多微生物在空气中还能活下去。

有些最微小的飘浮粒是介乎生物与无生命化学物质之间的病毒。病毒的直径，由约十分之三微米到百分之一微米不等。经高度放大后，不同的菌株有的像杆棒，有的像毛球，也有的像一条一条的线。使人和动物患病的病毒，多半略呈球形，使植物生病的则一般都是细长形状。病毒是许多疾病的病因，只举少数几个常见的例子，伤风、天花、流行性感冒、脊髓灰质炎和风疹都是病毒传染的。

大气层里有飞鸟，有昆虫，还有无数有生命的和无生命的微粒。大气层是个变化万千的环境，引人入胜之处并不亚于森林、大海、高山和沙漠。

□空气是如何变"脏"的

只要人类想享受清新空气，就能办得到。因为空气污染大都已有补救办法，只待实行。世界若干城市早已开始采取管制空气污染措施，对保持市区的良好环境产生显著效果。

最明显的例子就是钢都匹兹堡。由于烧煤的鼓风炉喷出大量煤烟，长久以来，匹兹堡一直是美国最脏的地方之一。但第二次世界大战以来，当地政府采取管制空气污染的措施，已略有小成。家庭主妇从前每星期洗一次煤烟染黑的窗帘，现在一年只要洗两次。伦敦方面，一九五二年曾出现一次挟着污浊空气的浓雾，约有四千人丧生。十年后，同样的恶劣空气再度出现，但死亡人数微不足道，主要归功于英国政府十年来严格实施空气污染管制。

不过，世界上环境污染十分严重的若干地区，情况虽逐渐改善，另外又有些从来没有污染问题的地区，目前正受到从远方工业区散出的污浊气体毒害。巴黎的空气变得有腐蚀性，铁皮屋顶过去可用二十年，现在只能用五年，肺癌患者也不断增多。奥地利和意大利的美丽山谷，烟雾弥漫。罗马市内美观的松树，日渐枯萎，松树针叶下面有一层空气中飘浮来的油质。此外，世界各城市的居民，肺部本应是粉红色的，现在都给污垢染成黑色了。

空气污染多数在大城市与工业区出现，但当然并不以大城市及工业区为限。大海上时常出现工厂与汽车喷出的大量污染物聚成的烟雾，来自几百英里外人烟稠密的沿海地区。工厂烟雾和汽车废气的微粒，还会进入大气层向上飘行数英里。人类大量使用杀虫药及倾倒未经处理的工业废物、未经净化的污水，已经破坏了"大自然的平衡"，使大片土地和水域不适宜动植物生存。现在，很多科学家担心，人为的污染物质在大气层上广泛散布，可能同样对全球气候产生难以预料的坏影响。

空气中污染物质的多寡，各处不同，但污染物质的成分，大致一样。美国各地工业区的空气污染最为严重。美国的空气污染管制局、环境保护局及其各分局，在全国各地设立大约四千个空气样本抽查站，密切检验国内的空气情况。工厂和汽车喷出的污染物质，每年约有一亿七千八百万吨进入美国上空，其中一千三百万吨是固体微粒，包括煤烟、灰烬、水泥、煤屑及其他工业物料的粉末。

除了上述微粒悬浮在空中以外，其余一亿六千五百万吨污染物质主要是燃料燃烧时产生的气体，包括来自煤和含高硫质重油的氧化硫，汽车废气中氮氧化合物、一氧化碳和未燃碳氢化合物。污浊气体中，一氧化碳和碳氢化合物差不多占一亿一千五百万吨。其中仅汽车一项就产生五千万吨之多，因此汽车是空气污染的罪魁祸首。环境保护局也密切注意其他有害或可能有毒物质的污染程度，包括水银、石棉、铅、硝酸盐、氨、钴、砷及有放射性的各种物料。

这些物质中，有的含有毒性，有的只是肮脏并无毒性。有些能腐蚀石头与金属，另外有些已知是致癌因子。还有些能起化学反应产生一种"新的"有毒物质，可以毒死植物和侵害一般物料。把这些危险物质送入空气中的罪魁，当然就是我们自己。只要肯花钱，采用必要的技术，多数污染物质都能防范于未然，不致侵入人类生存的环境。例如在工厂烟囱装上如静电除尘器等装置，就可以消除工业造成的很多空气污染。静电除尘器利用静电吸力的原理，与丝绸擦过的玻璃棒可以吸起纸片的情形相同。烟通过烟囱进入空中时，烟囱上的除尘器就会吸去烟中的煤烟和其他微料物质。

另一种装置是，先把气体导入旋动的水槽中与水混合，使污染物质溶于水中，再把脏水净化。此外还有人提出其他可使用的装置，或把污浊气体导入袋内，就像真空吸尘器的功能一样；或利用化学方法，滤除工厂黑烟中的有毒化合物。这些防止工业污染的装置，不管哪种，价钱都相当昂贵。

不过，还有其他方法。举例来说，纽约市改善空气污染的计划是从另一方面着手，政府限制发电厂用煤和燃油中的含硫分量，管制焚烧废物的私人或公共焚化炉等。

伦敦的防止空气污染工作，成绩最为显著。一九五六年，英国国会通过清洁空气法案。现在，伦敦冬季可以享受的阳光，比一九五六年前多一半。这样卓著的成效，主要得自空气中的煤烟减少了。伦敦人冬天取暖时，一向是壁炉里燃烧烟煤，现在都燃烧焦炭或无烟煤。在法例规定之下，大多数家庭如果不能完全改用煤气或电力供暖系统，就要改用比较精巧的壁炉或封闭的火炉。壁炉或火炉的改装费用，由户主担负百分之三十，地方政府担负百分之三十，英国中央政府担负百分之四十。

煤、焦炭及重油燃烧时产生的气体中，最普通的污染物质是硫的氧化物，主要为二氧化硫和三氧化硫。仅美国一国，每年差不多有五千万吨硫的氧化物飘进空气里面。

潮湿空气中，溶于水的二氧化硫变成亚硫酸，黏附建筑物与汽车的表面，使砖石逐渐碎裂，并使金属发生腐蚀现象。这种气体难闻，使眼睛刺痛，还使肺部感觉不适。三氧化硫溶在空气的水分中，产生硫酸，腐蚀性比亚硫酸厉害得多。

世界各地用电不断增加，要燃烧更多石油来发电。除非设法不让硫的氧化物形成，否则这种污染物质逸人空气中的分量一定有增无减。虽然欧洲目前可在北海区采用不含硫质的天然气，但俄罗斯、北非洲及北美洲各地蕴藏的天然气，没有北海区那样多。甚至在欧洲，天然气也不能代替煤和石油。假使我们要尽量减少全球空气中的二氧化硫，就要在燃烧前清除煤和石油的硫质，或采取措施来净化烟囱喷出的烟。现在已有几种新发明的技术，可以进行这些工作，只是费用很高。不过，我们即使希望把空气污染程度维持现状，而不奢望改善地球污染情况，也同样要支付这些费用。

近数十年来，工业国的汽车大量增加，内燃机成了可怕的空气污染来源。汽车废气多半是二氧化碳和水蒸气，都是无害的东西。但其中混有的一氧化碳是一种致命的毒素；苯并芘是一种致癌因子；还有汽油未完全燃烧所生的氮氧化合物和未燃的碳氢化合物。此外更有半燃烧热机油冒出的烟和未精炼汽油的污浊液体。这一切都成了空气的一部分。

汽车废气停留在静止空气中，而废气中的烟又受到太阳光线的照射时，会发生复杂的光化作用，产生一种毒气，叫做"光化烟雾"。这种烟雾损害树木及谷物，刺痛眼睛，使鼻子及肺部感到难受，还使橡胶及人造纤维织物等物料变坏。

光化烟雾出现，除汽车废气的烟外，还有其他因素。不论有多少汽车喷出废气，只要上升气流能把烟带上高空，在广阔的气层中冲淡，那么空气还能保持相当清洁。假使大气的上下对流静止不动，污染物质就会滞留在距离原地地面不远的空中。

大气对流怎会阻塞？我们都知道，高空的空气通常比接近地面的空气冷。但在大城市的上空和下风头的地区，情况完全相反，一层暖空气停在接近地面的凉空气上面。这种"逆温"现象使暖空气成了一个盖子。上升的烟困在暖空气的下面，无法继续上升。过了若干时日，污染物质在逆温层下面越集越多，再加上太阳的照射就会产生光化烟雾。

美国洛杉矶的逆温现象滞留不散，阳光充足，周围有山阻挡污染物质消散，地面汽车又多，因此成为世界上烟雾为害最剧烈的地区。美国新近制订的法例规定，在今后十年以内，新造汽车排出的废气要减少九成。这项规定虽然在技术上会有问题，但也带来了很好的希望，烟雾今后或可减轻。

伦敦大雾的成因，也是在低空（离地面三百到四百英尺）中有强烈逆温的现象。以前，这逆温层下面，千千万万煤炉喷出的烟与雾困在一起，使空气坏到几乎不宜于呼吸。即使今日，伦敦的浊烟虽已大量减少，浓雾仍常把能见度减到不足五码，不过，浓雾里只含水珠，不含有毒的烟屑。

洛杉矶方面，造成烟雾灾害的逆温层较高，离地面约二千五百到四千英尺，虽然有较多空间让浊烟消散，但洛杉矶像伦敦一样，逆温层滞留不散。世界上其他地方的逆温层通常只会出现几天，就被风吹走。加里福尼亚州南部的情况不同，逆温层有时候在整个夏季日夜不散。

本世纪以来，世界各地人口和工业毫无疑问都在迅速增长。假使我们想把整个地球恢复到二十世纪以前的情况，根本没有什么奇术妙策。为保全人类的生存环境，我们在金钱上以及在智力上需要付出的代价，可能与最初推动工业发展时付出的代价一样大。人类如果不打算在有毒的地球上灭绝，除了必须接受管制污染的措施以外，似乎别无他法。

□气候为何会听人类的指挥

一九七○年一个夏日，佛罗里达州南部艾维格雷斯大津泽上空，一片白光耀眼的积云像搅拌成泡沫状的奶油，在蔚蓝色天空飘浮。一架改装成空中试验室的古老螺旋浆班机，在两万一千英尺高空处飞入云顶，像福特 T 型古老汽车在乡村道路颠簸那样，随着湍急的小气流飞行。美国国家海洋及大气署实验气象学研究所所长裘妮·辛浦森博士，负责监控飞机里的仪表板，这时下令按动一个电钮。从机翼尖端下方的架子掉下散弹，进入积云中心，使积云中到处都是雾，雾里含有几万亿微小的碘化银结晶。

翻滚的积云团突然爆炸，乳白色的云头，一再向上翻腾，高悬于附近云层之上。

积云为什么会爆炸？积云里寒冷的小水滴已经开始迅速聚积在碘化银结晶上，并凝结起来。小水滴结冰时放出的热，使云层膨胀，温度升高，浮力增加了约一倍，气流上升也加快。积云如蘑菇状上升时，底部吸收大量潮湿空气，形成四万英尺高的雷暴，云变成灰色，然后转为黑色。最后成千成万吨的冰晶形成后开始降落，降落时在下方潮湿空气中融解，倾盆大雨落在沼泽区。

在相隔很远的美安密大学电脑中心，技术人员使用雷达把云受了人工"催化"而降下的豪雨与该区天然的雨水作了比较。催化后多获的雨水，足够淹没三平方英里土地深达一英尺。

借人力使这个云团发生突变，是一连串试验中最惊人的成就之一。人造雨这门科学经过二十五年的争论后，预料不久大功即将告成。在佛罗里达州上空催云化雨试验的结果，证明可利用电脑推断出具有良好催化条件的日子。在这些日子内，利用人工催云化雨，可使当地积云的降雨量加至四倍。

一九四六年，通用电器公司研究所科学家施菲在美国进行人造雨试验，首次获得成功。雨雪何以能降落地球，科学家长久以来一直困惑不解，因为他们晓得，云中微细的冰晶及水滴太小太轻，不能靠本身重量降到地面。有些科学家认为，云里的小水滴可能先由电吸引在一起，成为较重的水滴。但根据计算所得，很快就发现大部分云层里不会有这种可能。另一些科学家推论说，空中的微粒，如随风飘浮的尘埃和来自海中的微细盐结晶，可能供作凝结核，使微细的小水滴聚积成较重的水滴。

另一种理论认为，冰晶在潮湿云层中会自动增大体积，原因是水汽、小水滴与冰晶接触后就会凝结在一起。为了探测这种可能性，施菲研究过在冷冻试验室的云室里把小水滴过度冷却至远在冰点下而形成的云。他发现即使温度降至华氏零下三十度（摄氏零下三十四度），过冷云中的小水滴也可能不结冰。此后又有多次研究也证实这一点。施菲把一撮干冰粉（凝固的二氧化碳）撒在云室里的过冷云中，然后从观察窗注视其变化：那个云团竟发生小型雪暴！不久后，他驾驶飞机在麻萨诸塞州一座大山上空的云堤上方飞行，向云层撒下几磅碎干冰作催化媒介。几乎立刻降落大雪。

施菲已经证明，在过冷云中放入干冰，可用人工造雨。后来，他的同事冯耐格又从一个新方法着手研究，用可能作为凝结核的微粒作试验，使过冷的小水滴在其周围聚积凝结。冯耐格发现，碘化铅及碘化银的微细结晶远比其他盐类为佳显然因为它们的晶体结构与冰相似。

施菲和冯耐格两人的发现被业余造雨者用来胡乱催化云层，效果无法预测。催云化雨像是一种无规则可循的新游戏。魁北克省亚比替比区曾在三个月内，下了六十天雨，气愤的加拿大人认为那是保护森林机构施行人造雨惹来的祸。虽然责任问题始终不能确定，但在豪雨下遭受重大损失的企业公司和房地产所有人提出控诉，确实使加拿大政府感到困扰。在其他地区，催云化雨公司夸大其成效，结果多不能兑现，顾客纷纷取消合约。美国有三个州取缔催云化雨，还对造雨者提出诉讼。

同时许多科学家坚持认为，无法证明催云化雨法比霍皮族印第安人的祈雨舞更为有效。他们要求进行有对照的试验，求取无可置疑的因果证据，但一直没有找到这样的证据。

一九六六年，美国科学院复查十八次商业性施行人造雨的结果，断定造雨者所增加的降雨量为百分之十至二十。它主张由政府主持有对照的试验计划，并且评估各项各自为政的研究计划。

气象家认为，有一点很明显：先要获取更多有关云的知识才可以控制降雨。辛浦森博士对此已作深入研究。一九六〇年代中期，她曾参与美国一项实验性控制飓风的"怒风计划"。这个计划的研究人员飞入飓风圈内，用碘化银结晶催化风眼周围的雪墙，进行观察过冷云里水滴突然凝结时所放出的热量是否足以驱散风暴。怒风计划的试验，在驱散飓风方面取得若干成就，还对强烈风暴的性质作了深入的观察。这个计划的一个小组在加勒比海利用大规模催云的技术，已经确实证明，把大量碘化银（比过去试验多一千倍）散入云中，如果当时情况符合已知的条件，云便发生惊人的膨胀。

接着下来，就要在易于收集雨水及精确测度雨量的陆地上空，试验这种技术。一九六八年，在佛罗里达州开始这项试验。每天早晨进行大气探测，把录得的资料输入特别编订工作程序的电脑中。如果电脑显示，不管催化与否，云团都自然会上升到高空，那天的试验便取消。

结果一共选用了十四个云团进行试验，每次在云中投入二十个散弹，其中共有碘化银二点二磅。由于放出大量碘化银结果，在云中水滴突然变成冰晶时，云团简直就像发生爆炸一样。冰晶向地面降落，进入较暖的空气便融化成雨。所选用的云团，除一个外，全部变成雷暴云砧形状，降雨量是该区未经催化的云所降雨量的两倍或三倍。于是，科学家终于从有对照的试验中获得使人鼓舞的证据。

一九六八年试验结束后，还有一个疑点：其中几次催化所带来的倾盆大雨可能完全是自然现象。因此，辛浦森博士希望再举行另一串试验。这些试验于一九七〇年进行，结果毫无疑问地证实了催云化雨的成效。在电脑指示出可以进行试验的那些日子，每次催云化雨所获得的平均降雨量，都比用作对照而未催化的云所获雨量多一倍有余。

催云化雨的首要条件，是天空中需有含适当湿气的云。造雨者有一种乐观看法，认为辛浦森的方法能在热带干燥地区奏效，这些地区空气中的湿气分量，时常达不到足以下降成雨的程度。但是辛浦森博士在佛罗里达州试验成功的方法，不一定能一成不改地适用于气象情况不同的其他地区。辛浦森的方法虽然已在亚利桑那州、宾夕法尼亚州及南达科他州试验成功，但是她说："我们还不知道其他地区的云可被催化的程度如何。不过我们可以找出哪些地区可用人工改变天气，哪些地区不可用。"

她说："要在特定的一天走出门去把雨落在某个农夫的田

里是不可能的事。研究人员必须在每个集水区先作初步研究。然后在适宜情况下才能造雨，存入蓄水池以备不时之需。这是利用催云化雨以减缓干旱的惟一可行方法。"

根据辛浦森博士使用的方法，柯罗拉多州立大学葛兰特博士在北美路矶山脉某地进行了地方性研究。葛兰特博士研究气流及云层流动情形，找出一种控制某些云层降雪量的有效方法。他发现在满含水分的云顶较为温暖（由华氏零下四度至十四度不等）的日子里，催化可使降雪量增为两倍或三倍；云顶冷至华氏零下十五度以下时，催化可使降雪量至少减低百分之三十。这些资料可提供基础，在不同云层情况下，找出进行催化的基本公式。

一九七〇年，在葛兰特博士指导下，垦荒局实施一项四年计划，有系统地使用催化方法造雨雪。试验场地在柯罗拉多州西南部圣胡安山脉，面积一千三百平方英里。该区是八个主要降雪盆地之一。每年流入柯罗拉多河的水量，平均约有百分之八十五来自这些盆地。试验结果发现，在云顶温度不低于华氏零下五点八度和气团稳定的情况下，催化所获的降雪量增加半倍至一倍。在其他情况下，降雪量增加甚少。这面研究表示在适当的情况下进行催化，到春天融雪时可以增加水量百分之十九。

此后几年间，催云化雨及其他人工改变天气的技术，已经证明前途大有希望。因此人工改变天气咨询委员会在一九七八年报告说，一九八〇年代积雪应该可以增加百分之十至三十，融雪水的流量也会因而增加。咨询委员会还声称，今后十年间，美国中西部地区农田雨量也同样可获得增加。该报告预言，到一九九〇年代，在某些情况之下，应可减弱飓风的风力，从而减轻所受的损害，此外还应该可以减低冰雹的影响。

尽管有这样的乐观看法，科学家都认为催云化雨的计划必须先作好周详准备才能施行。各国如果打算实施这类计划，以增加雨量和改变天气，就必须根据国内各行业不同的需要，详细考虑人工改变天气所带来的后果。某个山地集水区的积雪场积雪倍增，会对山谷中某个农夫有帮助，但是也可能带来一场暴风雪，伤及家畜，使牧场主蒙受损失。雨水充足会对电力公司有好处，却会使旅游事业出现不景气。把降雪的范围扩大，可能缓和一个城市的交通问题，但也可能毁坏一个滑雪胜地。

催云化雨这门科学，三十多年前才由一次大胆的人造雨试验诞生出来，现在虽然不是没有实际的危险，但是前途无可限量。人造雨大功告成的日子就快来临了。